名家推荐贰零零贰年最具阅读价值中短篇小说

◉ 程德培 主编

名家推荐

2002年

最具阅读价值

中短篇小说

（上卷）

上海社会科学院出版社

名家推荐
2002年
最具阅读价值
中短篇小说
名家推荐

名家推荐
2002年最具阅读价值中短篇小说

上卷

程德培主编

图书在版编目（CIP）数据

名家推荐2002年最具阅读价值中短篇小说（上下卷）/程德培主编. —上海：上海社会科学院出版社，2003

ISBN 7-80681-176-1

Ⅰ.名... Ⅱ.程... Ⅲ.①中篇小说—作品集—中国—当代 ②短篇小说—作品集—中国—当代 Ⅳ.I247.7

中国版本图书馆 CIP 数据核字（2003）第 020421 号

名家推荐2002年最具阅读价值中短篇小说（上下卷）

主　　编：程德培

特约编辑：朱小如

责任编辑：余　同

装帧设计：夏季风工作室

出版发行：上海社会科学院出版社

　　　　　（上海淮海中路622弄7号　电话63845741　邮编200020）

　　　　　(http://www.sassp.com　E-mail:sassp@online.sh.cn)

经　　销：新华书店

印　　刷：杭州出版学校印刷厂

开　　本：890×1240毫米　1/32开

印　　张：25.5

插　　页：2

字　　数：570千字

版　　次：2003年3月第1版　2003年3月第1次印刷

印　　数：0001—10000

ISBN 7-80681-176-1/I·014　　　　定价（上下卷）：52.00元

前　言

　　2002 年的秋天，正是金风送爽的季节，也是文坛收获倍增的最佳时刻。我们特意邀请了当今文坛上最活跃的三十余位著名作家和评论家来为广大读者推荐，2002 年最具阅读价值的中短篇小说及散文、随笔之作。

　　虽然，文坛上每年都会有不少年度最佳小说的排行和作品选的推出，但一般来说，有的仅仅代表着某一专家的个人遴选，有的则代表着某个评奖委员会的评选结果。而我们这三十余位著名作家和评论家们，各自以他们个人的眼光来为广大读者推荐 2002 年度中最具阅读价值的一部中短篇小说及一篇最具阅读价值的散文、随笔，这在文坛上还属第一次。

　　方方、徐坤、林白、裘山山、刘雁、戴来，虽然都是女作家，但她们的视野却未必是"女性"的；陈忠实、苏童、韩少功、叶兆言、刘醒龙、熊正良、毕飞宇、鬼子、东西、王跃文、谈歌、荆歌、西飏、艾伟、吴玄等文坛中坚与新锐们的"天南海北"的口味，品出来的自然也是"甜酸苦辣"样样都有；评论家雷达、程德培、李敬泽、王干、王宏图、盛子潮、洪治纲、林建法、程永新、郜元宝、汪政、吴义勤、施战军、葛红兵等的推荐也与某一专家的个人遴选或某个评奖委员会的评选结果具有许多明显的不同之处。

总之，正是他们这样的热心推荐，奠定了我们编选这套2002年最具阅读价值的中短篇小说及散文、随笔之作的基础。同时也才有可能使我们摆脱过去惟一的文学评选标准和过于单调的文学审美情趣的局限，较好地反映出2002年的中短篇小说及散文、随笔之作繁花似锦、风格各异、精彩纷呈的特色。

在此，我们由衷地要向这些作家、评论家们表示真诚的感谢！

惟有一点比较遗憾的是，在编辑小说的过程中出现了整部书稿篇幅过长的问题，我们只能将有些作家的作品过于集中的删减，但我们仍将这些作家推荐的作品存目于后。为此，我们也向这些作家表示深深的歉意！

——编者

目录

CONTENTS
按推荐作家、评论家的姓氏笔划排列

刘雁 推 荐

马口鱼

◎ 张万新

一

　　我和老包坐在露天茶馆里。已经初冬了，很冷。茶馆里只有几位散客。我们都不敢打瞌睡，怕感冒。茶馆的伙计冷得直哆嗦，水壶嘴一翘一翘的，水满盖碗，也洒了一桌子。老包想发火，伙计不像平时那样点头哈腰地说对不起，而是说："好冷。"放下抹布，舞了一圈。桌子又干净了。老包缩回脖子，用脚踢湿了的报纸，踢歪了比尔·盖茨的脸。他说："狗日的，最有钱的人。"我说："我晓得迟早会有一个人比他更有钱，这个人只要发明治近视的灵药，立刻就富甲天下。"老包说："那是肯定的。说不定美国的《国家地理杂志》都会专题报道他的家乡。至少，诺贝尔医学奖是他的了。"我说："他转身就创设一个更大的奖，发给诺贝尔奖评委会和瑞典王室，奖励他们的鲁莽行为。"我们说这些话时，都想把脸上的眼镜砸了。老包说："老子恨透这架微型自行车似的装饰品，近视真他妈的害人。我爸是老眼镜，镜片像啤酒瓶底，正面看，目光像两根针：四十年前，他差点把自己送进虎口，他以为那是个穿花服的农民躺在岩石上。"我说："我爸还不是一样的。三十年前，'文革'闹得正凶，他念红头文件时，把单位新领导的名字念成了另一个人的名字。你说，吴思虑和吴恩虎差别大不大？"老包说："差别不大，我可能都会读错。结果呢？"我说："当然挨整了，而且是往死里整。发配去酉水河放木筏，洪水滔天的，他连木筏的边缘都看不清楚，等于派他去送死。我那时十二岁，长得像个大人，勇敢地站出来顶替了他，不然，后果不堪设想。"老包睁开眯缝的眼，欠起身来，仔细看了我两眼，才说："也就是说，你十二岁就放过筏子，吃水上饭，过那种一边朝水里拉屎一边舀起水来喝的日子。"我说："这有啥奇怪呢？你十二岁时只晓得拍烟盒。"老包点了一支烟说："讲一下，讲一下，有点传奇。"

二

我妈给我一把杀猪刀，说："不能让你爸去送死。走，我们去和他拼了。"当然是和单位领导吴思虑主任拼了：我把刀背在身后，昂首挺胸跟着我妈进了革委会办公室。吴主任的脾气比我们还大，吼得屋顶的瓦都要掉下来了。我亮出了刀。他不敢相信似的瞪着眼，退到了椅子后面。我妈用鼻孔哼了两声说："要么换人，要么挨刀。"吴主任说："换人？哪里有人可换，都有革命工作要做。不革命就是反革命。"我举起刀在空中劈了两下，喊了句口号："打倒反革命！"吴主任阴阳怪气地说："你娃有种，在我面前耍威风。你有种就替你爸去干革命。"我一听这话，立即放下刀子。（老包说："啥意思哦？我以为你把他杀了呢。"）我老早就想去放筏子了，好玩得很。我紧逼了吴主任一句："你敢不敢派我去嘛？我妈急得直拉我的左手。"他说："好，好，好，老子就派你去，你莫后悔。"我说："可以！待遇呢？"他说："老子让你享受大人待遇。"事情就这么定了。

三

我到酉水河边的水运队报到，被分在第八分队。分队长白其乐是我爸的哥们。我也不知道为什么，非亲非故的，从小我就叫他舅舅。（老包说："叫舅舅又不吃亏。"）他很矮，只有我十二岁那么高；很丑，外号叫猪八。饭量惊人，我家的大半锅饭被他一口气吃完，我爸只吃了一块锅巴，还饿着肚子表态："不饿，不饿。"以后他来，家里就煮两锅饭。

舅舅是我见过的人里力气最大的，他能把一根青杠棍子拧成麻花。我跟他打赌，只要他能抱起一根十六米长的圆木的梢头，把它的根部抬起来并推上车，我就输他一包烟，他赢了，那包烟值九分钱。（老包说："现在上厕所都不够。"）我想起来了，当时河边有个搬运工，也是个大力士，体形比舅舅大两号。两人谁也不服谁，经常在河边较手劲。两人面对面，肘部撑在大岩石面上，右拳相握，左手抵在岩石与身体之间，牙关紧咬，脸憋得通红，全身肌肉鼓胀，蹬起骑马桩，劲只往一处使。沙滩有点滑，两人绕着石头缓慢地移动着调整重心，竟在脚下划出两个圆圈来。河边的人都来看，从河边到半山腰的洪水线处，密密麻麻的人头。直到月亮升起来，两人只打了个平手。

舅舅的酒量也很大。他家里的大炉缸盛的全是酒。每天早上，他起来就喝一大瓢酒，才下河去指挥民工扎筏子。每个筏子都有平房那么高，八米宽。放在水里，如一头巨兽，有排山倒海的气势，见谁灭谁——（老包跳起来，朝茶铺大声喊："开水。伙计，你个狗日的，电视里又没脱裤子，有啥子看头？快点！"伙计蹲在火炉边取暖，伸长脖子应道："来了，来了。"）

四

木筏扎好了。我们就在河边等洪水。我们将顺流而下，出酉水，入沅江，直到湖南常德。我等得不耐烦了，在明晃晃的阳光下，整天在河边打水漂、摸小鱼。舅舅也怕闹得没事干，他没老婆，整天想女人。舅舅特别想女人的时候，就带我去钓鱼。我们离开码头，朝上游走，进了幽森森的峡谷，在绝壁下找到一处大回水沱，垂下了钓竿。那年月，鱼多得要命，不停咬钩，我一口气钓了十二条大鱼。小鱼不计其数，都扔在沙滩上等死。只有母猪壳（鲑鱼的一种）被我留下来，它是最好吃的一种鱼，鱼骨头像一把梳子，最多能长到半斤。舅舅比我还挑剔，他只钓一种鱼，而且只要一斤半大小的。这鱼叫马口鱼，因嘴形长得像马嘴巴而得名。把它上唇翻起来，鱼唇圆圆的，让它咬住一根较粗的木棍，甩都甩不脱，咬得紧，沿河上下的人们一般不用草茎穿它的腮，就可把它提回家去了。

我起初不知道马口鱼的妙用。看着舅舅在沙滩和乱石之间着急的身影，我疑惑不解，只想笑。"哈哈，哈哈，哦，哦，哦。"舅舅丢掉五六十条鱼之后，终于钓到了称心如意的马口鱼，扔了钓竿，把鱼搂在怀里，快乐得手舞足蹈，像个非洲土著。我真搞糊涂了，不就是一条马口鱼嘛，有啥子值得如此疯癫的？（老包喝了一大口茶，说："别装神弄鬼了，究竟怎么回事？"）只见舅舅脱了裤子，亮出又粗又硬的家伙，翻开鱼唇，把鱼套了上去。我全明白了。（老包眼睛都瞪圆了，"哇"了一声）看着他站在那里，双手抱着脖子朝天上吐气。鱼就横在腰际，扑闪着尾巴拼命挣扎，鱼鳞和花纹闪闪发亮。我都看傻了。他突然一声长啸，惊得悬崖上的鹰滑出巢来，在空中盘旋。最后，他躺在沙滩上，像死人一样舒服。回家路上，舅舅说："这河里的马口鱼，长到一斤半，都是我老婆。"（老包问道："他搞过的那条马口鱼，你们吃没吃？"我说："呸！舅舅怎么会吃他的老婆呢？"）

五

鱼和豆腐堆在大铁锅里，微火慢慢煨，香气扑鼻。那天晚上，我们喝了很多酒，放倒了十几条好汉。我躺在床上迷迷糊糊地，听见雨季沿着南方的山脊远远地来了。雨哗啦哗啦下，四下里只有水声。只有水声和我的梦。

雨一下就是二十多天。洪水滔天了，几十里内都是河流的咆哮声：那年的洪水比往年都来得凶猛，人们看着上游漂来的牛、羊、猪和许多野树，甚至半座木屋，都没人敢去捞浮财。

雨刚小得可以不戴斗笠了。吴主任就从县城下来组织誓师大会。人群在他面前黑压压站了一大片。他刚要讲话，人群后面响起一声炸雷："狗日的吴思虑，你思虑个锤子，全他妈坏心眼。"人群立即分开一条缝，好让吴主任看清是谁。除了舅舅，别人没这个胆。舅舅提着两个镭钵似的拳头走了过去，他继续骂道："老子今天打死你，让你少害点人。你他妈的，想得出来，派个细娃来放筏子，出了事，我怎么向友人交待哦？"我站在人群里，想喊口号却不知喊啥子才好。我想，舅舅力气大，一拳下去，一定打得吴主任皮开肉绽，肉打成泥，骨头打成渣渣。

吴思虑显然怕了，腿肚子发软。他要是继续挺胸昂头的话，肯定挨打了；低着头呢，又刚好和矮子舅舅面对面。情急之下，舅舅已冲到他面前，他发话了，声音轻得像蚊子叫，他说："你看你，你看你，硬是得有个老婆来勒你这匹野马的缰绳。这样吧，这次回来，我给你找个老婆，我当成革命任务来完成。"听到这样的允诺，舅舅松开了拳头，人都软了，只晓得嘿嘿嘿傻笑。(老包说："都是雷声大雨点小的胆小鬼。")舅舅突然一转身，大步走向木筏堆，爬了上去。他挥舞着手臂大声喊道："兄弟们，吃肉，喝酒，有老婆的回家搞老婆，明天早上出发。"

六

我们出发了，打头阵。有三个分队共二十五个人，押十二条筏子顺流而下。我们飞驰如箭，出发不过两三个小时，已过了万重山。在快到里耶镇时，中间有两条筏子散了架，若不及时修整，我们会被零散的圆木砸得全军覆没。我们靠了岸，重新扎那两条筏子。我们都在齐腰深的水里齐心协力。舅舅问我:"怕不怕?"我说:"不怕。"他一边把一条粗绳子勒紧一边对我说:"也没什么好怕的,要死卵朝天,不死好过年,命都是一条,早死晚死也没啥区别。放筏子别的不怕,就怕夹缝水。"(老包问:"夹缝水是什么东西?"我说:"洪水是乱的,水流方向不一致,几经冲撞,会在急流中突然形成一种向下的猛力,筏子跟着往下一沉,两边的恶浪又乘虚挤压过来,可以将筏子折成两半,并拍合在一起,当时从上游下来的湖北佬队伍里就有条筏子遇上了夹缝水。有三个工人被拍合的筏子拍成了肉酱。"老包说:"好骇人。"我说:"每年都有人死,庆功会之前一般是追悼会。")我把又一条粗绳子递给舅舅时,明显感受一条大鱼撞在我的腿肚子上,很疼。

等两条筏子重新扎牢时,大伙都喊累。决定在里耶镇歇一夜,小镇顺河道一字排开两里多,洪水只差两公尺就会上街,码头上有很多妇女在残存的条石上捶洗衣物。临水的吊脚楼上,有几个女人,用洪水洗脚,感觉整个镇子刚好浮在水面上似的。我们系牢筏子,在炊事员把晚饭煮熟之前,闲得没事干。二分队的人便出了一块钱的赌注,赌哪个狗日的敢一丝不挂路过那条街。我首先跳了出来,大声说:"我敢!"大伙都说:"你不算,你毛都没长,不算。"我急了,就脱了裤子让他们看,稀稀疏疏的几根毛,被他们笑死。他们反正都不让我挣那一块钱。舅舅朝河里撒了一泡尿,笑兮兮地说:"我敢跑。你们把钱拿出来。"有人说:"跑完了,就给你。"他说:"不行,到时候你们耍赖,我又不能一拳打你下河。"几个打赌的人凑零钱让二分队队长换成一张整钱,钱由我保管。舅舅脱光了,扛着桡片,就上岸了,拔腿就在街上跑了起来。一边跑一边大喊："闪开，闪开，我的筷子丢了，我的筷子丢了。"街上的男人们笑得合不拢嘴，码头边的妇女一边骂："狗日的哟。"一边躲避，躲不及的就挥舞捶衣棒猛打舅舅，他一闪就过去了，大姑娘们都在尖叫，老妇人们就拿晾衣竿打，或把扫帚和破碗砸过来。他就在枪林弹雨中冲过镇子。我抱着他的衣服远远地跟着跑。我看见很多条平时极凶的狗钻在主人的胯下，惊奇地看着他远去的裸体。

舅舅穿好衣服，我扛着桡片，得意洋洋地往回走。在临街的供销社，他要了半斤酒，"咕噜"一声就喝了下去。一抹嘴，没事一般。售货员是个中年妇女，她拇指一挑说："好酒量。"舅舅就更得意，我趁机敲诈他两碗米豆腐，他爽快地答应了，还加了一碗大肉面。太好吃了。

七

第二天下午两点左右，我们就靠了岸，打算在边城歇一夜。（老包说："边城？是不是沈从文写过的？"我说："当然是，不身临其境，你根本不晓得沈从文的影响有多大，我们当时连字都不认识几个，却不再叫洪安或茶峒这样的地名，而是说边城。"）我们这么早就停下来，不是我们不想早日完成革命工作，而是有原因的。我们队伍里至少有三个人在岸上有相好，他们收拾得干干净净才上岸，走的时候都说"春宵一刻值千金！"这时，舅舅很可怜，心里像猫抓，独自站在筷子边缘，朝河里吐口水，看见漩涡就用竹竿去搅一搅。再说我们晚上有行动，我们要去偷湖北佬的筷子，他们就在下游两里处安营扎寨埋锅造饭，我们计划好了，留五个人看守我们的阵地，八个人在半路上埋伏，备好滚木擂石，多带棍棒，准备万一被发现时打一场恶仗，另外十二个力气大的人负责偷筏子，趁湖北佬睡着了，拖着筏子逆流而上，偷回来就编在我们的队伍里，第二天堂堂正正地放下去，若是赶上了湖北佬，他们一定会说："昨夜丢了一个筏子。"我们都不笑，好心地安慰他们："恶浪滔天的，丢个筏子也正常。"偷得的筏子放入沅江，便宜卖给湖南伢子，我们都可以分点钱。

为了晚上更有劲，伙食都超标了，煨了五斤酱爆肥肉，用青椒和蒜苗炒了两块老腊肉，香气顺河风吹向下游，逗得别人口水滴嗒的。大家喝了很多酒，这样胆子更大一些。吃饱喝足了，都呆呆地看着天空，等着夜幕落下，砸两个流星下来也不怕。

我们还没等到动手的时刻，舅舅就出事了。当时，天色已暗，金星都升起来了。远远看见上游冲下来一幢木屋，屋顶还有两个呼天喊地的女人。那么大的水，没人敢去救，我们都替她们惋惜，我们说："没得救了。"（老包问："那木星是不是黑色的？"我说："是。"他就说："那是幽灵之车，是死神的坐骑，你不讲，我都晓得，你舅舅为了屋顶上那两个女人就非死不可。"）

我们都是信命的人，相信命中注定的事总是要发生的。是祸躲不脱。那木屋被洪水冲了下来，屋顶的两个女人声音都喊哑了。恐惧使她们紧抓大梁的手都痉挛了。眼看就要冲过去了：突然，木屋正前方防水面涌起一股罕见的鼓股水，在河面铺开一面巨大的圆镜似的水域，压住了凶涛恶浪：（老包问："为啥子？"我说："洪水乱窜。会在水底形成一股强大的暗流，当它力量足够大或遇到山势阻力时，就会突发猛力地朝上涌出，冲出水面，力量朝四周分解，水面就会形成一面巨大的圆镜，有点像烙平的一块饼。"）急流突然转向，朝两岸拍打过来，我们站在岸边，都被飞溅而起的巨浪淋湿了。那木屋被水浪一推，奇迹般地挣脱了主流，差一点推到岸边。它在浅水区打了五六个转，又被拍岸后返回的水浪一推，眼看又要被送回急流之中去了。这时，舅舅已不顾一切地扑下了水，想抢在急流与浅水区分界的一块巨大礁石前把那木屋拉回来。如果他力气不大的话，他是不会做出这种举动的，加上多喝了酒，他以为连老天爷都不是他的对手了。我、二分队队长和六分队队长条件反射似地跟着扑下了河，在水里跑了几步，就不行了，我差点被洪水冲走，脚步踉跄之际，两个分队长刚好转身往回跑，各用一只手抓住我的左右胳膊。我们返回岸上，这时，舅舅已抓住了木屋。他站在礁石前，用一只脚抵住石头，使出了全身的劲，双手紧托着木屋的下端，人、木屋和礁石在几分钟内和急流势均力敌，相持在水中。木屋几乎是静止的，不断追加的急流在后面沿木板往上窜，只听"咔嚓咔嚓"一阵响，木屋被折断了一半，许多碎片爆炸似地飞了出去，舅舅身体往后一躺，用背抵在礁石下，又一次稳住了木屋前冲之势。这时，一个女人不要命地从屋顶跳了下来，"咕咚"一声，根本没有站稳脚跟的机会，就被洪水冲倒，眼看就要顺着急流从礁石旁冲走了，舅舅腾出一只手，去抓这个人。那木屋就像一柄巨大的铁锤猛然一冲，重重地砸在他的肚子和前胸上。他"啊呀"一声，脖子一伸，喷出一口鲜血。那女人漂走了，很快从水面消失了。那木屋一转，滑开了，绕过舅舅和礁石，又被恶浪带向了下游。舅舅被那木屋一带，眼看也要顺流而去了，他猛扑一下，死死抓住了礁石，急流上只有他那双无限绝望的眼睛。这时候，我们中有五个人腰际拴了保险绳扑下水去，在舅舅要被冲走的一瞬间搂住了他的腰。大伙一起用力拉，把他们拉上了岸。

我们把舅舅送到乡卫生所，把他放在一张不太大的病床上，大伙在屋里站得满满的。仅有的两个医生和三个护士以及医院打杂的人都来看了。摇着头说："没救了。"随后赶来的两个医生和一个赤脚医生，也只是摇摇头。

舅舅突然停止了呻吟，用细若游丝的声音呢喃着："我要女人……我要女人……"二分队队长抱着他的头说："回去就有了，啊，回去就有了。"他又改口说："我要老婆……"并瞪了我一眼。我立刻明白了，转身冲了出去，在街上问清了本地渔船的避风港，便沿着青石板路跑去，在小河里（就是边城里那个翠翠摆渡的河）停满了渔船，我跳上其中一条，扯开后盖板，就跳进了鱼舱。好多鱼。船老板气急败坏地在我耳边大吼："狗杂种！你搞啥子？"我一边在鱼群里翻找，一边说："马口鱼，一斤半的马口鱼。"船老板说："你他妈的，这么小个人，也要用马口鱼？"听他这么说，我才晓得沿岸有很多人都用马口鱼取乐。我抱着一条鱼下了岸，几个箭步就跑出去十几米远。（老包说："那个渔民不收你钱吗？"我说："你急个锤子，听我慢慢给你说。"）船老板在身长后大吼一声："钱！"我急忙停住，掏出一张钱，我身上也只有一张钱，朝他一扔道："五块，等会我回来，你补我四块九。"然后转身就跑。

舅舅咽最后一口气时，我刚好跑进门，并且喊了一声："马口鱼！"我看见他眼角泪光一闪，还有一种很幸福的东西也跟着一闪，他差点活过来。

（原载《芙蓉》）

汪政 推 荐

地球上的王家庄

◎毕飞宇

我还是更喜欢鸭子，它们一共有八十六只。队长把这些鸭子统统交给了我。队长强调说："八十六，你数好了，只许多，不许少。"我没法数。并不是我不识数，如果有时间，我可以从一数到一千。但是我数不清这群鸭子。它们不停地动，没有一只鸭子肯老老实实地呆上一分钟。我数过一次，八十六只鸭子被我数到了一百零二。数字是不可靠的。数字是死的，但鸭子是活的。所以数字永远大于鸭子。

每天天一亮我就要去放鸭。我把八十六只也可能是一百零二只鸭子赶到河里，再沿河赶到乌金荡。乌金荡是一个好地方，它就在我们村子的最东边，那是一片特别阔大的水面，可是水很浅，水底下长满了水韭菜。因为水浅，乌金荡的水面波澜不惊，水韭菜长长的叶子安安静静地竖在那儿，一条一条的，借助于水的浮力亭亭玉立。水下没有风，风不吹，所以草不动。

水下的世界是鸭子的天堂。水底下有数不清的草虾、罗汉鱼，那都是一览无余的。鸭子们一到乌金

12

荡就迫不及待了，它们的屁股对着天，脖子伸得很长，全力以赴，在水的下面狼吞虎咽。为什么鸭子要长一只长长的脖子？原因就在这里。鱼就没有脖子，螃蟹没有，虾也没有。水底下的动物没有一样用得着脖子，张着嘴就可以了。最极端的例子要数河蚌，它们的身体就是一张嘴，上嘴唇、下嘴唇、舌头，没了。水下的世界是一个饭来张口的世界。

乌金荡同样也是我的天堂。我划着一条小舢板，滑行在水面上。水的上面有一个完整的世界。无聊的时候我会像鸭子一样，一个猛子扎到水的下面去，睁开眼睛，在水韭菜的中间鱼翔浅底。那个世界是水做的，空气一样清澈，空气一样透明。我们在空气中呼吸，而那些鱼在水中呼吸，它们吸进去的是水，呼出来的同样是水。不过有一点是不一样的，如果我们哭了，我们的悲伤会变成泪水，顺着我们的面颊向下流淌。可是鱼虾们不一样，它们的泪水是一串又一串的气泡，由下往上，在水平面上变成一个又一个水花。当我停留于水面上的时候，我觉得我飘浮在遥不可及的高空。我是一只光秃秃的鸟，我还是一朵皮包骨头的云。

我已经八周岁了。按理说我不应当在这个时候放鸭子。我应当坐在教室里，听老师们讲刘胡兰的故事，雷锋的故事。可是我不能。我要等到十周岁才能够走进学校。我们公社有规定，孩子们十岁上学，十五岁毕业，一毕业就是一个壮劳力。公社的书记说了，学制"缩短"了，教育"革命"了。革命是不能拖的，要快，最好比铡刀还要快。"咔嚓"一下就见分晓。

但是父亲对黑夜的兴趣越来越浓了。父亲每天都在等待，他在等待天黑。那些日子父亲突然迷上宇宙了。夜深人静的时候，他喜欢黑咕隆咚的，和那些远方的星星们呆在一起。父亲

毕飞宇 地球上的王家庄

站在田埂上，一手拿着手电，一手拿着书，那本《宇宙里有些什么》是他前些日子从县城里带回来的。整个晚上父亲都要仰着他的脖子，独自面对那些星空。看到要紧的地方，父亲便低下脑袋，打开手电，翻几页书。父亲的举动充满了神秘性，他的行动使我相信，宇宙只存在于夜间。天一亮，东方红，太阳升，这时候宇宙其实就没了，只剩下满世界的猪与猪，狗与狗，人与人。

父亲是一个寡言的人。我们很难听到他说起一个完整的句子。父亲说得最多的只有两句话，"是"，或者"不是"。对父亲来说，他需要回答的其实也只有两个问题，是，或者不是。其余的时间他都沉默。父亲在沉默的夏夜迷恋上了宇宙，可能也就是那些星星。星空浩瀚无边，满天的星光却没有能够照亮大地。它们是银灰色的，熠熠生辉，宇宙却还是一片漆黑。我从来不认为那些星星是有用的。即使有少数的几颗稍微偏红，可我坚持它们百无一用。宇宙只是太阳，在太阳面前，宇宙永远是附带的，次要的，黑灯瞎火的。

父亲在夜里把眼睛睁得很大，一到了白天，父亲全蔫了。除了吃饭，他的嘴巴永远紧闭着。当然，还有吸烟。父亲吸的是烟锅。父亲光着背脊蹲在田埂上吸旱烟的时候，看上去完全就是一个庄稼人了。然而，父亲偶尔也会吸一根纸烟。父亲吸纸烟的时候十分陌生，反而更像他自己。他端端正正地坐在天井里，翘着腿，指头又长又白，纸烟被他的指头夹在中间，安安静静地冒着蓝烟，烟雾散开了，缭绕在他的额头上方。父亲的手真是一个奇迹，晒不黑，透过皮肤我可以看见天蓝色的血管。父亲全身的皮肤都是黑乎乎的。然而，他手上的皮肤拒绝了阳光。相同的状况还有他的屁股。在父亲洗澡的时候，他的屁股是那样地醒目，呈现出裤衩的模样，白而发亮，傲岸得很，洋溢出一种冥顽不化的气质。父亲的身上永远有两块异己的部分，手，还有屁股。

父亲的眼睛在大白天里蔫得很，偶尔睁大了，那也是白的多，黑的少。北京的一位女诗人有一首诗，她说："黑夜给了你一双黑色的眼睛，你却用它来翻白眼。"我觉得女诗人说得好。我有一千个理由相信，她描述的是我的父亲。

父亲从县城带回了《宇宙里有些什么》的同时还带回了一张《世界地图》。世界地图被父亲贴在堂屋的山墙上。谁也没有料到，这张《世界地图》在王家庄闹起了相当大的动静。大约在吃过晚饭之后，我的家里挤满了人，主要是年轻人，一起看世界来了。人们不说话，我也不说话。但是，这一点都不妨碍我们对这个世界的基本认识：世界是沿着"中国"这个中心辐射开去的，宛如一个面疙瘩，有人用擀面杖把它压扁了，它只能花花绿绿地向四周延伸，由此派生出七个大洲，四个大洋。中国对世界所做的贡献，《世界地图》上已经是一览无余。

《世界地图》同时修正了我们关于世界的一个错误看法，关于世界，王家庄的人们一直认为，世界是一个正方形的平面，以王家庄作为中心，朝着东南西北四个方向纵情延伸。现在看起来不对。世界的开阔程度远远超出了我们的预知，也不呈正方，而是椭圆形的。地图上左右两侧的巨大括弧彻底说明了这个问题。

看完了地图我们就一起离开了我的家。我们来到了大队部的门口，按照年龄段，很自然地分成了几个不同的小组。我们开始讨论。概括起来说有这样的几点：第一，世界究竟有多大？到底有几个王家庄大？地图上什么都有，甚至连美帝、苏修都有，为什么反而没有我们王家庄？王家庄所有的人都知道王家庄在哪儿，地图它凭什么忽视了我们？这个问题我们完全有必要向大队的党支部反映一下。第二，这一点是王爱国提出来的，王爱国说，如果我们像挖井那样不停地往下挖，不停地挖，我们会挖到什么地方去呢？世界一定有一个基础，这个是肯定的。可它在哪里呢？是什么托起了我们？是什么支撑了我们？如果支撑我们的那个东西没有了，我们会掉到什么地方去？这个问题吸引了所有的人。人们聚拢在一起，显然，开始担忧了。我们不能不对这个问题表示我们深切的关注。当然，答案是没有的。因为没有答案，我们的脸庞才格外地凝重，可以说暮色苍茫。还是王爱国首先打破了沉默，提出了一个更令人害怕的问题，第三，如果我们出门，一直往前走，一定会走到世界的尽头，白天还好，万一是夜里，一脚下去，我们肯定会掉进无底的深渊。那个深渊无疑是一个无底洞，这就是说，我们掉下去之后，既不会被摔死，也不会被淹死，我们只能不停地坠落，一直坠落，永远坠落。王爱国的话深深吸引了我们，我们感受到了恐惧，无边的恐惧，无尽无止的恐惧。因为恐惧，我们紧紧地挨在一起。但是，王爱国的话立即受到了质疑。王爱贫马上说，这是不可能的。王爱贫说，他看地图看得非常仔细，世界的尽头并不是陆地，只不过是海洋，并没有路，我们是不会走到那里去的。王爱贫补充说，地图上清清楚楚，世界的左边是大西洋，右边也是大西洋，我们怎么能走到大西洋里去呢？王爱贫言之有理。听了他的话我们都松了一口气，同时心存感激。然而，王爱国立即反驳了。王爱国说，假如我们坐的是船呢？王爱国的话又把我们甩进了无底的深渊。形势相当严峻，可以说危在旦夕。是啊，假如我们坐的是船呢。假如我们坐的是船，永远坠落的将不只是我们，还得加上一条小舢板。这个损失将是无法弥补的。我们几个岁数小的一起低下了脑袋。说实话，我们已经不敢再听了。就在这个最要紧的关头,还是王爱贫挺身而出了。王爱贫没有正面反击王爱国,而是直接给了我们一个结论,"这是不可能的!"王爱国说:"为什么不可能?"王爱贫笑了笑,说,如果船掉下去了,"那么请问,满世界的水都淌到了哪里?"

满世界的水都淌到了哪里?

我们看了看身后的鲤鱼河。水依然在河里,并没有插上翅膀,并没有咆哮而去,安静得像一口井。我们看到了希望。心安理得。我们坚信,有水在,就有我们在。王爱贫挽救了我们,同时挽救了世界。我们都一起看着王爱贫,心中充满了爱戴与崇敬。他为这个世界立下了不朽的功勋。

但是,我还是不放心。或者说,我还是有疑问。在大西洋的边缘,满世界的水怎么就没有淌走的呢?究竟是什么力量维护了大西洋?我突然想起了《世界地图》。可以肯定,世界最初的形状一定还是正正方方的,大西洋的边沿原来肯定是直线。地图上巨大的外弧线只能说明一个问题,那是被海水撑的。像一张弓。弯过来了。充满了张力。充满了崩溃的危险性。然而,它终究没有崩溃。这是一种奇异的力量,不可思议的力量,我们不敢承认的力量。然而,是一种存在的力量。

我们完全可以设想,大西洋的边沿一旦决口了,海水会像天上的流星,消失在无边的黑暗中。水都是手拉手的,它们只认识缺口,满世界的水都会被缺口吸光,我们王家庄鲤鱼河的水也会奔涌而去。到那时,神秘的河床无疑会袒露在我们的面前,河床上到处都是水草、鱼虾、蟹、河蚌、黄鳝、船、鸭子,也许我们家的码头上还会出现我去年掉进河里的五分钱的硬币。可是,五分钱能把满世界的水重新买回来么?用不了两天这个世界就臭气熏天了。我傻在那里,我的心像夏夜里的宇宙,一颗星就是一个窟窿。

我没有回家，直接找到了我的父亲。我要在父亲那里找到安全，找到答案。父亲站在田埂上，一手拿着书，一手拿着手电，仰着头，一心没有二用。满天的星光，交相辉映，全世界只剩下我和我的父亲。我说："爸爸。"父亲没有理我。过了好半天，父亲说："我们来看看大熊座。这是摇光，这是开阳，依次是玉衡、天权、天玑、天璇、天枢，北斗七星就是它们。儿子，我们现在沿着天璇和天枢五倍远的距离，喏，这个，最亮的一颗，"父亲一边说一边打开了他手里的手电，夜空立即出现了一根笔直的光柱，银灰色的，消失在遥不可及的宇宙边缘。父亲说："看见了吗？这就是北斗。"我看不见。我没有耐心关心这个问题。我说："王家庄到底在哪儿？"父亲说："我们在地球上。地球也是宇宙里的一颗星。"我仰起头，看着夜空。我一定要从宇宙中找到地球，看地球在哪里闪烁。我从父亲的手上接过手电，到处照，到处找。星光灿烂，但没有一处是手电的反光。没有了反光手电也就彻底失去了意义。我急了，说："地球在哪里？"父亲笑了。父亲的笑声里有难得的幸福，像星星的光芒。有一点柔弱，有一点勉强。父亲摸了摸我的头，说："回去睡吧。"我说："地球在哪里？"父亲说："地球是不能用眼睛去找的，要用你的脚。"父亲对着漆黑的四周看了几眼，用手掸了掸身边的萤火虫，犹豫了半天，说："我们不说地球上的事。"我把手电塞到父亲的手上，掉头就走。走到很远的地方，对着父亲的方向我大骂了一声："都说你是神经病！"

我坐在小舢板上，八十六只也可能是一百零二只鸭子围绕在我的四周，它们全力以赴地吃，全力以赴地喝。它们完全不能理会我内心的担忧。万里无云，宇宙已经没有了，天上只有一颗太阳。乌金荡的水把天上的阳光反弹回来了，照耀在我的身上。我的身上布满了水锈，水锈是黑色的，闪闪烁烁。然而，这丝毫不能说明我的内心通体透亮。乌金荡里只有我，以及我的八十六只也可能是一百零二只鸭子。我承认我有点恐惧。因为我在水里，我在船上。我非常担心乌金荡的水流动起来，我担心它们向着远方不要命地呼啸。对于水，我是知道的，它们一旦流动起来了，眨眼的工夫就会变成一条滑溜溜的黄鳝，你怎么用力都抓不住它们。最后，你只能看着它们远去，两手空空。

这一切都是《世界地图》闹的。可是我不打算抱怨《世界地图》什么。即使没有那张该死的地图，世界该是什么样一定还是什么样。危险的确是存在的。我甚至恨起了我的父亲，人间的麻烦是如此巨大，你不问不管，你去操宇宙的那份心做什么？北斗星再亮也只是夜空的一块疤，它永远不可能变成集体的财产，永远不可能变成第八十七只或第一百零三只鸭子。甚至不可能变成第八十七只或第一百零三粒芝麻。

然而，危险在任何时候都是有诱惑力的。它使我陷入了无休无止的想象。我的思绪沿着乌金荡的水面疯狂地向前逼进，风驰电掣。一直来到大西洋。大西洋很大，比乌金荡和大纵湖还要大，突然，海水拐了一个九十度的弯，笔直地俯冲下去。这时候你当然渴望变成一只鸟，你沿着大西洋的剖面，也就是世界的边沿垂直而下，你看见了带鱼、梭子蟹、海豚、剑吻鲨、乌贼、海鳗，它们在大西洋的深处很自得地沉浮。它们游弋在世界的边缘，企图冲出来。可是，世界的边沿挡住了它们。冲进来的鱼"铛"地一下，被反弹回去了，就像教室里的麻雀被玻璃反弹回去一样。基于此，我发现，世界的边沿一定是被一种类似于玻璃的物质固定住的。这种物质像玻璃一样透明，玻璃一样密不透风，可以肯定，这种物质是冰。是冰挡住了海水的出路。是冰保持了世界的稳固格局。

我拿起竹篙，一把拍在了水面上。水面上"啪"的一声，鸭子们伸长了脖子，拼命地向前逃窜。我要带上我的鸭子，一起到世界的边缘走一走，看一看。

我把鸭子赶出乌金荡，来到了大纵湖。大纵湖一望无际，我坚信，穿过大纵湖，只要再越过太平洋，我就可以抵达大西洋了。

我没有能够穿越大纵湖。事实上，进入大纵湖不久我就彻底迷失了方向。我满怀斗志，满怀激情，就是找不到方向。望着茫茫的湖水，我喘着粗气，斗志与激情一落千丈。

我是第二天的上午被两位社员用另外一条小舢板拖回来的。鸭子没有了。这一次不成功的探险损失惨重，它使我们第二生产队永远失去了八十六只也可能是一百零二只鸭子。两位社员没有把我交给我的父亲，直接把我交给了队长。队长伸出一只手，提起我的耳朵，把我拽到了大队部。大队支书在那儿，父亲也在那儿。父亲无比谦卑，正在给所有的人敬烟，给所有的人点烟。父亲一看见我立即走了上来，厉声问："鸭子呢？"我用力睁开眼，说："掉下去了。"父亲看了看队长，又看了看大队支书，大声说："掉到哪里去了？"我说："掉下去了，还在往下掉。"父亲仔细望着我，摸了摸我的脑门。父亲的手很白，冰凉的。父亲捆了我一个大嘴巴。我在倒地的同时就睡着了。听村子里的人说，倒地之后我的父亲还在我的身上踢了一脚，告诉大队支书说我有神经病。后来王家庄的人一直喊我神经病。"神经病"从此成了我的名字。我非常高兴，它至少说明了这一点，我八岁的那一年就和我的父亲平起平坐了。

（原载《上海文学》）

鬼 子 推 荐

白雪猪头

◎苏童

　　我母亲买不到猪头肉，她凌晨就提着篮子去肉铺排队，可是她买不到猪头肉。人们明明看见肉联厂的小货车运来了八只猪头，八只猪头都冒着新鲜生猪特有的热气，我母亲排在第六位。肉联厂的运输工把八只猪头两个两个拎进去的时候，她点着食指，数得很清楚，可是等肉铺的门打开了，我母亲却看见柜台上只放着四只小号的猪头，另外四只大的不见了。她和排在第五位的绍兴奶奶都有点紧张，绍兴奶奶说，怎么不见了？我母亲踮着脚向张云兰的脚下看，看见的是张云兰的紫红色的胶鞋。会不会在下面，我母亲说，一共八只呢，还有四只大的，让她藏起来了？柜台里的张云兰一定听见了我母亲的声音，那只紫红色的胶鞋突然抬起来，把什么东西踢到更隐蔽的地方去了。

　　我母亲断定那是一只大猪头。

　　从绍兴奶奶那里开始猪头就售空了，绍兴奶奶用她慈祥的目光谴责着张云兰，这是没有用的。卖光了。张云兰说，猪头多紧张呀，绍兴奶奶你来晚了，早来一步就有你一只。

绍兴奶奶端详着张云兰，从对方的表情上看事情并没有回旋的余地，赔笑脸也是没有用的，绍兴奶奶便沉下脸来，眼睛向柜台里面瞄，她说，有我一只的，我看好了。你看好的？在哪儿呀？张云兰丰满的身体光明磊落地后退一步，绍兴奶奶花白的脑袋顺势越过油腻的柜面，向下面看，看见的仍然是张云兰的长统胶鞋，紫红色闪烁着紫红色热烈而怠慢的光芒。绍兴奶奶，你这大把年纪，眼神还这么好？张云兰突然咯咯地笑起来，抬起胳膊用她的袖套擦了擦嘴角上的一个热疮，她说，你的眼睛会拐弯的？

柜台内外都有人跟着笑，人群的哄笑声显得干涩零乱，倒不一定是对幽默的回应，主要是表明一种必要的立场。绍兴奶奶很窘，她指着张云兰的嘴角说，嘴上生疮啦！这么来一句也算是出了点气，绍兴奶奶走到割冷冻肉的老孙那里，割了四两肉，嘟嘟嚷嚷地挤出了肉铺。

我母亲却倔，她把手里的篮子扔在柜台上，人很严峻地站在张云兰面前。我数过的，一共来了八只。我母亲说，还有四只，还有四只拿出来！

四只什么？你让我拿四只什么出来？张云兰说。

四只猪头！拿出来，不像话！我告诉你我看好的。

什么猪头不像话你看好的？你这个人说外国话，我怎么听不懂？

拿出来，你不拿我自己进来拿了。我母亲以为正义在她一边，她看着张云兰负隅顽抗的样子，火气更大了，人就有点冲动，推推这人，拨拨那人，可是也不知是肉铺里人太多，或者干脆就是人家故意挡着我母亲的去路，她怎么也无法进入柜台里侧,她听见张云兰冷笑的声音,你算老几呀,自己进来拿,自己进来拿,谁批准你进来了?

开始有人来拉我母亲的手,说,算了,大家都知道猪头紧张,睁一眼闭一眼算了,忍一忍,下次再买了,何必得罪了她呢?我母亲站在人堆里,白着脸说,他们肉铺不像话呀,这猪头难道比燕窝鱼翅还金贵,藏着掖着,排了好几次都买不到,都让他们自己带回家了!张云兰在柜台那一边说,猪头是不金贵,不金贵你偏偏盯着它,买不到还寻死觅活呢。说我们带回家了?你有证据?

我母亲急于去柜台里面搜寻证据,可是她突然发现从肉铺的店堂四周冒出了许多手和胳膊,也不知道都是谁的,它们有的礼貌,松软地拉住她,有的手却很不礼貌了,铁钳似地将我母亲的胳膊一把钳住,好像防止她去行凶杀人。一些纷乱的男女混杂的声音此起彼伏地响起来,少数声音息事宁人,大多数声音却立场鲜明,表示他们站在张云兰的一边。这个女人太过分了,大家都买不到猪头,谁也没说什么,偏偏她就特殊,又吵又闹的!那些人的手拽着我母亲,眼睛都是看着张云兰的,他们的眼神明确地告诉她,云兰云兰,我们站在你的一边。

我母亲乱了方寸,她努力地甩开了那些树杈般讨厌的手,你们这些人,立场到哪里去了?她说,拍她的马屁,你们天天有猪头拿呀?拍马屁得来的猪头,吃了让你们拉肚子!我母亲这种态度明显是不明智的,打击面太广,言辞火爆流于尖刻,那些人纷纷离开了我母亲,忿忿地向她翻白眼,有的人则是冷笑着回头瞥她一眼,充满了歧视,这种女人,别跟她一般见识。只有见喜的母亲旗帜鲜明地站在我母亲身边,她向我母亲耳语了几句,竟然就让她冷静下来了,见喜的母亲说了些什么呢？她说，你不要较真的，张云兰记仇，得罪谁也不能得罪她，我跟你一样，有五个孩子，都是长身体的年龄，要吃肉的，家里这么多嘴要吃肉，怎么去得罪她呢？告诉你，我天天跟居委会吵，就是不敢跟张云兰吵。我母亲是让人说到了痛处，她黯然地站在肉铺里想起了我们家的铁锅，那只铁锅长年少沾油腻荤腥，极易生锈。她想起我们家的厨房油盐酱醋用得多么快，而黄酒瓶永远是满的，不做鱼肉，用什么黄酒呢？我母亲想起我们兄弟姐妹五人吃肉的馋相，我大哥仗着他是挣了工资的人，一大锅猪头肉他要吃去半锅，我二哥三哥比筷子，筷子快肚子便沾光，我姐姐倒是懂事的，男孩吃肉的时候她负责监督裁判，自己最多吃一两片猪耳朵，可是腾出她一个人的肚子是杯水车薪，没什么用处的，我二哥和三哥没肉吃的时候关系还算融洽，遇到红烧猪头肉上桌的日子，他们像一头狼遇到一头虎，吃着吃着就打起来，我母亲想起猪肉与儿女们的关系不在于一朝一夕，赌气赌不得，口气就有点软了。她对见喜的母亲说，我也不是存心跟她过不去，我答应孩子的，今天做肉给他们吃，现在好了，排到手里的猪头飞了，让我做什么给他们吃？见喜的母亲指了指老孙那里，说，买点冷冻肉算了嘛。我母亲转过头去，茫然地看着柜台上的冷冻肉，那肉不好，她说，又贵又不好吃，还没有油水！猪肉这么紧张，我母亲还挑剔，见喜的母亲也不知道说什么好了，她转过身去站到队伍里，趁我母亲不注意，也向她翻了个白眼。

肉铺里人越来越多了，我母亲孤立地站在人堆里，她篮子里的一棵白菜不知被谁撞到了地上，白菜差点绊了她自己的脚。我母亲后来弯着腰拍打着人家的一条条腿，嘴里嚷嚷着，让一让让一让呀，我的白菜，我的白菜。我母亲好不容易把白菜捡了起来，篮子里的白菜让她看见了一条自尊的退路，不吃猪头肉也饿不死人的！她最后向柜台里的张云兰喊了一声，带着那棵白菜昂然地走出了肉铺。

我们街上不公平的事情很多，还是说猪头吧，有的人到了八点钟太阳升到了宝光塔上才去肉铺，却提着猪头从肉铺里出来了。比如我们家隔壁的小兵，那天八点钟我母亲看见小兵肩上扛着一只猪头往他家里走，尽管天底下的猪头长相雷同，我母亲还是一眼认出来，那就是清晨时分在肉铺失踪的猪头之一。

小兵家没什么了不起的，他父亲在绸布店，母亲在杂货店，不过是商业战线，可商业战线就是一条实惠的战线，一个手里管着棉布，一个手里管着白糖，都是紧俏的凭票供应的东西，我母亲不是笨人，用不着问小兵就知道个究竟了。她不甘心，尾随着小兵，好像不经意地问，你妈妈让你去拿的猪头，在张云兰那里拿的吧？小兵说，是，要腌起来，过年吃的。我母亲的一只手突然控制不住地伸了出去，捏了捏猪的两片肥大的耳朵。她叹了口气，说，好，好，多大的一只大猪头啊！

我母亲平时善于与女邻居相处，她手巧，会裁剪，也会缝纫，小兵的母亲经常求上门来，夹着她丈夫从绸布店弄来的零头布，让我母亲缝这个缝那个的，我母亲有求必应，她甚至为小兵家缝过围裙、鞋垫。当然女邻居也给予了一定的回报，主要是赠送各种票证。我们家对白糖的需求倒不是太大，吃白糖一是吃不起，二是吃了不长肉，小兵的母亲给的糖票，让我母亲转手送给别人做了人情，煤票很好，草纸票也好，留着自己用。最好的是布票，那些布票为我母亲带来了多少价廉物美的卡其布、劳动布和花布，雪中送炭，帮了我家的大忙，我们家那么多人，到了过年的时候，几乎不花钱，每人都有新衣服新裤子穿，这种体面主要归功于我母亲，不可否认的是，里面也有小兵父母的功劳。

那天夜里我母亲带了一只假领子到小兵家去了。假领子本来是为我父亲缝的，现在出于某种更迫切的需要，我母亲把崭新的一个假领子送给小兵的母亲，让她丈夫戴去了。我父亲对这件事情自然很不情愿，可是他知道一只假领子担负着重大的使命，也只好眼睁睁地看着我母亲把它卷在了报纸里。

醉翁之意不在酒，在哪儿？我母亲与女邻居的灯下夜谈很快便切入了正题，猪头与张云兰，张云兰与猪头。我母亲的陈述多少有点闪烁其词，可是人家很快弄清楚了她的意思，她是要小兵的母亲去向张云兰打招呼，早晨的事情不是故意和她作对，都怪孩子嘴巴馋，逼她逼急了，伤着她了务必不要往心里去，不要记仇——我母亲说到这里突然又有点冲动，她说，我得罪她也就得罪了，我吃不吃猪肉都没关系的，可谁让我生下那么多男孩，肚子一个比一个大，要吃肉要吃肉，吃肉吃肉吃肉，她那把割肉刀，我得罪不起呀！

小兵的母亲完全赞同我母亲的意见，她认为在我们香椿树街上张云兰和新鲜猪肉其实是画等号的，得罪了张云兰便得罪了新鲜猪肉，得罪了新鲜猪肉便得罪了孩子们的肚子，犯不上的。谈话之间小兵的母亲一直用同情的眼光注视着我母亲，好像注视个莽撞的闯了大祸的孩子。她是个聪明的女人，情急之下就想出了一个将功赎罪的方法，她说，张云兰也有四个孩子呢，整天嚷嚷她家孩子穿裤子像咬雪糕，裤腿一咬一大口，今年能穿的明年就短了，你给她家的孩子做几条裤子嘛！我母亲下意识地撇起嘴来，说，我哪能这么犯贱呢，人家不把我当盘菜，我还替她做裤子？不让人笑话？女人最了解女人，小兵的母亲说，为了孩子的肚子，你就别管你的面子了，你做好了裤子我给送去，保证你有好处，你不想想，马上要过年了，这么和她僵下去，你还指望有什么好东西端给孩子们吃呀，我告诉你，张云兰那把刀是长眼睛的，你吃了她的亏都没地方去告她的状。

女邻居最后那番话把我母亲说动了心。我母亲说，是呀，家里养着这些孩子，腰杆也硬不起来，还有什么资格讲面子？你替我捎个口信给张云兰好了，让她把料子拿来，以后她儿女的衣服不用去买，我来做好了。

凡事都是趁热打铁的好，尤其在春节即将临近的时候。小兵的母亲第二天回家的时候带了一捆藏青色的布到我家来，她也捎来了张云兰的口信，张云兰的口信之一概括起来有点像毛主席的语录，既往不咎，治病救人，口信之二则温暖了我母亲的心，她说，以后想吃什么，再也不用起早贪黑排什么队了，隔天跟她打个招呼，第二天落了早市只管去肉铺拿。只管去拿！

此后的一个星期也许是我母亲一生中最忙碌的日子。其他的家庭主妇也忙，可她们是忙自己的家务和年货，我母亲却是为张云兰忙。张云兰提供的一捆布要求做五条长裤子，都是男裤，长短不一，尺寸被写在一张油腻腻的纸上，那张纸让我母亲贴在缝纫机上方的墙上，我们看着那张纸会联想起张云兰家的四个男孩一个男人的腿，十条腿都比我们的长，一定是骨头汤喝多了吧。我母亲看到那张纸却唉声叹气的，她埋怨张云兰的布太少，要裁出五条裤子来，难于上青天。

我母亲有时候会夸大裁剪的难度，只是为了向大家证明她的手艺是很精湛的。后来她熬夜熬了一个晚上，还是把五条裤子裁了出来，并不是像她描述的那么艰难，五条裤子一片一片地摆在缝纫机上，像一块柔软的青色的梯田。然后我们迎来了缝纫机恼人的粗笨的歌声，我母亲下班回家便坐到缝纫机前，苦了我姐姐，什么事情都交给她做了，我姐姐撅着嘴抗议，做那么多裤子，都是别人的，我的裤子呢，弟弟他们的裤子呢？我母亲说，自己的裤子急什么，过年还有几天呢，反正不会让你们穿旧裤子过年的。我姐姐有时候不知趣，唠叨起来没完，她说，你为人民服务也不能乱服务，张云兰那么势利，那么讨厌的人，你还为她做裤子！我母亲一下就火了，她说，你给我闭上你的嘴，这么大个女孩子一点事情也不懂，我在为谁忙？为张云兰忙？我在为你们的肚子忙呀！

时间紧迫，只好挑灯夜战。我们在睡梦中听见缝纫机应和着窗外的北风在歌唱，其声音有时流畅，有时迟疑，有时热情奔放，有时哀怨不已。我依稀听见我母亲和父亲在深夜的对话。我母亲在缝纫机前说，眼珠子都要掉出来了！我父亲在床上说，掉出来才好。我母亲说，这天怎么冷成这样呢，手快冻僵了。我父亲说，冻僵了才好，让你去拍那种人的马屁！

埋怨归埋怨，我母亲仍然保质保量地完成了张云兰家的五条裤子，她把五条裤子交给小兵的母亲，小兵的母亲为我母亲着想，她说，你自己交给她去，说说话，以前的疙瘩不就一下子解开了嘛。我母亲摆着手说，前几天才在肉铺吵的架，这一下白脸一下红脸的戏，让我怎么唱得出来？你这中间人还是做到底吧。我母亲把五条裤子强扔在小兵家里，逃一样地逃回到家里。家里的缝纫机上又堆起了一座布的山丘，那是为我们兄弟姐妹准备的布料。我母亲在上班前夕为她忠实的缝纫机加了点菜油，我看见她蹲在缝纫机前，不时地瞥一眼上面的蓝色的灰色的卡其布，还有一种红底白格子的花布，然后她为自己发出了一声简短而精确的感叹，劳碌命呀！

而小兵的母亲后来一定很后悔充当了我母亲和张云兰的中间人。整个事情的结局出乎她的意料，当然也让我母亲哭笑不得，你猜怎么样了？张云兰从肉铺调到东风卤菜店去了！早不调晚不调，她偏偏在我母亲做好了那五条裤子以后调走了！

我记得小兵的母亲到我家来通报这个消息时哭丧着个脸。都怪我不好，多事，女邻居快哭出来了，你忙成那样，还让你一口气做了五条裤子，可是我也实在想不通，张云兰在香椿树街做了这么多年，怎么偏偏就在这节骨眼上调动了，气死我了！我母亲也气，她的脸都发白了，但是她如果再说什么难听的话，让小兵的母亲把脸往哪儿放呢？人家也是好心。事到如今我母亲只好反过来安慰女邻居，她说，没什么，没什么的，不就是熬几个夜费一点线么，调走就调走好了，只当是学雷锋做好事了。

很少有人会尝到我母亲吞咽的苦果，受到愚弄的岂止是我母亲那双勤劳的手，我们家的缝纫机也受愚弄了，它白白地为一个势利的女人吱吱嘎嘎工作了好几天，我们兄弟姐妹五人的肠胃也受愚弄了，原来我们都指望张云兰提供最新鲜的肉、最肥的鸡和最嫩的鸭子呢，不仅如此，我们家的篮子、坛子和缸也受愚弄了，它们闲置了这么久，正准备大显身手腌这腌那呢，突然有人宣告，一切机会都丧失了，你们这些东西，还是给我空在那儿吧。

我们对于春节菜肴所有美好的想象，最终像个肥皂泡似的破灭了。我母亲明显带有一种幻灭的情绪，她对我们说，今年过年没东西吃，吃白菜，吃萝卜，谁要吃好的，四点钟给我起床，自己拿篮子去排队！

苏童 · 白雪猪头

　　我们怎么也想不通，我母亲给张云兰做了这么多裤子，反而要让我们过一个革命化的艰苦朴素的春节！

　　除夕前那天夜里下了一场大雪，我记得我是让我三哥从床上拉起来的，那时候天色还早，我父母亲和其他人都没起床，因为急于到外面去玩雪，我和我三哥都没有顾上穿袜子。我们趿拉着棉鞋，一个带了一把瓦刀，一个抓着一把煤铲，计划在我们家门前堆一个香椿树街最大的雪人。我们在拉门栓的时候感觉到外面什么东西在轻轻撞着门，门打开了，我们几乎吓了一跳，有个裹红围巾穿男式工作棉袄的女人正站在我们家门前，女人的手里提着两只猪头，左手一只，右手一只，都是我们从来没见过的大猪头，更加令人印象深刻的是女人的围巾和棉袄上落满了一层白色的雪花，两只大猪头的耳朵和脑袋上也覆盖着白雪，看上去风尘仆仆。

　　那时候我和三哥都还小，不买菜也不社交，不认识张云兰，我三哥问她，猪头是我们家的吗？外面的女人看见我三哥要进去喊大人，一把拽住了他，她说，别叫你妈，让她睡好了，她很辛苦的。然后我们看见她一身寒气地挤进门来，把两只猪头放在了地上。她说，你妈妈等会儿起来，告诉她张云兰来过了。你们记不住我的名字也没有关系，她看见猪头就会知道，我来过了。

　　我们不认识张云兰，我们认为她放下猪头后应该快点离开，不能影响我们堆雪人。可是那个女人有点奇怪，她不知怎么注意到了我们的脚，大惊小怪地说，下雪的天，不能光着脚，要感冒发烧的。管管闲事也罢了，她的眼睛突然一亮，变戏法似地从棉袄口袋里掏出了一双袜子，是新的尼龙袜，商标还粘在上面。你是小五吧？她示意我把脚抬起来，我知道尼龙袜是好东西，非常配合地抬起了脚，看着那个女人蹲下来，为我穿上了我的第一双尼龙袜。我三哥已经向大家介绍过的，从小就不愿意吃亏，他在旁边看的时候，一只脚已经提前抬了起来，伸到那个女人的面前。我记得张云兰当时犹疑了一下，但她还是从她的口袋里掏出了第二双尼龙袜，这样一来，我和我三哥都在这个下雪的早晨得到了一双温暖而时髦的尼龙袜，不管从哪方面说，这都是一个意外的礼物。

我还记得张云兰为我们穿袜子时候说的一句话，你妈妈再能干，尼龙袜她是织不出来的。当时我们还小，不知道她说这句话是什么意思。张云兰还说了一句话，现在看来有点夸大其词了，她说，你们这些孩子的脚呀，讨厌死了，这尼龙袜能对付你们，尼龙袜，穿不坏的！

听我母亲说，张云兰家后来也从香椿树街搬走了，她不在肉铺工作，大家自然便慢慢地淡忘了她，我母亲和张云兰后来没有交成朋友，但她有一次在红星路的杂品店遇见了张云兰，她们都看中了一把芦花扫帚，两个人的手差点撞起来，后来又都退让，谁也不去拿，我母亲说她和张云兰在杂品店里见了面都很客气，两个人只顾说话，忘了扫帚的事情，结果那把质量上乘的芦花扫帚让别人捞去了。

（原载《钟山》）

方方 推 荐

布道后的幻象

◎ 居丁

本文绝非虚构
若 无 雷 同
纯 属 巧 合

"巴别塔的废墟里或许埋着所有的语言学问题。"

讲坛上的声音出自一张仿佛戴着面具的脸。飘忽，而且迷离。

忘了眼镜。他想。

大厅里已经堆满模糊不清的人。后排左角倒有个残缺的空位。

就去坐了。

在歌剧院，许多音乐家是宁肯闭眼静听的。奥地利的布鲁克纳等等。他又想。

原本夹在名人辞典里的大小五官陆续催眠似的隐现着，远近着，叠散着。

便微微一笑。

转而梦见自己连同其他听众悬浮在文字弥漫的讲台上，混乱嘈杂地诠释巴别塔的语言学问题以及语言学的巴别塔问题。过于饱和的空间不断弯曲变形，有的人甚至挤进了另一些的身体。

大厅里反倒空空荡荡。

昏黄的灯光下，一副面具沉默着。白色的。在后排。左角。残缺的座位上。

似醒非醒的时候，演讲刚刚结束。睡眼里显得更加朦胧的影像略张双手压息四处乱飞的掌声，耳边就飘来虽然意在调侃却偏偏使他日后的命运浮现大片涂改痕迹的字句。

"每个人谈吐一生传递的能量——据说——是连一壶水也煮不开的。"

鸡蛋似的笑脸在大厅里磕来碰去，破裂了，流淌着，融为无边的混沌。

喧闹的声音也在没有任何刻度的瞬间中断了。

相继离去的人们仿佛失重的葬礼队列，缓缓消逝在荒原上几块断裂的巨石后面。惶然起身的时候，才听到寂静。

匆匆走向黑幔半掩的太平门。横楣处，灯光映出的文字竟是"入口"。

——这个错位的细节他并没加以深究。他觉得命定的事情仅仅是当时他醒了，因而没能停留在另外的可能性之中。

一

事隔多年，他依旧对只听到首尾两句的演讲以及后来的行为保持缄默，甚至痛苦地放弃了向母亲和三个最好的朋友加以说明的尝试。

他感到歉疚。

但他弄不清问题出在哪里。

把自己简单的愿望告诉身边的人本是件非常容易的事情，可他最终发现，这个简单的愿望虽然和语言相关却很难被语言证明是否同荒诞无关。

他想煮开那壶水

是在黄昏之外的黄昏。他看到四壁一片金色。

晚餐后他回到自己的卧室。

他十分仔细地锁好房门。

沉重的黄铜把手闪着小号似的流光。

他长久地注视着。听着。

或许，那是他偶然留意的最后一件与文字无关的寻常东西。

过去的日子忽然陈旧了。忽然亲切了。

他倚在窗边直到午夜。月色在树影里一暗的瞬间他小心翼翼地问：

你真的想煮开那壶水么？

是的。他更加小心翼翼地回答。

竟清晰地看到自己变得有些沙哑的声音缓缓坠落还隐现着金属的光泽。他想，这毕竟有点儿非同寻常。

就毫不犹豫地折身，抽出书架上厚重的一卷诗集，随手翻开并大声朗读起来……他记得……是入狱前的布罗茨基①那首《献给约翰·邓恩的大哀歌》。

……四周的一切睡了。

睡了，墙壁，地板，画像，床铺

睡了，桌子，地毯，门闩，绞链

整个衣柜，碗橱，窗帘，蜡烛……

那是很多四月之间的一个四月。母亲印象深刻。儿子终日神情恍惚，瞳孔里没有半分风景。那也是很多黄昏中的一个黄昏。母亲忽略了满壁的金色。用过晚餐，儿子宁静地笑笑就走回自己的卧室。

他转身的时候太阳落了。

母亲没问什么。

儿子过于孱弱，也过于敏感。

她觉得担忧了好些年的事情或许已经临近了。

朝着看不见的房间母亲直坐到午夜。

——忐忑地期待隔壁传来哪怕任何一点儿熟悉甚至陌生的响动。

真的有了。

她听到整幢房屋在儿子的口中跳荡

变形。

……

一切都睡了。水罐，茶杯，脸盆……

楼梯的台阶，大门……

狂迷的声音颤抖在堆积四周的文字里。

早晨。

卧室的外面一如往常。但神的眼睛或许可以看到两只没有凹痕的脚印。

很深。

第七天。

他已精疲力竭。

真巧②。暗想。几分自嘲地笑了。

却没有睡意。便在纸片上漫不经心地胡勾乱画。

看上去都是些莫名其妙的图形，可又隐约的叠现出许多水壶的轮廓。

就找空白处潦草地涂写起来：

在一切可能的时间和地点朗读或自语

此外尚无其他途径

摆脱词义的引诱才能保证最快的节奏

朗读优于自语

拒绝交谈

如果不能避免思考

就 在 自 语 中 思 考 等 等

意识断裂的片刻，客厅里司马夫人的声音蝗虫似地扑面而来，转瞬就淹没了所有的门窗连同附近的街道。

这是个启示。他想。母亲那样沉静的女人原本不多。她们——尤其是她们当中的一个——迟早会扰乱甚至毁掉自己无法解释的愿望以及全部设想。

记 住 远 离 女 人

后面四个字写得比枯燥的时间都要缓慢。犹豫的笔尖还在纸片上留下几滴似乎有些暧昧的痕迹。但想到随之可以避免与她们交往时无法掩饰的窘迫和窒息，倒又觉出从没有过的轻松。

至于另一些事情——比如煮开那壶虚幻的水是否真正可能及其意义究竟何在等等——他并没试着追问和回答。

或许，这与中学时代大眼睛的数学老师有关。

那天她阳光灿烂。又好像心不在焉。指尖和粉笔沿着墨绿的黑板走走停停。长裙拂动的背影使他觉得含有未知数的白色等式非常迷人，以致浑身充满对二次方程的幻想和渴望。

正当通往空中花园的符号在玻璃黑板上越列越长，他与一个朦胧的终点似乎越来越近的时候，夏天的老师十分意外地折身宣布：

此方程无解。

为什么？他问。相当惋惜的样子。

大眼睛老师竟用更大的眼睛盯着他直到下课。遍布的小眼睛也烂漫地射出与周围的空气摩来擦去的光芒。

他觉得自己的五官和四肢就像潦草的错别字。橡皮又不在纸边。

这个难堪的事件迫使他很快撕碎了做个数学家的杂念，顺便断定无解的方程比其他任何权威的方程都要神圣不可侵犯。

世上的问题都是被问出来的。很久以后他想。可不是问题的问题也是被问出来的。更久以后他又想。

无论如何，答案却未必有。

问还是不问，这是一个问题。

二

英国国土在西南方伸出一条腿……奔向深不可测的苦涩的奥妙无穷的大海　　多年以后奥雷良诺上校站在行刑队面前将会想起父亲带他去见识冰块的那个遥远的下午……因为历经百年孤独的家族注定不会有出现在世上的第二次机会　　1632 年我生在约克市一个上流社会的家庭……我可能以后再一一叙述　透过栅栏穿过花枝攀绕的空隙我看见他们在打球……每样东西又都是井井有条的了　约瑟夫·克涅奇的出身我们一无所知……他再

也没有离开过森林　该是听到走廊上脚步声的时候了……我很好奇地想认识鲁卡 春光明媚的一天已近黄昏……就不要刨根问底了吧

他数了数手边用过的书。《玻璃球游戏》等等。七本。又是一周。

近来，他惯于这样计算日子。

昼夜的间隔已经拆除了。

短暂的睡眠之后，他翻开索尔·贝娄的《赫索格》。

要是我真的疯了也无所谓……

才读出一句，就笑了。

是呀。他想。

窗外那些行色匆匆的男女，母亲，甚至仿佛戴着面具的演讲者，恐怕都会认为煮水的念头过于怪诞。

他却觉得十分平常。

或许每个人都有一壶自己看不见的水——悬在身内或身外的什么地方——说话的时候也就在煮它。只不过别人是无心的，他是有意的罢了。

而孤单的摩西·赫索格教授显然走得更远。

他忙着写信。给四面八方的生者和死者。

17 世纪荷兰的斯宾诺莎。

19 世纪德国的尼采。

等等。等等。

还有上帝。

那些文字就像物体一样真切。

但教授从没寄出只言片语。更没奢望任何回音。

他很正常。读过他的人都会赞同。

事实上我想疯都疯不起来。教授自己也曾在信里感叹过。

他放下念完最后一页的《赫索格》，心情相当轻松。

尽管朗读的时候依然难免为内容吸引以致影响吐字的速度，也没能达到对莎士比亚和大众菜谱等等一视同仁的混沌境界，但天气渐暖的日子里情况有了很大的改善。

尤其相辅相成的是，朗读的节奏越快，意义就越难构成障碍。因此，老子或庄子那类原本深奥凝练可篇幅实在太小的典籍也就增添不了多少热量。至于无穷无尽的《红楼梦》，虽也勉强念了前面的几个回目，却终究难与极快的节奏合拍，只好悬置事外了。

为保持速度，他尽力延长呼吸，减少停顿，标点符号已经形同虚设。

基于相应的考虑，他断然放弃了纠正口误的传统习惯。

更加重要的是，在没有文字可以借用的场合，他几乎无需草拟腹稿就能绵绵不绝地高声自语。反正**人类一思考，上帝就发笑**。他想。何况造物主那张飘飘大脸的嘲讽神情已经暴露很久了——据说是聪明绝顶的犹太先哲仰观天象时碰巧看到的。

虽然如此，但自语毕竟只是单纯的传递和消耗，找不到言词以致弱了火势的状况在所难免。高声阅读却意味着释放和补充的并存，与热力学的一两个定律大体相符。他又想。

的确　朗读优于言说

三

在这颗人造的东西变得越来越多的星球上还有谁可能热衷于

同样的事情他显然一无所知，但陆续发现了大批潜在的劲敌——包括高谈阔论的国会议员、强词夺理的律师以及苦苦相劝的推销商等等——他们整天别有用心地吞吐文字，根本无意于煮水却大有捷足先登的趋势。而磕头碰脑的说唱歌手更是弄得他寝食难安。

就盼着他们和她们全都变成又细又长的时装模特儿，严严实实地裹在设计师花里胡哨的梦里，终日沿着丁字路口似的伸展台一声不吭地来来往往，痛苦徘徊。

梅雨季节他偶然发现了潜在敌人的共同弱点——他们不断抄袭自己早已说过的真话或假话。在他看来，那些轮番使用的词语就像一烧再烧的柴草。

避免重复

他工工整整地写下补充的规则，然后继续读完大名鼎鼎的《尤利西斯》。

他发现这本以艰涩浩繁著称的经典只要不管文字的涵义就平滑流畅得如同阳光下的冰面，最后几十页舍弃标点的段落念起来更是一气呵成。

感谢乔伊斯。他说。

又拿起普鲁斯特的《追忆似水年华》。

在很长一段日子里我都是早早就躺下了……大街小巷和花园都从我的茶杯中脱颖而出。

休息的片刻他偶然回头看了看镜子。他认定自己的背影已经摆脱了叙事与表述的诱惑，远离了修辞和结构的迷宫并最终拒绝了作品的意图——仅仅漂浮在语序各异的纯文字所显现的完全透明的时间里。

吃过半个锈迹斑斑的剩苹果，他照旧把废弃的书籍堆进黑暗的地下室。

避免重复。

但不知哪天母亲把它们全都插回了书架。

他叹了口混淆着零词碎语的长气，搬来父亲早年收藏的一只陶鼎。

梅雨季节母亲忧心忡忡。

自哥本哈根回来的晚上，她闻到东西烧焦的气味。她悄悄推开儿子的房门又悄悄走了。

那是个过于潮湿的星期五。

她看见《不存在的骑士》连同别的什么正裹着温柔的火光渐渐化为灰烬。

满屋的藏书已经所剩无几。

儿子挨近熏黑的陶鼎就像守着壁炉，一边津津有味地读着卡夫卡的《绝食艺人》。

近几十年来，人们对饥饿表演的兴趣大为淡薄了……但在他瞳孔已经扩散的眼睛里，流露着虽然不再骄傲却仍然坚定的信念：他要继续饿下去……

你的身体太弱了，儿子。终于有一天，母亲说。我们去疗养院吧。在海边。他点点头。他从没拒绝过母亲。

四

半球形的房间

犹如中世纪遗留的文献里虔诚的僧侣们倾心绘制的宇宙。

秩序森严的穹顶与遮天的表盘浑然一体。

曲度相同的指针

阴影似的伸向青铜色的罗马数字。

逆光的写字台

巨大。沉重。十分永恒的样子。

瘦得相当陈旧的医生。

身子混淆在栅栏似的椅背里。突兀的小脑袋静止着。像在等待一场宗教裁判或最后的晚餐。

宇宙的大门关闭了。毫无声息。

他没去看。但能感觉到。

依照古老的法则，母亲留在另外的地点，守着另外的时间。

中世纪的医生大约在北回归线附近。他猜测。便从虚空里一部相关的旧书上念出几行似乎并不相关的句子：

……

这是我在巴黎的第二个秋天……我没有钱，没有经济来源，没有希望。我是世上最幸福的人。一年前，半年前我还自以为是个艺术家。如今我不再想了，我就这么活着。

……

其余的字迹仿佛给白雪覆盖了。

是六月吧。他想。怎么会有雪呢。

停顿的瞬间，眼前闪出许多巴黎街道的碎片。彩嵌玻璃似的，拼起一面斑驳的地图。

透过它，能看到褪色的童年的卧室。

妈妈来了　　浴巾挽着洗过的长发　　斜倚在壁灯的光环里

读着拉封丹的寓言　　一边拍着他　快要睡了　却有故事中的雨滴从她湿漉的发梢落到脸上　　似乎醒了　就又听着

还用眼睛把催眠的声音里变得蛋糕一样松软的字母排满摇荡

的天花板和照片起伏的墙壁。

他走近那些干裂的故事。

分辨着。念着。随意修补着缺失的语句。

头顶是第一页。前面是第二页。左侧是第三页。右边是第四页。

没有第五页。

——回身的时候他再次看到透明的地图。却是在背面。

逆指的符号和反写的字母飘满黑白两色的中世纪。交错的路线把写字台上伸出的半截相当细小的人形分隔在规模不等的街区。

后来，他听到另一些拼读医生的词语——

院长。教授。权威。等等。

就像此刻彩嵌玻璃似的巴黎地图投映在医生身上的街名。

他选择了其中的教授。

不为什么。

没有原因

也无意对话。

读完目力所及的文字，他开始自由复述眼前的物象或闪过的念头：

……

半球形的房间

犹如中世纪遗留的文献里虔诚的僧侣们倾心绘制的宇宙

秩序森严的穹顶与遮天的表盘浑然一体

……是六月吧怎么会有雪呢

……

最初，教授或许想观察片刻再开始例行的询问，却彻底失去了讲话的机会。尽管也平行地说过几个简短的字句,可隔着一堵玻璃墙壁似的地图,他听不见。

大肆拼读投印在教授身上的街名和符号的时候,他隐约看到广场附近的五官陆续的凛冽起来。虽然有点儿忐忑也有点儿歉意,但还是不愿虚度煮水的光阴。

只好请了母亲。

她依稀笑了笑,地图就消失了。

你的儿子会讲法文。

教授像问。却又不像。

他生在那儿。

母亲像答。却也不像。

典型的**内心独白**或称**即兴话语**。教授低沉地说。一个完美的病例。

母亲看了看儿子。

他无法控制自己的意识。教授继续说。只能任由它们四处流淌。这种现象在19世纪末就有过零星发现,20世纪初更是——

教授停了停,转向结尾:

简单地讲,病因不在意识的**正面**,而是在**背面**。

他并没留意教授的结论。同一时间,眼睛已进入阅读微观景象的状态。

偶然看见靠墙的铁箱上有本埃利蒂斯的诗集,便大声念出隐约记得的两句:

……当草地上的裸女醒来

以金手指收割绿苜蓿……

《疯狂的石榴树》。教授说。而且激动得脸色苍白。

什么?

母亲惊问。脸色更加苍白。

她忽略了儿子的言词。耳边都是教授。

其实早在巴黎她就见过旅居的诗人。一个迷恋太阳的希腊老头儿。父亲的朋友。

60 年代最后的冬天他还赠送了精美的文集。

仍在书架上。或者

陶鼎里。

但心乱的母亲只听到疯狂。没听到原本熟悉的石榴树。

教授沙哑地解释了两句。

让他留下吧。又说。我也生在那儿。

用了低沉的法文。

五

母亲走了。

他觉得自己成了辞典中删除的文字。往后，只在书架边缘的荒诞故事里才可能给人涵义模糊地读到。

床头写着红色的五号。鲜艳得陌生。

灯熄了。房间也黑得陌生。

睡不出结果，又惦记煮水的事情。没有书，只好同声传译似的念出涂在脑壁上的胡思乱想。

学者们说　　要是哪种野生植物灭绝了　　四五种相关的植物也会随着灭绝　　要是哪个文字消失了 会有多少相关的词语随着消失呢　　如果断定濒临死亡的文字都是应该废弃的植物呢

印在一本书中偶数页的人称代词最多只能看到奇数页的片断和环绕自己周围的零星笔画 它要是相信借此可以推演全书的内容及其奥秘恐怕非常危险 那些片断或许仅仅是另一本书的引文

刚开始煮水的时候 每个句尾的标点符号也念得十分响亮 完全忽略了过度重复的问题 幸好很快抛开了它们 改用呼吸的极限作为停顿的端点 才算真正进入最有效率的自由阅读状态只要无法测定每个字词的卡路里含量 就无法证明一个陈述优于其他陈述 也无法证明一个文本优于其他文本祷告不会增加词句的热能 信徒们频繁借用重复的语言仪式慷慨地耗费自己只是为了虔诚地换取神灵的怜悯和庇佑默读时代埋葬朗读时代的悲剧大约首演在公元3世纪的罗马 圣奥古斯丁的《忏悔录》里诡异地描述过他的老师口舌不动地静观手抄典籍的陌生场景那以后 书的声音慢慢消失了 壶里的水也慢慢凉了

赫索格教授想把一切事物变成文字

有人想把一切变了文字的事物读成炉火

眼前浮起大片难以聚焦的红色。

可能是距离太近的缘故。他用听不见的声音猜测。

眩晕地看了一会儿。觉得很抽象。就睡了。

呼吸虽然轻微，说出的梦话却格外响亮。

夹杂其间的两句引语虽和原文稍有出入，但在流传中仍然造成医生们无法预料的骚乱：

如果他们是有病的 我就比他们更有病

如果他们是正常的 我就比他们更正常

据粗略统计，性格内向的患者几近六成听得热泪盈眶。外向的足有八成以上痛哭失声。隔壁，相当执著地认定自己名叫卢契亚诺·帕瓦罗蒂的巨幅胖子偏又临窗唱起《图兰朵》里那段相当煽情的**今夜无人入眠**，裂痕依旧的颤音显然导致了事态的扩大。两句稍有出入的引文也在剩余的睡梦里四处播散着。

因为地点的差异和胖子的缺席，飘满一座虚构医院的虚构影像并没复制梦外事件的任何细节。所以，他与自己造成的骚乱隔着完整的空间。这就充分证明过于自信的胖子临窗散布的没人睡觉的消息多少有点儿失之草率。

此外，他并不知道的事件附有两个他同样并不知道的结果。

首先，他被全体病患誉为蓝白条纹服饰的喉舌和象征。虽然没有任何相关的文字记载，却长期以口头形式秘密流传。

其次，针对梦中的言词，几位激进的少壮派医生参照最极端的解构主义理论草拟了一份非常严厉的治疗措施。但教授以传统的院长名义下达了更为严厉的否定指令，使得危险的方案仅仅作为抽象的模型发生在已经废弃的纸上。

当晚

他跟随教授的背影穿过复杂的廊道走进中世纪的宇宙

就再没回来。

踩着圆形的平面。

头顶是巨幅表盘构成的穹窿。

他随口说：

能听到时间本身。

能感到时间的体积和重量。

等 等。等 等。

写字台尽头的教授沉默着，然后指了指封面的烫金纹饰只留下一点儿余痕的旧书。

他拿过，翻开，极快地读出扉页上的句子：

巴别塔的废墟已注定成为语言的废墟

镂空的文字里微弱地闪过几片模糊而且残缺的意象。

虽然似曾相识，但他并没分神。隔了几年，一部献给他的后人格主义心理学专著《双重世界的声音》正式出版。同房七床的作者骤然成名。

全书共计九卷。

绪论题为**错乱的引文**。长达六百八十二页。

词语的三个端点分别始于那个近乎无人入睡的混乱夜晚，法国的红卫兵运动以及让－保尔·萨特在法庭上的证词：

如果他们有罪，我比他们更有罪；如果他们是无辜的，我也不比他们更无辜。

多年后，这两句著名的申辩以误读的状态重现于——七号病床的作者精确地标出一个相当模糊因而令学术界异常兴奋的抽象位置——偶然性与必然性的交叠处。

七床的自动铅笔在皱巴巴的烟盒上继续歪歪扭扭地说：

梦中的言语寂静得就像书里的文字，因而维系了梦的存在。呓语则是从梦的裂痕之间踩着声带脱逃出来的零散词句。一经他人倾听，就将同时影响几乎完全隔绝的两个世界。

院方把七床的手迹作为最具纪念性的病历单独存放在巨大的仓库里。

由于对纸的理解太过宽泛，所以七床的文稿还包括九十三张桌子，五十六把椅子，二百多套被单，四百多双拖鞋以及镜子，门窗，地板。更加醒目的是从病房和走廊切割下来的几大块墙体——上面留着国际学界频繁引用的经典论断。

除了就近写在肚皮一带以初步诠释**梦境作为第三者与存在及**

虚无之伦理关系的八节文字属赝品之外，其他收藏都是真迹。

星期天。

病眼里的太阳有的散淡，有的深刻，有的非常轻浮，有的相当可疑。

因为隔着厚重的玻璃，又都显出不大相干的样子。

走廊原本安静，却忽然传来一些威严的声音：

手稿独特的多重物质形态是研究七床学说的首要依据。所以，抓紧申请专利的同时，院方应持续提供并拓展各种书写用品的范围。但必须注意杜绝纸张。

是隐居一号病室多年的博物馆馆长。

——读着先已拟好的大幅文字。

著名的室内构成派艺术家随即摆脱了镇静剂的束缚，不仅反复签名表示赞成，而且提出要和自己负责设计的手稿仓库海枯石烂，白头偕老。

传媒很快包围了医院。

记者们出于追踪采访的考虑纷纷舍身装疯以求长期驻扎，却普遍演技潦草而且丝毫没能避免过度模仿老电影的怀旧倾向。一位肢体语言较为含蓄的自由撰稿人反倒倍受大夫青睐。甚至因为刚刚失恋所以显得有点儿笨头笨脑的年轻记者也轻松地穿上了不大合身的条纹套装。

还问有没有帽子。

更加意外的是，仅仅两周，失恋的年轻人就已笨头笨脑地跻身于即便资深患者也特别向往的核心机构——七床的助手兼主治医师创办的后**人格主义三维病历或立体文稿整理学会**。

可假扮回心转意的女友前去联络的漂亮秘书却从没得到任何秘密。

社长和总编被迫打着父母的旗号亲自出马。因为同样碰了钉子，居然不太冷静地向院方泄露了下属的身份。但各科的权威和仪器们经过反复会诊，再次断言失恋的卧底确实需要全面治疗。一位比较保守的心理医生甚至非常礼貌地暗示社长和总编应该及早去她的办公室作些稍具专业性的交谈。

自由撰稿人因为天天忙着四处打探，肢体语言已经变得有失含蓄。加上受了突发事件的牵连，被通知补齐各项费用后立即出院。

据墙外的消息说，佛洛伊德先生的母校恰好于当日拟定了授予七号病床名誉博士学位的信函。

缘自两句梦话的自由写作及其相关的细节将在以后的几年间陆续成为上述事实。而此刻，蓝白条纹服饰的喉舌正在巨大的表盘下读着那本封面的烫金纹饰只留了一点儿残痕的旧书。

谁都知道，几乎无人入睡的夜里他并没醒来。

离奇的是七号病床要到下周才会动笔的《双重世界的声音》已由他梦见的十分飘渺的白色背影授权出版。

更加离奇的是该书著名的结尾将和他从虚构的纸上读到的最后一个语句完全相同：

显然 福柯与福柯的钟摆无关

六

几年间，中世纪的宇宙里渐渐堆满不同时代的文字。

教授整天叼着烟斗听他读书，从没露出倦意。

而且安静得就像平面上的图形。

或者一条线。甚至

一个点。

大西洋那边散放了两张可以睡觉的沙发。

三餐有人送。浴室在北极。

电话太吵。撤了。

西绪弗斯无声的快乐尽在于此……③

星期六。午夜。读着阿尔贝·加缪。

……这个没有主宰的世界在他看来既不是荒漠，也不是沃土……挣扎着爬向山顶的努力足以充实人的心灵。应该设想，西绪弗斯是幸福的。

依照多年的惯例，是休息的时间了。躺在沙发上，却是睡醒的感觉。

索性翻开枕边的尤内斯库④，接着念了。

已去洗澡的教授湿淋淋地跑了出来。不太平衡的动作裸露在词语里，仿佛哪个雨后的街角默默无闻地斜竖着而且姿势有些费解的小雕像。

心里一软，就停了。

原以为没有尽头的文字早就取代了书籍之外的一切，但宁静的教授时常引起过度的注意。这是件妨碍煮水的事情。他想。可还是妨碍。

教授找书的样子总会插图似地复现——隔着放大镜的右眼几乎超过了漫画里的福尔摩斯，却仍旧一脸的茫然和无奈。所以寄来的函件也由他代读了。偏是没有家信。

堆砌的书籍楼群似的耸向穹顶，终于打乱了宇宙的秩序。

教授的小脑袋渐渐沉落了。但不拿烟斗的左手会从文字的缝隙里递书给他。

送饭的人即便迷路也只能恪守静默的规则。

惶惑的脚步声有时要响很久。

偶然是由一个偶然因素构成的必然是由两个及两个以上的偶然因素构成的

那天，七号病床在杯子里写完这句话就睡着了。

梦中显现了半球形的房间

堆砌的书报

但并没摄下仿佛急于提供例证才匆匆走进浴室的人。十分钟后。他在七床的睡梦外面对着水汽蒙蒙的镜子擦干头发。

手边是教授的烟斗，火柴，和一本翻开的书。

就随口读扉页上的字句：

巴别塔的废墟已注定成为语言的废墟

看了看封面——烫金的纹饰只留着一点儿残痕。

穿顶的表针在走。他觉得时间停了。划燃了第七根火柴。大约是受潮的缘故。

光凭记忆很难避免重复。他想。可惜陶鼎不在。

边撕边烧着年代久远的词语，无意间发现许多缺失的页码。

——其中的一张曾经印了写书的人和书的名字。

或许忘了。他想。或许从没读过。教授的烟斗依旧在盥洗台上。

第二天，堆满书刊的房间重又回到几乎不见文字的原始状态。

他怕自己没醒。又怕醒了。

正有些茫然的时候，椅子上传来已经消失了几年的声音。

是教授。像当初一样低沉，但更加缓慢——

昨天去参加了朋友的葬礼。很多事情是无法重复的。很多事情。

安提戈涅的哲学问题⑤可能比她的死含着更深的哀伤:

要隔多久我们的脚才会踏进同一条河流?

随后的静默中他分辨出轻微的玻璃碎裂的声音。

窗子和器皿全都完好无损。

是教授的心脏。他想。

就复杂着离开了。

教授隐约看见他没有细节的形体仿佛从墙壁间飘了出去。

起身说了句听不到的话。又好像没说。

廊道依然很长。

两幅纸片似的背影渐渐淡薄在直线尽头的阳光里。

环绕着十二个罗马数字的穹顶下

写字台左侧的烟斗和火柴小得有点儿失真

连同两片烧焦的封面

他毫无印象地回到几年前的房间,躺在初来时曾经睡过的铺位上。

据值班医生记载,真正的五号病床听说蓝白条纹服饰的著名喉舌竟然侵占了自己的领土,激动得流下了许多汗水。

已独居一室的七号病床得知心中的偶像重新出现,环绕各种新潮家具思如泉涌地写到天明。

院龄悠久的考古学家和笨头笨脑的年轻记者带着简称后三维手稿学会的几位成员,兴高采烈地抬走了布满文字以及部分早餐的桌椅。

视力衰竭的教授仔细锁好半球形的房间,连同陈旧的皮箱一起消逝在曲折的墙外⋯⋯

这些共时或历时性的大小事件他全然不知。但六夜七天的漫长睡眠里,他梦见了很久以后的传说。

来自西方的术士献给国王一张黑白两色的方格棋盘和七十二

颗雕饰精美的棋子 喜欢对弈的国王非常开心 就问术士要什么赏赐

术士说 只要点儿您所拥有的文字 陛下

国王命令身边的侍从取出古老的经卷

术士大约用了魔法 一串词语从书中缓缓升起又慢慢洒向棋盘左角的黑格里飘进"无"字 相邻的白格里落下"阴阳"第三格排了"东西南北" 第四格堆着"日月水火山石田土"

术士说 以此类推 也不必斟酌词句 摆满棋盘的六十四格就可以了

国王终于没有足够的文字赐给术士 抑郁着离去了 留给儿子一个堆满白纸和图像的帝国

皇宫深处的藏书楼里 国王的儿子每天都要守着装订整齐却没有词语的浩繁卷册十分落寞地走来走去有时借熟悉的封面想想原本印在书中的故事 有时翻翻伶仃的插图 有时找找据说被术士认作构造简单的史前绘画才得以残存的象形文字

……

临近醒来的一瞬，他从国王早已飘散的脸上认出了自己。

想说点儿什么，嘴里空空荡荡，嗓子也发不出声音。

查房的医生兴奋得手舞足蹈。拼命的重复**好了**。**好了**。疯疯癫癫的样子。

七

星期六，母亲来了。

回家吧，她说。

54

却到了沙滩上。

海是真的。又说。疗养院不是。

他点头。母亲就哭了。

八

自己的房间。一切如故。

——陶鼎。甚至灰烬。

耸向天花板的空寂的书架让他想起总是缺席的父亲。连同别的什么。

那个日子夹杂着许多旧时的物象。有些零乱。

可能是在巴黎。

但爱琴海的水才会绿如玻璃的裂痕。

所以也可能是雅典。花园里。午后。阳光的尽头。一本比古老的寓言还要显得古老的故事翻开着。他觉得父亲也翻开着。

……皇帝的声音那么悦耳……玉石地面的反光使他的手透出海蓝色……

父亲读述的字句画满了他的眼睛。

——随处都能看到一位法国女人流苏似的金发里飘闪着的汉王朝的风景。

父亲说，凄美得不可思议。

——所以，即便在雨夜庭院的回廊下，失去影像的父亲也能从头到尾地念完那篇若有若无的故事。

多年前的后来，迷恋东方的法国女人把她的文字留在父亲的花园里，就去天外搜寻埋藏在时间深处的另一些传说了。从

居丁布道后的幻象

父亲残缺的手稿中——他记得——曾经零散地读到过相关的片断。

纸上的夏天，父亲回到离开很久的乡间别墅。

淡蓝的字迹说，他躺在近乎色情的阳光下，倦怠得就像午后的牧神。淡蓝的字迹又说，昏昏欲睡的片刻，他看见独自伸向书房窗边的树梢上飘着一只纤细的手套和法国女人的寓言。淡蓝的字迹还说，凄美得不可思议。凄美得——不可思议。

······

旋转木马停了。

父亲举起他走向丝巾缭绕的母亲。

悬荡在没有阶梯的半空，他颤栗却也好奇地看着燃烧的黄昏里皮肤样柔软的城市。

——蔓延的遗迹和废墟。遗迹和废墟中摇来晃去的石柱。隐现在石柱周围的眼睛。重叠的钟楼和沉浮的屋顶。光斑乱跳的海面。卷曲着然后消逝的文字。

父亲的藏书成了灰烬。

这仿佛不太真实。他想。

但一件事情确实因为另一件事情发生了。他又想。

假设烧书的日子父亲也在现场恐怕毫无意义。

记得曾经游览过一处没有名字的神殿，巨大的底座上早已缺失的偶像令他充满难言的敬畏。他觉得停留在时间之中的泥塑或石雕都会布满灰尘甚至剥落破损，但远去的神像留下的空白却是打不碎的。

可让他非常困惑的是，塞满房间的文字已在打不碎的空白里变成了空白。这似乎证明煮水的念头就像无解的方程一样暗示着高于父亲的律条。

心情因此有些杂乱。

父亲的威严是儿子最大的遗产。父亲失去了，儿子也就失去了。

便幻想能够回到过去。可还是无法在虚拟的真实里修补什么。

——如果时间的重复就是往事的重复，父亲的藏书将会再次化为灰烬。如果重复的时间拒绝重复的往事，他将不会烧掉父亲并不存在的藏书。

此外的选择应该是已经发生的一切在逆向的时间里还原。当然，消逝的藏书因此会在陶鼎的火光里重现，但循序演绎下去的结果反而更加沮丧——声名显赫的作家和诗人纷纷取走他们的作品并在各自的书房里绞尽脑汁地把那些传世的文字写成白纸，然后再度成为默默无闻的人——父亲的书架依然空空荡荡。

他不再假设了。

第四次涂改时间的秩序是危险的。

几乎所有的传说都告诫后代，上天的诸神最多只能满足凡人的三个愿望。

就从自己的里边湿淋淋地爬了出来。

可不知应该去哪儿。

胡乱走了几步，又停了。

大惊而且失色地面对着陌生的镜子。

以为是错觉。就揉眼。就再看。

变了许多角度。换了许多距离。

但仍然找不到自己和房间的影像。

却有一本书。法国女人的寓言。

碰了碰。凉。玻璃的感觉。

缩手。回头。排满墙壁的书架空无一物。

他的动作消失在镜子外边。

书在镜子深处。

陈旧的封面上，午后花园的阳光清晰可见。

或许，也还留着法国女人修长的指痕。

不是赝品。

他断定不是。却又惶惑地翻弄着记忆——

温柔的火光

卷曲的发梢一样拂过扉页的签名

犹豫着散去的残烟

此刻，他想，蒙难的寓言以否定任何形态的形态复活了。

脱离了投射物

悬浮在没有真实维度的空间里。

既不是存在，也不是虚无。

或许，**绝对镜像**是唯一可能的命名。

想告诉母亲。但所有的推断都让他忧虑。

他甚至觉得自己深深陷进了虽然还没说出却已成为谣言的词语之中。

如果母亲看不到那本烧毁多年的旧书，定会伤心地以为他犯了从没得过的旧病，甚至把他送回教授那里。

如果母亲看到或出于安慰的考虑装作看到离奇的镜像，善良的邻居大约要送他们两人同去教授那里。

如果有了三个以上的目击者，媒体变形的渲染和人们猎奇的鞋跟必然毁掉原本安静的日子。

如果博物馆收藏这面失常的玻璃，学者们将在随处蔓延的专设机构里千方百计地证明或引经据典地否定可能仅仅显现一次而且已经永远飘散的神秘原因。

如果时间不能长久挽留短暂的镜像，无缘目睹的公众难免把不复存在的寓言当作荒诞的骗局痛加追究，而每个介入者必将陷于既然丧失辩护依据也就只能承担责任的冤屈境地。

……

十分的倦了，可还是没完没了地如果着。

就觉得自己仿佛被一双透明的手劫为人质，误置在事实之外的事实之中。

或许打破面对的镜子才能真正脱逃。

但放弃了。

他怕失控的碎片里显现无数个不肯消逝的寓言。

彷徨迷蒙着。

忽略了什么的念头若即若离着。

可没有任何具体以及抽象的东西提供任何具体以及抽象的启示。

深夜。

两点二十八分。

灯光下，固执的镜子仍旧漠视层层堆叠的物体。

谁知道呢。

也可能它只是渐渐失明的寻常玻璃而已。要不了多久，残留的书影就会给虚无覆盖。冰一样封在另一块冰里。

想着，想着，眼睛湿了。

守护镜子和隐藏寓言的黑白草图便杂乱地漂浮着。

陆续否定了几个现代流派的绘画方案。最后，选了类似极少主义装置风格的第六稿。

转瞬就完成了那件作品。

——先在镜前摆了花架，又把小鼎举到上边。

他觉得非常满意。

熏黑的陶器遮蔽着翻不开的书

仿佛寓言的寓言

三点零五分。

偶然触到了环绕在意识之外的念头：

应该用另外的镜子辨别自己和房间的真伪。

可时间太晚了。他想。明天吧。

该睡了。

空洞的声音仿佛无处不在。

就看见了影像绰约的法国女人——

披着华丽至极的中国丝袍 任由东方的感觉从颈项和双乳滑遍身上的每个细节

当她梦游一样撕碎几页散乱的手稿 比谵语还要迷离地穿过烛光也穿过柱廊的时候 大朵大朵的睡莲就在她飘飘垂曳的裙摆间堂皇的开合

九

醒来的时候，枕边摆着外婆早年的礼物：一本皮封的《圣经》。尽管每页的纹饰都已泛黄，但依然华美。

见母亲神色哀伤，他猜出了发生的事情。

初次进入那间客厅的时候自己四岁或者五岁

外婆安静地坐在油画里

黄铜烛台 石头壁炉 和火

屋顶很高 楼上走来的外婆显得很细小

穿了不同的晚装 悲悯的眼睛却是画里的样子

年轻的父母从他堆满陌生景物的印象中离开了很久。

外婆说，他们在另一个地方。但不是非常遥远。

就问：什么是非常遥远？

外婆说：你闭上眼睛，心里想一颗快要死去的星星。它看见黑夜的小路上走着一个孤单的农夫，所以好心地送去了自己快要熄灭的荧火。过了三百年，农夫的后代走在相同的小路上。仰头的时候，就看见了夜空里那颗早已不存在的星星留下的一滴亮光。

可能是没听懂，也可能是外婆讲错了。

但当时他有点儿想哭。

现在也是。

不想让母亲察觉。就随手翻开《圣经》，作出看的样子。

却真的看了起来。

……他们说：来吧，我们要建造一座城和一座塔，塔顶通天……

眼前的文字间隐约活动起一些过期的人形，仿佛保存失当的黑白胶片上侥幸残存的影像——

大口喝着自酿的老酒。用树枝画着粗野的草图。

挖着泥土。烧着砖坯。

一边用早已消失的声音争论着缭绕塔顶的风景。

显然，他们并不知道有限的大地无法构成通天建筑的底座。可上帝知道。所以应该设想被惊动的造物主只是如同浏览积木游戏似的一笑了之。

但结果恰恰相反——

上帝非常重视，而且亲手废止了雄心勃勃的工程。

也就是说：它是违禁的，却是可行的。

因此有些迷惑。

就翻来覆去地拼贴眼前的残像和文字。

起初，神创造天地……神说："要有光。"就有了光。

他的脑壁随之裂进一道刺眼的启示——耶和华是从虚无中读出了人类的世界。

依照《圣经》开篇的记载，他想，宇宙万象不就是上帝的话语么？

据此，他渐渐推演出似乎能够说服自己的故事：

他们罪恶的后代全部葬身于惩罚的洪水之中——仅仅挪亚一家借方舟渡过了漫长的劫难，并在鸽子衔回橄榄枝的土地上继续繁衍。或许是无法摆脱重返乐园的诱惑，挪亚的子孙计划建构一座违反物理学概念的通天巨塔。他们亚于造物主但依然具有法力的语言将给伟大的工程提供保证。但这一事件再次威胁到神圣的秩序——最终导致耶和华以变乱的方式毁掉了他们的语言。

所以那城名叫巴别⑥

如果天地万物真的出自神的口中，上帝的词语也就依然无处不在。

建塔人的语言却灭绝了。他想。

或许从世俗的传说里可以发现一些虽然相似却早就失效的字迹。

芝麻开门等等。

他又想。

大约所有的宗教都保留着这类渐成化石的几个词语的残片，奢望借不断的祷告复活它们的法力以达天听。

　　但至少就《圣经》而言，上帝已在巴别塔的废墟旁同人类分手了。

　　——造物主折断了他们通往绝对存在的梯子，变乱了他们的言词与万物之间的必然关联。

　　这些想法让他觉得有点儿失落和空荡。

　　也有点儿莫名的缭乱。

　　故作闲散地看了一会儿手上的纹路。

　　却还是缭乱。

　　就用指尖蘸了杯里的水，在桌上写出几段似乎并不连贯的文字：

　　要是相信伊甸园的话，就应该相信已经失去了它。要是不信的话，就意味着从没拥有过它。虽然两者之间存在分歧，但结果十分类似——人们此刻正置身于不在那里的地方。

　　中世纪，寻找上帝的人们一直在黑色的长袍里使用废弃的词语虔诚地祈祷，窃夺上帝之名的人也在那件黑袍里。

　　文艺复兴时期的新贵认定自己正在竣工的通天塔顶狂欢，浮肿的醉眼里弥漫着佛罗伦萨的天才们亲手修剪的乐园。19世纪，德国病人尼采孤零零地回到巴别城的废墟，情绪不太稳定地宣称上帝死了。但他梦中的超人或许只是建塔者形体退化的后裔，显然没能遮盖离去的造物主留下的无边空白。

　　日内瓦的索绪尔教授似乎缺少在世上增添文字的兴趣，但学生们依据当年的笔记剪辑出版了他的声音。语言符号的任意性由此开始受到异乎寻常的关注。既然相信或假设任意性是上帝变乱语言的结果，也就可以相信或假设语言失去的魔力来自符号的确定性。巴别塔终结了一个语言时代。或者是以象征的方式终结了一个幻想的语言时代。

......

下雨了。

桌上的水迹在风里闪动。无法分辨的文字交融着，仿佛没有画完而且涵义模糊的图形。

其间隐约着自己的眼睛。

就看见了戴着面具的脸，听到了十分飘渺的声音：

巴别塔的废墟里或许埋着所有的语言学问题

他觉得多年来忽略了这句更为重要的话，却又依稀感到一些命定的东西。

始终不知道演讲的具体时间和具体地点，也不知道演讲者究竟是谁。

更不知道演讲的细节。

但他的日子似乎都在修复那些遗漏的词语。

色彩剥落的印象里他走在夜晚的街上

不记得进过哪扇门

没戴眼镜

迷蒙的灯光

残缺的声音和座位

睡了　醒了

就随着自己的身体走回自己的房间

为了相信总是散乱在眼前的拼图不是梦境的片断，他曾四处寻找那幢几乎一无所知的建筑，却仅仅疲倦地证明了城市的巨大和混乱。

又觉得曾去国家图书馆试着查阅相关的记载，还在哪本年鉴里偶然或并非偶然地看到半张发黄的纸片。潦草地写着：

一句被遗忘的话——

"如果有谁曾路过天堂，留下一朵花作为到达的证据，然后又手持那朵花醒来，事情将会怎样呢？"

他在记忆的夹层之间十分明晰地看到了这句被遗忘的话，却遗忘了查阅的结果。

因为没有带回那张纸片，他甚至不能认定是否真的去了国家图书馆。

但已无需再去。面对桌上的水迹他想。讲座的时间和地点显然失掉了继续寻找的意义。**花在他的手上。**

后来，好像没谁听他说过什么。

暖和的日子他倚在阳台上。

街道。

行人。

南来着。北往着。

也不知要去哪里，只是越走越快。但要踏出寻常的语言之外，却完全没有可能。

就觉得自己隐约读到了诗人的命运——

他们是过期的建塔英雄早已过期的后代

耳边有时传来如真似幻的天音，手脚却总是锁着镂空的文字

挣扎着倾听的努力难以充实他们的心灵

他们不是西绪福斯

应该设想，他们是痛苦的。

十

夜里，他再次梦见外婆讲过的非常遥远：

65

一个从没见过的憨厚的年轻人坐在从没见过的憨厚的树下
老巴赫弹奏的管风琴的乐句从二百五十年前的地方悠悠飘来
年轻人回家取了吃的 和一罐水 告别说 我要去
一个不知道的星球 那里有七个神秘的文字

醒来的时候他想，建塔者当初的文字一定更少。

或许只有五个。

甚至三个。

他并不奢望找回通天的梯子。但在虽然还没来临却已注定消失的日子里——他想——大约会有一个让人吃惊的语音出自他的口中，那壶已经冰冷的水也可能意外地响起共鸣的沸声。

正午的时候阳光灼人。

他把眼睛眯成地平线的样子。

依稀看见了巴别塔。裸体的楼群就十分的瘦小了。

家却更小。压在褪色的城市布景的下面。

自己的房间仿佛空白的纸盒。

里边除了外婆的《圣经》和镜中的寓言，别的文字都已随烟散去了。

眼前的物象也散去了。

身子也散去了。

起初，他的灵运行在街面上。

他想："要有书店。"就有了书店。

他看书店是好的，就走进那扇黑暗的窄门。

他随手翻开一卷新版的法国艺术史。

他散漫的目光掠过几页诠释高更的章节。

他近乎透明的指尖恰好触到两段解读《雅各与天使搏斗》的文字。

他有意无意地寻出作品的彩图。

虚空中骤然筑起演讲大厅的侧壁。油画的巨幅摹本就在那面插向时间深处的墙上。

黑。白。蓝。纯红。

——隐秘而且结实地涂在记忆的背面。

手边的文字补充说

这件作品又名《布道后的幻象》

他合起沉重的艺术史，走出黑暗的窄门。

望着刺眼欲盲的阳光，他想，如果相关的幻象曾在时间里显现，也就可以肯定，布道的仪式曾在幻象之前发生。

有些什么，看来变得简单了。

注 释：

①布罗茨基（Joseph Brodsky, 1940~1996）：俄裔美籍诗人，1987 年获诺尔文学奖。

②《旧约·创世纪》："上帝造物的工已经完毕，就在第七日歇了他的工。"

③见加缪（Albert Camus, 1913~1960）《西绪弗斯的神话》（The Mythof4. Sisyphus）。由于冒犯诸神，西绪弗斯被罚把一块巨石推上山顶。因巨石每至山顶就会滚落，西绪弗斯将不断重复无休止的苦役。

④尤内斯库（Eugenelonesco, 1912~1994）：罗马尼亚出生的法国作家，荒诞派戏剧的代表人物之一。

⑤安提戈涅（Antigone）：希腊神话中俄底浦斯的女儿。因无视忒拜王的禁令埋葬兄长，被囚在墓室里并自杀身亡。参见希拉·沃森（Sheila Watson, 1909~ ）的同名作品及赫拉克利特（Heraclitus，约公元前540 前470）的命题："你不能两次踏进同一条河流"。

⑥巴别：意为"变乱"。

（原载《作家》）

王干 推 荐

发 廊

◎吴玄

一

妹妹来了，我有点不安。几天前，我母亲打电话来说，方圆要来你那儿开发廊。不等我回答，她就高兴地说，来你那儿好，有你照顾，在别地，我也不放心。母亲确实是不放心，因为开发廊，警察经常要抓。来我这儿，她就放心了，她一点也不觉着开发廊有什么不妥。然而，我感到不安。

我的不安是由发廊这个词引起的。大家都知道，发廊这个词不干净，在二十世纪的九十年代，可能从八十年代就开始了，发廊几乎是色情的代名词。发廊从事的并不是理发，或者说不仅仅是理发，发廊最重要的内容是按摩。其实，按摩也不见得就是色情的，在理论上它只是离色情比较近，按摩也完全可以不是色情的，就像当官，也不一定都是贪污受贿的。当然，这是我的愿望。我想，同时也是许多人的愿望，就我所知，在许多地方，发廊都像卖烟酒糖酱醋油盐的小卖店一样普及。

按摩是一种日常生活，中国人需要按摩。许多人的妹妹、妻子、母亲、女儿，从事着按摩业，就像我的妹妹，开发廊。

我的妹妹方圆从十六岁开始进入发廊，先是受雇于人，然后自己当老板，先后到过深圳、珠海、汕头、广州、厦门、宁波、上海、南京、青岛、北京、大连。这些地方离我都很远，我也就没什么感觉，除了老婆，别人也不知道我有个妹妹，而且她也不知道妹妹是开发廊的。现在她要来我这儿开发廊，我就有点不安了。就是说我并不希望我的妹妹开发廊，至少是别在我这儿开发廊。

妹妹是带着妹夫李培林一起来的。我看见她的时候，有些陌生，她比以前好看了，好看得我觉着有些陌生。她长着一张娃娃脸，看上去总比实际年龄要小，只是生来鼻子有点塌，整张脸因此显得扁平。十七岁那年，她从广州回来，鼻子突然隆高了，眼睛也从单眼皮变成了双眼皮，弄得连我母亲也差点不认识。那是妹妹第一次给我带来的陌生感。应该说整容非常成功，好像她的鼻子本来就这么高、这么挺，我早已想不起她原来塌鼻是什么样子。这回，她的五官并没有什么变化，那陌生感完全是一种感觉，一种难以名状被称作气质的东西，她确实越来越漂亮，脱尽了乡气，成长为都市里的时髦女郎了。大约这也是一种规律，妹妹开发廊，总是越漂亮越能招揽生意，你想不漂亮恐怕也不行，有人已经开始预言了，未来的社会将是漂亮者生存的社会。那么我的妹妹也算领到了未来社会的生存证。这也证明了达尔文他老人家 "物竞天择、适者生存"的进化论，是有道理的。妹夫李培林似乎没什么变化，还是一副民工进城的模样，他的脸上依旧写着城市与乡村之间的巨大差别。我想，也不是他拒绝进化，而是他不需要进化。开发廊，男人其实没多少用处。这样，我的妹妹和李培林走在一起，就不那么般配，刻薄一点说，就是鲜花插在牛粪上。这样说可能过分了，我的妹妹也没有这种想法，其实，李培林长得相当不错的，块头也不小，身高一米七五，体重估计在75公斤以上。

妹妹说，嫂子呢？

我说，上班。

妹妹说，我还没见过嫂子。

我说，等下就见到了。

我不想让老婆知道我的妹妹是开发廊的。我看了看妹妹，又看了看李培林，说，等下嫂子来了，你们不要告诉她是来开发廊的。

妹妹说，为什么？

我说，不为什么，她对发廊印象不好，有意见。

妹妹就很奇怪地看着我，她显然不懂我的意思。我又说，你们来这儿开发廊，有生意吗？

妹妹兴奋地说，有。我们村的晓秋在这儿开了一间，表妹米燕也来这儿开了一间，她们都说生意很好，就是她们叫我来的。

我说，那我能为你们做点什么？

妹妹说，不用，明天我们去租房子，他留下来装修，我回去找工人。

我说，工人？什么工人？

妹妹说，就是洗头的，敲背的工人，现在大家都开发廊，工人很难找。

妹妹把按摩女称作工人，我觉着有点滑稽。后来我才知道她们都是这么称呼的，我不太清楚这种称呼的来历，大约与女权主义无关，我妹妹甚至不知道有女权主义这样的一个词。与西方一些国家承认妓女的合法地位，把妓女称作性产业工人，大约也无关。如果有关，大约也是无意识的，她们只不过是这样称呼而已。

老婆没见过妹妹，回来见我和一个陌生女人坐在一起，很警觉地觑了两眼，等妹妹起身叫嫂子，她才想起那是我妹妹，惊奇地说，妹妹，你是妹妹，原来妹妹这么漂亮的。说得我妹妹脸都红起来，然后老婆又看了看李培林，迟疑说，是妹夫吧。李培林说，嗯，嗯。老婆的脸上就掠过了一丝疑惑，那意思隐约是他怎么是妹夫？幸好李培林并不善于察言观色，没看出来。

客套了几句，老婆又记起自己的后背，做了一个痛苦的表情，朝我嚷道，背疼，疼死了。一年前，老婆提前得了本来老年人才得的骨质增生病，每天都要嚷无数遍的背疼，疼死了，而且对生活也丧失了兴趣，好像生活除了背疼，就没有别的什么了。我照例说，帮你摸摸。老婆说，好的。妹妹忽然很高兴地从沙发里起来，说，嫂子，你背疼，我帮你敲。老婆觉得她是客人，不合适，说，你坐着，让他敲。妹妹说，我帮你敲，我比哥敲得好。说着妹妹拉了老婆的手，突然就不再陌生了，我说，没关系的，让她敲吧。

老婆进卧室卧着，让妹妹敲背，不一会，老婆说，舒服，很舒服啊。敲了背出来，老婆赞叹说，妹妹敲得好，比你好多了。

我说，那当然。

老婆又问妹妹，你学过的？

妹妹说，学过。

老婆说，好，你多住几天，帮我多敲几次背。

妹妹说，我不走，我来这儿开发廊，我每天来帮你敲一次。

妹妹见我老婆那么满意，就忘了我的警告，老婆果然惊了一下，说，开发廊？

妹妹一点也不觉着开发廊有什么好吃惊的，说，开发廊。

夜里，老婆又问我，你妹妹是开发廊的？

我说，开发廊的。

老婆说，怎么是开发廊的？

我说，就是开发廊的。

老婆说，听说发廊里有……那些事。

我说，也不是所有发廊都有那些事，也有正常的，他们两夫妻一起开，能有什么事？

老婆想想也是，也就放心了，再说她也喜欢我的妹妹。

二

妹妹开的发廊并不理发，它只洗头和按摩，这样的发廊通常开在城市的边缘或者车站附近。妹妹的发廊就在车站背后的一条小巷里，若不是她在那儿开发廊，我还不知道有那样的一条小巷。当然，它跟别的小巷也没什么两样，两旁都是单间的民房，底层临街的都是店面。妹妹在那儿开发廊，是因为我们村的晓秋和表妹米燕已经在那儿开了发廊，开发廊的总是聚集一处，以形成规模效应。不久，那小巷里发廊就越来越多，光景便与别处大为不同，可以称为发廊一条街了，那小巷也就以发廊街闻名于这城市，开出租车的、骑三轮车的都知道把按摩的客人送到那儿。

在那儿开发廊的大半是我村里的，村里三十岁以下的女人差不多都来了，男人来得则少一些，开发廊毕竟是女人的活，男人的用处也就是当保镖和打杂，一间发廊有一个男人也就够了，而且男人在店里晃来晃去会影响生意，所以，男人都躲在发廊的背后，在店里是看不见男人的，只有当顾客和工人发生争端，或者流氓地痞前来肇事，男人们才成群出现。

那儿的发廊虽然也有自己的名字，比如丽丝、丽丽、凤尾、小燕子，其实，每一间都是雷同的，玻璃门进去是店面，一面墙上安着镜子，镜子下面一排长柜，上面摆着各种牌子的洗发液，另一面墙上通常贴着几张美人图，坐在镜子前面洗头，刚好可以看见墙上的美人在镜子里朝你抛媚眼。里间就是按摩房了，摆两张按摩床，灯是红色的，窗帘是遮光的，气氛有点儿暧昧。这样的发廊看上去是简陋了些，但房租、装修、空调、音响，加在一起，投资也得两万左右，我村里并不是谁都能拿出两万元，开一间发廊自己当老板，当不了老板的就只有当工人了。

"小燕子"就是我妹妹开的发廊，她回家找了两名工人，一个是邻村的，才十五岁，一个是我们的远房堂妹，十七岁，虽然不及我妹妹漂亮，但都很年轻，所以生意还是不错的。

发廊从中午开到夜里两点，早上不开门，早上的发廊街是很安静的，中午之后，工人和老板娘们把脸贴在玻璃门上，严密注视着街上的动静，有的干脆踱到门外，摆着礼仪小姐的姿态，嘴里又不合礼仪地嗑着瓜子，隔着一间店面互相说着闲话，凡有顾客进来，便引起一阵骚动，一齐将目光投在他身上，就像一群苍蝇看见一块肉，嗡嗡嗡的兴奋不已，直到顾客走进某间发廊，才又恢复平静，嘴里继续磕着瓜子，等候下一个顾客。入夜，街上的灯亮了，各家门前挂的一串串小灯泡，也发出明明灭灭的红光，街上的光线就变得复杂而且混乱，各家发廊播放的流行歌曲，也一齐窜到街上，好像所有的流行歌星都集中到了此处，在进行一场没有任何组织的比赛，街上的声音又比光线更加的复杂而且混乱，让人感到晕眩。

发廊街离我的住处很近，仅一街之隔，走路也就十分钟，大概就是这种距离，它在我心里投下了浓重的阴影，我看见我的乡亲姐妹们开发廊，总是说不出的别扭，可能还有点拂之不去的悲哀。很久之后，在我见惯了，习以为常了，我才不得不承认那就是她们选择的生活，既然她们愿意这样生活，我有什么可说的。

发廊街我是不能不去的，那儿有我的妹妹、妹夫、表妹、堂妹，还有我的堂哥、堂弟、表姑、表舅、邻居和童年的玩伴。我走进发廊街，就像回到了故乡，她们都热烈地跟我打招呼，盛情邀我进她们的店里坐坐，都说有我在，她们就放心多了。这让我很是惭愧，我不过是这城里某中学的历史教师，若有什么事，怕是一点忙也帮不上，我甚至连个警察也不认识。如果我是警察，或许还能保护她们，因为我不是警察，我母亲至今还在后悔，不止一次问我当初上大学为什么读师范当老师，而不读警察学校。若是我早知道我的乡亲姐妹们现在都开发廊，我想我会选择警察学校的，而不去为人师表读什么狗屁师范了。

我走进发廊街，就像回到了故乡。这感觉其实有点问题。我的故乡西地，事实上，比发廊街差远了，它离这儿很远，在大山里面，它现在的样子相当破败，仿佛挂在山上的一个废弃的鸟巢。我的乡亲姐妹们在那个破巢里养到十四、十五岁，便飞到城市里觅食，她们就像候鸟，一年回家一次，就是过年那几天。本来，西地和发廊毫无关系，就我所知，西地世世代代只出产农夫、农妇、木匠、篾匠、石匠、铁匠、油漆匠，教师匠也有的，甚至有巫师和阴阳先生，但没听说过发廊和按摩，西地成为一个发廊专业村，是从晓秋开始的，历史总喜欢把神圣的使命交给一些最卑贱的人，几年前，那个一点也不起眼的小姑娘晓秋，不经意间就完全改写了西地的历史。

晓秋家曾是西地村最穷的人家，她母亲有点傻，父亲是瘸腿的，她的两个弟弟经常拖着鼻涕，和村里的狗一起，站在别人家的桌沿底下讨饭吃。晓秋十五岁那年进城当了小保姆，一年后被人带到深圳的发廊里当工人，好像那儿遍地都是钱，可以随手捡的，晓秋每月给家里寄钱，一千至三千不等。一年下来，她家翻身了，晓秋她娘，原来村人都觉着她有点傻，但现在有了钱，大家也就不觉着她傻了，见面都恭维她肚子争气，生的晓秋哪是个女儿？简直就是生了个银行。更让村人吃惊的是，晓秋过年回家，大家几乎认不出来了，都以为眼前的这个人不可能是晓秋，一定是自己的眼睛出了问题，大家印象中的晓秋是个瘦猴，衣服穿得破破烂烂，脸也脏兮兮的，根本还不像个人，而现在的晓秋，脸白唇红，脖子上挂着珍珠项链，还穿上了价值三千多元的皮大衣。尤其是她的表情、眼神，一点也不像西地一带的女孩子，看上去很媚，很讨人喜欢。晓秋身上的巨大变化，无疑比她寄回家的钱更有震撼力，特别是对同龄的女孩，谁不想去深圳走走，不只可以寄钱回家，更重要的是也可以变得像晓秋一样漂亮。

晓秋成了村里的榜样，那年过年，我的妹妹方圆天天围着她转，就像她的侍从，而且笨拙地学着她的每一个动作和姿势。晓秋涂着口红和眼影，方圆也让晓秋帮她涂上口红和眼影，弄得整张脸不伦不类的，好像她的嘴和眼睛已提前去了一趟深圳回来，而其余的部位都没变，那涂了口红的嘴和涂了眼影的眼睛，在脸上就神气十足，看不起其余的部位了。不久，晓秋在深圳的工作，她也清楚了，也就是洗洗头、敲敲背，经常还有男人请她出去吃夜宵、喝啤酒。

方圆说，洗头我也会，但是，敲背怎么敲？

晓秋说，很简单，骑在男人身上，拿起拳头乱敲就行了。

方圆说，骑男人身上？男人让你骑？

晓秋说，让你骑，还可以用脚踩。

方圆说，用脚踩？踩伤了怎么办？

晓秋说，不会，只用一点力气。

方圆说，你那么重踩上去，你不用力气，人家也会受伤的。

晓秋说，我双手是挂在吊环上的，不是全踩在人家身上。

方圆说，真有意思，你这样踩人家一顿，人家还给你钱？

晓秋说，那当然。

方圆说，人家还请你吃饭？

晓秋说，有些男人请，有些也不请。

方圆说，那……你看我行不？

晓秋说，行。

方圆说，那，我跟你去。

晓秋说，你想去？

方圆说，想。

那年过年，方圆的心思就是盘算着怎样跟晓秋去深圳。对此，我母亲满心欢喜，希望方圆也像晓秋一样，以后每月给家里寄钱。我父亲则不无忧虑，因为方圆已经许配给邻村的周作勇当老婆，收了人家五千元礼金。现在，方圆要去深圳，应该征求她婆家的意见。我父亲觉着收了人家的钱，女儿就是人家的了，人家若是不同意，就不能去，有再多的钱也只能让别人去赚。我妹妹对这门亲事本来是默许的，若不去深圳，肯定就是周作勇的老婆了。但她一心想着去深圳，听父亲说要征求婆家意见，她就很生气，好像婆家一定反对她去深圳似的。方圆说，我又没嫁过去，他们管得着？父亲说，你总要嫁过去的，当然得征求他们意见。方圆说，他们敢不同意，我就不嫁。

其实，方圆只是在耍小孩子脾气，她的担心也是多余的，她婆家一点意见也没有。过了年，我妹妹方圆和村里的几个女孩，便欢天喜地跟晓秋去了深圳。

三

老实说，那时我并不知道发廊是与色情相关的，在我最初的印象里，发廊改变了我妹妹的命运，乃至全村所有女性的命运。通过发廊，女人可以赚钱，而且比男人赚得多，我妹妹一个月寄回家的钱，就比我父亲一年劳作赚得还多。后来，村里凡有女儿的，日子过得大多不错。从此，村人再也没有理由重男轻女，反而是不重生男重生女了。还有一个近乎笑话的真实故事，村里的一个妇女，突然伤心痛哭，村人问她什么事这般伤心，那妇女伤心地说，她想起十五年前一生下来就被扔进尿桶淹死的女儿了，当时若不淹死，她现在也可以去发廊里当工人，替家里赚钱了。

对于我妹妹方圆来说，去发廊当工人，并非想为家里赚钱，那时她才十六岁，家庭责任感还很淡薄，再说这个家庭也不该由她来负责。她是在晓秋身上看见了一种她所向往的生活。她在深圳显然比在西地过得愉快，那时村里没有电话，她勉强能写几个字，每月给家里写一封信，都是同样的几句话：爸爸，妈妈，你们身体好吗？我身体很好，其他也很好，请别挂念。她的愉快找不到适当的词向父母表达，大概是惟一比较苦恼的。过年回家，她变得和晓秋差不多一样漂亮了，她的艳名很快传到了婆家耳里，也知道这一年她替家里赚了不少钱，这样既漂亮又会赚钱的媳妇，自然是尽早过门为好。她婆家就来商议婚嫁的事，方圆见了未来的婆婆，再也不脸红了，说，我才十六岁，结什么婚呀。她婆婆说，孩子，大家都是这个年龄结婚的，我十五岁比你还小就结婚了呢。方圆说，我不结，我明年去广州，跟人约好了的。她婆婆说，你结了婚照样可以去广州，你跟作勇一起去不是更好。方圆说，我不要。方圆说完就溜走了，我母亲也不想让她结婚，原因倒不是嫌她年龄小，早婚，而是一结了婚，方圆赚的钱就归她婆家，而不归我家了，既然方圆自己不同意结婚，我母亲再高兴不过了，说方圆确实还小，明年再说吧。

明年，出乎大家的意料，方圆带回来了一个男人。方圆是挽着男人的手回到家里的，家里的光线可能比较暗，我母亲看了看他们，疑惑说，你们找谁？方圆笑着说，是我，妈，是我呀。我母亲又看了看方圆，摇头说，你是哪儿来的闺女？跟我家方圆真是很像，但你不是方圆，你的鼻梁比她高。方圆得意说，我的鼻梁比原来好看吧。我母亲说，你……你真是方圆？你的鼻梁怎么变高了？我母亲查清了方圆鼻梁变高的秘密后，不得不大大惊叹一番，惊叹之后才发现方圆是挽着一个陌生男人回家的。刚才以为她不是方圆，也就不在意她挽着谁，现在确认了她就是方圆，我母亲就不能不关注方圆挽着的陌生男人了，她让陌生男人坐着，把方圆叫到了房间里。

母亲说，那个男人是谁？

方圆说，男朋友。

母亲说，男朋友？什么男朋友？

方圆说，就是男朋友。

母亲说，你跟他好了？

方圆说，好了。

母亲说，这怎么行，你已经许配给人家了。

方圆说，我自己找到男朋友了，我不要了。

母亲说，人家又没做对不起你的事，你怎能不要，做人要讲良心。

　　方圆不知道良心怎么讲，就不讲了。我母亲又说，你在城里呆坏了，早知道这样，我去年就把你嫁人了。

　　方圆带回家的陌生男人就是李培林，我父母虽然不接受他，但还是把他当作客人。实际上，我父母拿他们也没办法，方圆现在是家里的经济支柱，惹恼了她，她跟李培林跑了也不是没有可能。我父母极为小心地询问了李培林的一些背景，原来他就是邻村的，也在广州开发廊。我父母一听他是开发廊的，脸上就有了笑容，在他们看来，发廊就相当于银行，有个开发廊的女婿当然是求之不得的了。只是方圆已经许人，还收了人家的钱，也不能说退就退，这边又已生米煮成熟饭，我父母感到十分为难，就不断地唉声叹气。

　　方圆说，我回家，你们不高兴啊。

　　母亲说，怎么不高兴，可是你带了一个男人回家，叫我们怎么办？

　　方圆说，妈，你是不是觉得我带来的男人，比你们找的要好？

　　母亲说，好是好，可是……

　　方圆说，就是了吗，明年我们一起开发廊，每月给你寄钱。

　　方圆的许诺是很有吸引力的，我母亲也就不说什么了。其实，退婚也不难，就是叫媒人把钱送回去，然后再挨对方一顿臭骂。不过，我家的声誉还是受到了影响，主要还不是退婚，而是方圆和李培林同居，这种未婚而同居的男女关系，村人当时还很不习惯，也算是我妹妹方圆率先引进的吧。我母亲是安排方圆和李培林睡两个房间的，但第二天却发现他们睡在同一间房里，方圆也一点不羞，好像他们是老夫老妻了，倒是把我母亲羞得脸红了。我母亲说，啧啧……你们……啧啧……方圆满不在乎说，妈，都什么年头了，现在城里都这样。既然城里都这样，我母亲也就没什么说的了。

乡村其实不过是城市的影子，城市走到哪里它也跟到哪里。西地本来对性就相当宽松的，尽管它也在礼教治下，但礼教似乎没工夫管这么偏远的乡村的闲事，所以西地的性生活很是古朴，近乎原始。但这宽松也仅限于已婚妇女，对未婚少女还是有管教的。像我妹妹这样带着男人回来，未婚同居是要受到嘲笑的。

方圆在外混了两年，已不太适应西地的生活，若不是带了个男人回家，她在家里也许根本呆不下去。那年过年，她大半时间都躲在房间里替李培林按摩，然后做爱。很久以后我才知道，按摩成了他们性生活的一部分，或许还是最重要的一部分，李培林必须先按摩然后做爱，若不按摩，他就无法做爱。说真的，在西地，除了做爱，确实也没有别的像样的娱乐，就是做爱，条件也是很差的，房子是破旧的木房子，床也是破旧的木床，一运动，不只床，连房子也发出咯吱咯吱的破裂声，村人很快就知道他们同居了，做爱了，小孩们还要潜到屋外偷听那种声音，等声音停止，小孩们就亢奋地大叫：方圆和李培林在里面搞了，搞了。

村里的男人见了方圆，就嬉皮笑脸说，方圆，你也替我按摩按摩。

方圆说，好啊，拿钱来，一个钟点五十元。

男人说，那我替你按摩，你拿钱来，一个钟点五十元。

方圆说，去死吧，你。

男人说，那我不要钱替你按摩，行了吧。

方圆说，你去死吧。

方圆对这样的玩笑，或者说讽刺，全无所谓，男人们见她这样，就像对已婚妇女，也想上前摸几把，沾点便宜，但方圆立即拉下脸来，严守自己的身体，男人见状，就不敢了。

我想，发廊不只改变了方圆的命运，同时也改变了她的内心。

四

对我来说，无论方圆变成怎样，都是我的妹妹。方圆从小就跟我，是我带大的。小时候，她的乐趣是养兔子，很勤快地随着大人下地拔草，把家里的兔子一只只养大，然后被父亲一只只宰掉，每次宰兔子，虽是家里的盛宴，但方圆每次都很伤心，眼睛哭得红红的，兔眼似的。方圆也上过学，但村里的学校实在算不上是一所学校，村里的小学教师赵伯乐自己连小学也没毕业，村里的教育只能是象征性的。如今，伯乐的儿子也带着他的两个妹妹，在外面开发廊。我大约是个例外，离开村子，读到了高中毕业，而且意外地考上了大学。我上大学那年，方圆已停学在家，当她知道我考上了大学，显得比我还激动，去兔栏里抓了只兔子，抱在怀里，对兔子说，我哥哥考上大学了，以后我也要上大学，我要读书，没工夫养你们了。那年，方圆十二岁，方圆说完就偷偷去找早已被她抛弃的课本，一个人关在房里认真读了起来。我母亲见她这样，又让她重新上学，可惜她读书的兴趣很快又被伯乐教没了。

若不是开发廊，方圆的命运将是这样：十六岁或者十七岁，嫁给周作勇，十七岁或者十八岁，生下一个孩子，过几年二十岁或者二十二岁，再生下一个孩子，然后就老得像个老太婆了。以前西地一带女人的命运，大抵都是这样。如果方圆是这样来到我家，她很可能要遭到我老婆的嫌弃，城里女人向来是看不起乡下女人的。不管怎样，发廊确实改善了像西地这种地方女人的生活质量，她们不开发廊是不可能的。

我这样说，只是一种现实主义的说法，其实，我是觉着开发廊不体面的，我妹妹开发廊，连我也觉着不体面，后来老婆与我让方圆进了一家私人办的电器公司当工人，目的无非是不想让她开发廊。在我的记忆里，方圆被分成了两个，一个是童年的方圆，一个是开发廊的方圆，我总无法把她们完整地连在一起，当方圆每天来替她嫂子也就是我老婆按摩的时候，我的感觉总是怪怪的。

方圆的按摩，效果是不错的，我老婆让她敲打一番后，就像一架出了故障的机器，又重新运转了起来，夜里也有了做爱的兴致，以前，每逢我有那种想法，老婆总是苦着脸说，背疼，先帮我揉揉。等我帮她揉上半天的后背，她想睡了，我也兴致索然了。老婆得了骨质增生病之后，我们就像一对老年夫妇，已很少做爱，妹妹的到来，使我们又恢复了这方面的兴趣，这是她给我们带来的一份令人欣喜的礼物，虽然不好当面酬谢，但在心里，我和老婆都很感激她。

我老婆和方圆的关系就不只是姑嫂关系，她们还是病人和医生的关系，方圆成了她生活中不可缺的一部分，我老婆对按摩也有好感了，这是方圆让我感到自豪的地方。

李培林虽然自己开发廊，但也不喜欢老婆替人家按摩。他娶了方圆之后，有一段时间甚至不许方圆当工人。李培林说，以后你不要当工人了。方圆说，不当工人，当什么？李培林说，当老板娘。方圆说，老板娘？好啊，我是老板娘啦。方圆以为李培林开玩笑的，她不懂男人的那点心思，男人是不许老婆的手替别人敲背的，而只许别人的老婆来为自己敲背。李培林另外租了一套房，将方圆安置在里面，以免她呆在发廊里叫顾客看见，点名要她敲背。

方圆当了老板娘，与发廊隔绝了，一个人关在房间里，除了看电视，就没别的事情可做，这样的生活，方圆才过了七天，就不想过了。

方圆说，我不想当老板娘了，这样当老板娘没意思。

李培林说，那你想当什么？

方圆说，还不如在发廊里好玩，有说有笑的。

李培林说，你别不知足，你什么也不用干，这样的生活城里的女人也过不上。

方圆说，我不稀罕，我宁可去发廊里干活。

李培林说，你那么想干活，就替我敲背吧。

方圆说，我才不替你敲，你又不付我钱。

李培林说，我也付你钱，敲吧。

李培林从屁股兜里很潇洒地抽出五十元钱，付给方圆，随后剥了衣服，趴在床上，说，小姐，来啊。方圆有七天没替客人敲背了，这回敲起来就特别起劲，有兴致，所谓敲背，其实就是拿男人当玩具，是一件既可消遣又赚钱的事情。李培林趴在下面哼哼吱吱的，又学着客人的腔调说，好舒服啊，小姐，你还有什么服务。方圆说，你这么舒服，还不够吗？李培林说，不够，可不可以再舒服一点？方圆说，不可以。李培林说，我是你的老主顾了，照顾点嘛。方圆笑着说，该死的，你敢欺负我。说着拼命在李培林的背上敲打起来，然后就是夫妻之间的事情了。

如果李培林每天陪方圆玩这种游戏，好歹她还可以当老板娘。但李培林老板往往做完爱，就忘了她的存在，出去找人赌博，有时甚至通宵不回。开发廊的男人是最没事可干的，比机关里的干部还无聊，不是赌博，就看武打片，以打发时间。方圆是个通情达理的女人，既然男人都赌博，也就不反对李培林赌博。不过，她反对李培林输钱，李培林知道她的脾气，即使输光了钱回来，也撒谎说赢了一点点，方圆听说他又赢了一点，就对他很温存。其实，方圆赚来的钱，都是被李培林赌掉的，所以，他们开了多年的发廊，也赚了不少钱，但还是个穷光蛋。

再说方圆觉着当老板娘没意思。第八天，她回到了发廊。方圆发觉，店里的工人也愿意她在家里当老板娘，而不愿意她回到发廊，不一会，方圆发现了其中的奥秘，她不在发廊的这七天，工人们把赚到的钱独吞了，而没有照规定让老板分成，问她们，她们就说这几天没生意，一点生意也没有。气得方圆这天凡有生意都自己做，而不让工人赚一分钱。

后半夜，李培林大模大样踱回了发廊，见方圆在店里，不高兴说，我不是叫你别干了，你又来干什么？

方圆不理他，质问说，你又去干什么？

李培林说，还干什么？打牌嘛。

方圆说，又输了？

李培林说，嗨嗨，没输，赢了一点点。

这回，李培林确实是赢了一点，赢钱的感觉比赚钱的感觉更好。他觉着自己已经很阔了，这等阔人的老婆还上发廊替人敲背，分明是给他丢脸。回到房间，李培林十足的丈夫气派说，以后我不许你再替人家敲背。

方圆没好气说，你以为你真是个老板？

李培林说，我不是老板，是什么？

方圆说，你这样当老板，发廊没两天就是别人的了。

李培林说，不开发廊有屁关系，我靠打牌更来钱。

方圆不屑说，呸。

李培林也不屑说，呸。你是不是不替人敲背就不舒服？

方圆说，是的。

李培林大声说，你是不是还想当婊子？

方圆也大声说，我就想当婊子，又怎么样？

李培林举起巴掌，想扇她一个耳光，但方圆一点也不怕，他也只好收起巴掌，算了。隔一日李培林输了钱，才发觉他不但靠方圆活着，甚至连赌博的钱也是她赚的，他就不那么大丈夫气派，回头讨好方圆，也不强迫她在家里当老板娘了。

五

发廊，并不是一种合法存在，它是城市最暧昧的部分，处于社会底部，就像弗洛伊德的潜意识。政府对它，大部分时间睁一只眼，闭一只眼，反正它是无关痛痒的，不过是涂在身上的一块颜色显黄的斑迹而已，顶多也就是不怎么好看，但政府在准备打扮自己的时候，也可能随时将它清除。开发廊，若是被关闭一次，这一年的工夫差不多也就白费了，也许还要亏本，发廊也不是那么容易赚钱的。开发廊最怕两种人，一种是地痞；另一种当然是警察。对付地痞，虽然麻烦，但办法还是有的，地痞无非也就是叫你按摩了，不付钱就走人，更严重一点的，就是强行索取所谓保护费，只要凶狠一些，他们多半也就不敢；而面对警察，她们只有坐以待毙，就像老鼠碰见了猫，甚至比老鼠的运气还差，老鼠碰见猫，至少可以跑一跑，而发廊是跑不掉的，你跑得了和尚跑不了庙，警察可以凭他的兴致，罚她们的款，拆走发廊里的东西，让她们的发廊关闭，甚而可以把她们抓起来坐牢。好在这年头警察都忙得不行，他们有更重要的老鼠要抓，或者就是懒猫，懒得玩弄她们，发廊基本上还是能够正常做生意的。

方圆发廊里的空调，突然被警察拆走了。那天夜里，一辆警车开进了发廊街，不过，一点也不像来这儿执行任务，它可能是下班路过的，刚好又有点剩余时间没处消磨，几个警察就下车逛了逛，一个警察凑巧站在了小燕子发廊门前，看见玻璃里面的方圆，大约是想看清楚方圆长得什么样子，就推门走了进去。方圆对付警察也算有经验了，尽管心里害怕，还是装着镇静的样子，笑着说，你好，要洗头吗？警察审视了一眼方圆，也笑了笑，就走了。可是，不一会，几个警察一起进来，什么也不说，就把墙上的空调拆走了。

方圆匆匆忙忙来到我家，说，发廊的空调被警察拆走了。

我说，警察干吗拆走空调？

方圆说，不知道。他们拆空调的时候，都笑眯眯的，很高兴，我也不敢问他们为什么拆空调。

我说，别的店呢？

方圆说，别的店都没拆。

因为不知道原因，方圆有点惊慌，我安慰她说，没事的，没事的。

方圆说，是不是准备不让我们开发廊了？

我说，我也不知道。

方圆说，哥，派出所你有没有熟人？

我不想让妹妹失望，含混说，有的，总有人熟的。

方圆说，你能不能找个熟人，把空调拿回来，值六千多块钱呢。

我想，警察也不能随便把别人的东西拆走。空调总可以拿回的，他们可能只是一时兴起，逗方圆玩玩罢了，我说，好的。

跟警察打交道，完全在我的能力之外。我答应方圆后，忙了一天，也没找到一点关系。我只好硬着头皮去一趟派出所，也不知道找谁，问了几个值班的，他们很不屑地看我一眼，就不理我了，但我还是打听到了这事归一个姓周的警察管。可是，周警察下午还没来，我不想这么白跑一趟，就站在过道里等，那样子大概像个罪犯。

通往二楼楼梯的台阶上坐着一个男人，从我进派出所时起，他就一直安闲地坐在那里，这时我才注意到他的左手被手铐铐在楼梯的铁栏杆上，就像一只狗被铐在楼梯的铁栏杆上，他似乎一点也不在意自己的处境，好像不是被迫铐在铁栏杆上，而是自己愿意坐在那里休息。他的神态吸引了我，在等待的过程中，我一直在观察他，他见我那么注意他，也许感到荣幸，也不时地看看我，并且很诡秘地对我笑了笑。

快下班的时候，周警察终于来了，我跟在他后面进了办公室，隔着一张办公桌，站在他的对面，周警察看也不看我一眼，说，你有什么事？我说，你们昨天在小燕子发廊拆走的空调，是否应该归还。周警察忽然冷笑一声，说，你还想要空调？我正想抓你，你倒自己送上门来了。说着周警察一个箭步过来揪住我的衣领，动作麻利地给我的左手戴上了手铐。我说，你抓错人了，你抓错人了。但周警察根本就不听我说，牵着手铐，就像牵一条狗，将我牵出了办公室。当周警察看见楼梯上被铐的人，就给了我同等待遇，把我也锁在楼梯的铁栏杆上。我大声说，你抓错人了，我不是老板。周警察又冷笑一声，说，今天下班了，你就跟这个小偷先呆一晚，明天我再来收拾你。当我想再次说明我不是老板，我是某某时，周警察却已经像风一样，消失了。

哥们，你怎么也被铐了？

现在，我已经知道他是小偷了，我被小偷称作哥们，心里有点别扭，就没理他，他似乎很高兴我被铐在铁栏杆上，这样，晚上他至少有一个伴，小偷又兴致勃勃地问，哥们，问你呢？

我愤怒说，什么警察！什么王八蛋！

小偷说，对，什么警察，什么王八蛋。

我咒骂之后，就垂头丧气坐在楼梯上，小偷说，哥们，你干吗自己送上门啊。

小偷坐在我上面，跟我说话很方便，而我跟他说话却必须抬头，就像跟一位大人物说话。我说，他们抓错人了，他们以为我是发廊老板，其实我是替发廊老板来说情的。

小偷听了就哈哈大笑，但笑过之后，觉着我与他并非一路人，就不怎么搭理我了。

周警察要抓的人显然是李培林，或者方圆，他们究竟干了什么，我一点也不知道。现在，我代替李培林，被铐在派出所楼梯的铁栏杆上，和一个小偷一起，而那个小偷在精神上明显比我强大，他对这样的待遇根本就无所谓，而我却感受到了污辱，即便他们有很多证据可以抓李培林，也应该把他关在房间里，而不能用手铐铐在楼梯的铁栏杆上，只有狗才可以这样铐在楼梯的铁栏杆上示众。换一个视角，就是说那些开发廊的，在警察眼里，跟一条狗也是差不多的。那个晚上，我深深地为李培林，为方圆，为所有与发廊有关的人感到悲哀，我们实际上未必比得上一条狗。我若不是意外地考上大学，我的命运大抵也是开发廊的，那么我这样被铐在楼梯的铁栏杆上，也就不冤，也许我就可以跟小偷一样心安理得了。

小偷把自己的头撂在膝盖上，不久，就打起了呼噜，等他醒来，天也亮了，小偷用可以活动的右手拍拍我的后背，说，哥们，你就这样坐了一夜？

我说，你很了不起，这样坐着也照样睡觉。

小偷说，那是，那是，看来你不习惯坐着睡觉，其实坐着睡觉跟躺在床上是一样的。

我觉得小偷确实了不起，我开始怀疑他不是小偷了，说，你真的是小偷？

小偷说，是小偷。

我说，偷东西是不是很有乐趣？

小偷说，那当然，你想想，那些东西原来是别人的，你一偷就是你的了，能没有乐趣？

我说，你说的蛮有道理。

小偷被我称赞，很高兴，又拍拍我的后背，仗义地说，哥们，我们在楼梯过了一夜，也算患难兄弟了，你告诉我你家地址，以后，你家的东西，我保证不偷。

我和小偷是被同时放掉的，我坐了一夜，累的实在不行，回家睡了一天。几天后，我决定上法院告派出所的周警察非法拘留罪。没想到后来法院取证时，他们根本不承认曾经把我用手铐铐在派出所的铁栏杆上，他们要我拿出证据，我想起了小偷，如果我能找到他，也许他会为我作证的。但他是小偷，我没法找到他。这事就这样不了了之，我白白被他们铐了一夜，方圆的空调也没有拿回。我没有办法，我对付不了警察，如果方圆自己去，没准比我要好些。

我这么没用，能帮方圆什么忙？

六

我老婆觉得我被铐在派出所楼梯的铁栏杆上，都是方圆惹的祸。从逻辑上推导，她这样说也是对的。我老婆也是教书的，比我还无知，在她眼里，警察依然像小时候歌唱的，是个叔叔，象征着公正、公平、公理。老婆说，既然警察拆走方圆店里的空调，那她肯定就是有事的，否则，警察怎么会拆走她的空调。老婆的这种循环论证，是很难反驳的，我也不想反驳。糟糕的是她从此对方圆就有了看法，甚至考虑不让她按摩了。一天，老婆怒气冲冲对我说，你妹妹怎么可以开发廊？老婆很少这样发怒，我说，你怎么了？老婆说，我问清楚了，发廊是什么东西？发廊就是最下三滥的妓院。我说，你这些话哪儿听来的？老婆说，同事，她们见我打听发廊就嬉皮笑脸的，还问我你老公是不是经常上发廊，气死我了。我说，我不是说过，并不是所有的发廊都这样。老婆说，哼，谁知道？以后你不许去发廊。老婆这样还不够解气，接着又发誓说，我再也不要方圆按摩了。

刚说完，方圆就来了。她依旧一张笑脸，刚才老婆说了她那么多坏话，又有点不好意思。方圆说，嫂，来吧。不，我不要敲背了。老婆脸上抑制不住地现出了厌恶的表情，那表情是方圆没有见过的，方圆不知道嫂子脸上为什么是这种表情。说，很痛吗，来吧，敲一敲就不痛了。老婆又厌恶说，不要，不要敲了，我不痛。方圆这才知道嫂子的厌恶是与她有关的，她又不知道自己到底做错了什么，就很尴尬地愣那儿。你坐，我还有事，出去一会。老婆就挂着一脸的厌恶出去了。

方圆委屈说，哥，我做错了什么？

我说，没有。

方圆说，嫂子好像很讨厌我。

我说，没有。她跟我吵架了，她就那个德行，你别管她。

我这个谎撒的不错，方圆就相信了。我说，以后你不用每天来替她敲背，她不叫你就不用来，你忙自己的吧。

此后，方圆不来了，我老婆也没有提她，我以为她把方圆忘了。但是，有一天，老婆又突然问起方圆。

老婆说，方圆还在开发廊？

我说，不开发廊开什么？

老婆说，你不能让她开发廊。

我说，那我让她干什么？

老婆说，她可以去厂里做工。

我说，那也得有门路，哪个厂要她。

老婆说，我有个远房表兄是个老板，办了一家电器公司，你问方圆想不想去厂里做工。

老婆就是老婆，老婆对方圆还是很关心的。当方圆知道她可以进厂当工人，似乎很兴奋，只是对发廊不太放心，李培林越来越像个公子哥们，整日吆三喝四聚在房间里打赌，发廊的事几乎不闻不问，方圆走了，这发廊是否要亏本？实在是个疑问。但她还是抵挡不住进厂当工人的诱惑，上班的头一天，我和老婆把她送到厂里。方圆好像不是进厂当工人，而是去参加选美什么的，她把头发染成了红色，穿着黑色的连衣裙，时髦得一点也不像个工人。老婆的远房表兄见了疑惑说，来我厂里当工人的就是你？方圆点点头，老婆的表兄又说，你这样子，在厂里当工人是不是太委屈了？

老婆的表兄对方圆虽然称赞有加，但方圆没什么技能，只能当个装配工。就是把电器开关一只只装搭起来，按件取酬，一个熟练的装配工一个月大概能赚一千块钱。这样的工作非常简单，老婆的表兄让一个女工教了五分钟，方圆就学会了，也开始有模有样地装搭起来，但她的红头发和黑裙子，在一大群女工之中显得很扎眼，女工们都用惊异眼光偷觑着她，好像在问这个人怎么会来当工人。

方圆从一个开发廊的顺利转变成了工人的一分子，最高兴的人应该是我老婆，她觉着是拯救了一个失足女青年，那感觉就像一个救世主。老婆得意说，过一段时间，让李培林也去厂里当工人，发廊不应该再开了。但事实很是让老婆痛心疾首，方圆在厂里只当了一个星期的女工，又回去开发廊了。她不敢向嫂子的表兄辞职，是偷偷溜掉的。老婆的表兄打电话来说，你的小姑子不干了，还带走了我厂里的一名女工，到她的发廊当工人。老婆手里拿着电话，气得直发抖。说，怎么是这样？怎么是这样？老婆的表兄说，带走一名女工，没关系的，我并不缺一名女工，我的意思是她自己不干的，你不要怪我。

老婆对方圆的行为感到不可理喻，接完电话，她很书呆气的思考起女性问题来，说，女人是不是真的很贱？

因为老婆在生气，我不想惹她，谨慎说，我不懂你的意思。

老婆说，以前我以为妓女都是被逼的，就像成语说的，逼良为娼，现在我才知道都是她们自愿的。

我说，你是指方圆？没那么严重吧，开发廊跟妓女不是一回事。

老婆看在我的面子上说，就算方圆不是妓女，可现在社会上到处都是妓女嘛。

我说，也许当妓女也是很好的。

老婆说，你混蛋。

我说，你骂我干吗，又不是我叫她们当妓女。

老婆想想也是，她没理由骂我，她又只好骂妓女，妓女使所有的女性都蒙受耻辱，不表示她的道德义愤是不行的。大约我不是女性，我对妓女并不痛恨。其实，她们出卖自己的身体，纯属个人行为，跟道德有什么关系。再说，像我的老家西地，什么资源也没有，除了出卖身体，还有什么可卖？

方圆才当了一个星期的工人，我去看她的时候，很不好意思，觉着很对不起嫂子，想买点什么礼物向她谢罪。问我嫂子喜欢什么东西。我说，礼物别买了，她有点不高兴，以后再说吧。方圆看着我，忽然很神秘说，我以为当工人很了不起，原来很没意思的，我装搭了半天，就不想干了，还不如开发廊，替客人敲背比装搭好玩多了。而且那些女工很讨厌，老是嘲笑我的红头发。我说，你的样子确实不像一个工人嘛。方圆说，反正工人我是不当了，钱又那么少，发廊生意好的时候，一天就能赚工人一个月的工资。我说，那就开发廊吧。

方圆说的是实话，她向往当工人，确实以为当工人了不起，我们小的时候，都以为在城里当工人是很了不起的。

七

方圆已经很久没来我家了，大概是怕见到嫂子，快过年的时候，她才来了一次。这次她的表现很特别，来了就坐在客厅里一声不吭，我还以为她是害怕嫂子，但细看她的眼睛是红的，显然刚哭过。

我说，方圆，怎么了？

方圆眼睛一闭，眼泪又从里面溢出来。低声说，培林整天打赌，把钱都输光了。

我说，输了多少？

方圆说，十万。

这是个让我也心疼而且吃惊的数字，难怪方圆要哭了。方圆说，哥，我想离婚。

我说，不能过了吗？

方圆说，输钱我还不气，我生气的是他骗我。

我说，他怎么骗你？

方圆说，他们约好去打赌，却骗我到上海承包建筑工程，他当包工头，投资十万。我想他在这儿没事干，闲得像狗一样，出去干活也好，就把钱全部给他了。他输光了钱回来，还说工程已经承包下来了。

我说，他是不像话，可是你离了婚，再找一个就保证不赌？

方圆说，不找了，又不是没男人就不能活，他还靠我赚钱呢。

我说，等你气过了再说吧。

后来，李培林也找来了。输了钱的李培林一点底气也没有，猥猥琐琐的一点也不像个敢拿十万元钱豪赌的赌棍。他眼巴巴望着方圆，求她饶恕，看上去怪可怜的。方圆说，你来干什么？你给我走开。李培林看我一眼，然后向着方圆说，今天，我当着你哥的面，向你发誓，以后我若再赌，我就剁掉自己的手指。

方圆说，你剁掉手指，跟我有什么关系，你剁啊。李培林说，我是说以后，以后再赌，我就剁掉手指。如果这时李培林去厨房拿一把菜刀，装着要剁的样子，没准方圆就饶他了，但李培林只开空头支票，方圆还是生气。

这次输钱，导致了李培林在家里的经济地位明显下降。方圆每日只发给他二十元零花钱，二十元，除了买烟，也就没别的事可干，赌博是没人找他了。李培林只有拼命睡觉，像一头进入催肥期的猪，肚子大了，眼睛眯了，脸上的肥肉往横里长。睡不完的时间，就在发廊街上踱来踱去，这家门前站五分钟，那家里面坐十分钟，跟同样无聊的工人们调情骂俏。这样的生活，如果没有无赖前来捣乱，那也太没有意思了，所以，不管哪家发廊遇上点什么事，李培林往往及时出现在那里，人家看见这么个浑身是肉的保镖，大多气就短了，赶紧乖乖付了钱走人。李培林觉着胜利了，嘴里轻松骂着他妈的，想来老子这儿占便宜，没门。再加上店主夸他两句，说他如何如何高大、威猛，他便以为自己是侠客，脸部现出很得意的神色。

但地痞无赖也不都是吃素的，李培林不久就栽在了他们手里。那天是晓秋的店里一个客人赖着不付钱，李培林过去揪着他的衣领，还狠狠掴了他一个耳光，掴得他嘴里流血。一个小时后，李培林正在街上闲逛，忽然三五个人窜过来，将他掀翻在地，其中一个抢着一根铁棒，朝他的腰部猛地一击，不等店里的人反应过来，那群人就逃了。李培林躺在地上，店里的人纷纷出来，说，他们逃走了，你起来。当时李培林也不知道他这辈子已经算是完了，还耿耿于这样被人打倒在地，很没面子，朝那群已逃走的人，豪气十足骂道，有种的，不要逃。

一天后，医生拿着拍出来的片宣布说，李培林的腰部脊椎被打断，腰部以下完全没用了，从此恐怕只能坐在轮椅上生活。这是一个比死亡还可怕的消息，李培林听了，突然一声惨叫，那声惨叫至今留在我的记忆里，让我无法对他后来的行为作任何评价。

方圆却显得意外的冷静，只是俯在李培林面前，不断说，培林，你别怕，你别怕，我会照顾你一辈子的。我的妹妹这些年真的没有白活，她竟能如此的冷静，面对这样的打击，换了我，肯定是难以承受的。

后来也向派出所报了案，但派出所往往不把开发廊的人当人，这样的案件一般总是不了了之，再说地痞无赖不比良民，要逮住他们也是不容易的。这样，李培林就白白被废了。他的医疗费是个巨额数字，方圆没有那么多钱，这事毕竟是晓秋的工人引发的，晓秋自觉承担了一部分，开发廊难免不再发生这种事，大家应当风雨同舟，发廊街上的发廊，不管愿意不愿意，大多捐了一点款，李培林的亲戚和我家的亲戚，凡手头有钱的，也都拿了出来。李培林在医院里住了两个月，终于可以坐着轮椅出来，方圆扶着轮椅，走在边上，此后的生活，她好像早有准备了。

现在，方圆面对的是一个高位瘫痪的丈夫，李培林上半身完好无损，吃饭没有问题，但下半身完全没用，尿屎失禁，性功能也丧失了。李培林的轮椅很笨重，方圆在发廊街附近重新租了一套一楼的楼房，以便轮椅进出。晚饭之后，方圆放下发廊的活计，推着轮椅从发廊街的这头走到那头，让李培林活动活动，跟别人说说话，其余时间，他只能呆在房间里，看电视或者摆扑克牌算命。李培林整天呆在房间里，见了人，也没什么话说，通常是阴沉着脸，不耐烦地看着两旁的发廊，别人见他那样，更没话说，有话也是找方圆说，方圆就一边说话一边推着轮椅，非常自然，好像她一直就是这么生活的，不推着轮椅可能还不习惯，说到有意思的地方，照样哈哈大笑。倒是把李培林笑得很烦，说，笑什么笑，有什么好笑的。方圆弯着腰，敲敲轮椅说，就是好笑嘛。

别人见方圆那么乐观，也就不觉着李培林腰椎被人打断是什么了不起的悲剧。实际上，这事对方圆的影响确实没有想象的大，他们本来就是靠方圆赚钱的，只是方圆现在除了赚钱，还得照顾李培林。

我母亲得知李培林成了废人，专门从老家心事重重地赶到了这儿，母亲说，方圆的命怎么这么苦哇，母亲刚吐完"哇"字，就号啕大哭起来，弄得方圆只好也陪着哭，号啕完毕，母亲说，方圆，你今后怎么办？

方圆说，没事的。

母亲说，你就准备这样侍候他一辈子？

方圆说，我不侍候谁侍候他？

母亲说，培林被打成这样，是可怜，可你还年轻，不能就这样过一辈子。

方圆这才领会母亲是在劝她离婚，说，我不能离婚，离了他怎么活？

母亲说，方圆，不是我良心不好，事到如今，你也得替自己想想。

方圆说，妈，别说了，我不会离的。

我母亲也就是劝劝而已，方圆不离，她也不好勉强。毕竟，抛弃一个残废的丈夫，不是什么高尚之举。方圆和李培林闹过离婚，但那是以前，李培林残废之后，她再也没有提过，方圆因此在我老家一带成了模范妻子，获得了很好的口碑。

八

李培林的下半身废了之后，下半身的某些功能似乎转移到了上半身，譬如，他用吸奶代替了做爱。现在，他一定要等方圆回来，吸上半个小时的奶，才能入睡。用弗洛伊德的话说，就是他的性欲倒退回了口腔期阶段。李培林的这项嗜好，对方圆是个不小的负担，她下班大多在夜里两点左右，这个时候，困而且累，还要让李培林吸上半个小时的奶。有时，方圆不理他，但李培林没有得到满足，就闹，方圆没办法，只好让他。方圆说，培林，你这样吸有什么意思？李培林说，我想。方圆说，你真像个孩子，你快成为我的孩子了。这样的场面应该是不难想象的，方圆看着怀里的李培林，也许确实把他当作了孩子，她就像一个劳累的母亲，一边喂奶，一边眼皮垂下来，睡了。

夜里两点，也是李培林心理时间的临界点，过了这个时间，方圆如果还没回来，对李培林将是一种折磨。但方圆总有不准时的时候，有一夜，方圆没有准时回来，李培林就像一个饥饿的孩子，推着轮椅在房间里转来转去，到了三点，方圆还没回来，李培林气得将床上的被子扔到了地上，拉出床头柜的抽屉，扔到了地上，最后将自己从轮椅里扔到了地上。躺在地上百无聊赖的李培林，忽然看见了抽屉里的一盒避孕套，我不知道他看见这东西时的感受，也许就像看见自己的遗物，默哀了一些时间，然后李培林拆开所有的避孕套，用嘴吹成一个个硕大的气球，并且刻意吹成乳房的形状，让它们在地上活蹦乱跳。方圆回来看见这番奇异情景，忘了该先把李培林扶到床上，便抑制不住大笑起来。李培林见方圆一点也不关心他，还站那大笑，就越发的气，骂道，你还知道回来？方圆说，怎么了？李培林说，你回来干什么？反正我也废了，我知道迟早有这一天的。方圆说，原来你在生我的气？我做错什么了。李培林说，你看看现在几点？我等你都快等疯了。人家忙嘛。方圆说着用力把李培林拖回床上，以后你一个人先睡，不要等我，好不好？李培林说，我睡得着，早睡了。方圆叹口气，说，你真是个孩子。随后温柔地掏出乳房给李培林，李培林得到安慰，就静了下来。

某夜，李培林做了一个梦，梦见方圆和一个陌生人做爱，就在这个房间，就在他睡的这张床上，他坐在轮椅里看着他们在床上做爱，方圆似乎一点也不在乎他的在场，好像他不是一个人，而是一把轮椅。他伸手想揍那个陌生人，但他伸出的手好像生锈了，僵在空中根本就不会动，他又想朝方圆的脸吐一口痰，骂她是婊子，臭婊子，但他的痰好像也生锈了，堵在喉咙里根本就无法吐出，他只能坐在轮椅里看着他们在床上做爱，一点办法也没有。突然，他坐的轮椅起火了，大火迅速蔓延到了全身，他被大火烧着，不能叫喊，不能动弹，就像一堆柴火，等待着被火烧尽。李培林在那种被火烧着的焦灼里醒来后，才喊出了声。方圆惊醒了，说，你怎么了？李培林说，没什么。方圆摸了摸他的额头。全是汗，又说，你怎么了？李培林说，没什么，做了一个噩梦。方圆说，梦见什么？李培林说，我不想说。方圆说，我都让你吵醒了，还不说？李培林只好说，我梦见你和别人做爱。方圆讥笑说，我看你真是没什么梦好做了。李培林说，你是不是真的和别人做爱了。方圆又讥笑说，你以为你的梦那么准？你梦见什么，我就做什么。李培林说，我觉得好可怕。方圆说，不就是我跟别人做爱，有什么可怕的。李培林说，那你真的和别人做爱了？方圆若是不作一点保证，李培林是不会放心的，方圆便说，没有。

李培林做这样的梦，应该说很正常，李培林既然自己不会做爱。而方圆又只有二十几岁，不可能从此也不做爱，方圆和别人做爱的可能性确实是很大的。这个梦给了李培林一种警示，他不能这样看着方圆和别人做爱。此后，方圆上班的时候，李培林也要来发廊坐着，方圆不知道他是来监视的，只以为他一个人在房间里太闷，也就带他来发廊坐着。但是，客人看见这么一个残疾人坐在里面，好像见了什么晦气的东西，往往掉头就走。就是说，李培林在发廊坐着，发廊就没有生意可做，方圆只得把他送回房间。

方圆说，你还是在房间里呆着吧。

但是，李培林的自尊心受了伤害，恼恨说，我不呆，这鬼地方，我不呆。

方圆说，好了，别像小孩一样。

李培林说，谁像小孩一样，我要回家。

方圆说，回家？谁照顾你？

李培林说，我不回家干吗？呆在这儿遭人厌弃。

方圆说，你真想回家，那我就送你回家。

李培林看看方圆，又恼恨说，我知道你早就想我回家。

方圆奇怪说，我干吗想你回家？

李培林说，我回家，你自由啊，想干什么就干什么。

方圆委屈说，培林，你真这么想？

李培林见方圆那么委屈，就不敢再往下深究，说，你走，晚上早点回来。

事实上，李培林的怀疑也是正确的。有一个晚上，他甚至看到了证据，那晚，李培林刚解开方圆的乳房，兀地看见她的乳房上有一块青紫的痕迹，这就像端起一碗牛奶刚刚要喝，兀地看见碗里浮着一只蟑螂，李培林厉声问，谁干的？方圆说，什么谁干的？李培林说，还想骗我，你自己看。方圆低头看了看，说，那里怎么乌青的？李培林恶毒说，狗咬的。方圆说，那就是你，除了你，还有谁咬的？李培林听了，推开方圆，猛地一拳砸在她的乳房上，方圆感到不但乳房，连乳房后面的心脏也被砸痛了，但她好像还不相信，说，你打我？如果这时李培林表示一点悔意，事情大概也就过去了，但李培林还是举着拳头，准备再打的样子，方圆抹了一把眼泪，就哭着跑出了房间。

　　方圆来到了街上，此刻，两旁的发廊大多已经关门，门上挂的小灯泡也不再闪烁着红光，招徕客人，发廊街显出了荒凉的本来面目。方圆一个人走在街上，若不是伤心，可能会害怕的，但伤心给了她勇气，她那个被李培林砸伤的心涌上一个词：没良心。方圆觉着李培林没良心，没有她，李培林现在怎么活？无论如何，李培林都应该感激她的，她乳房上的那块青紫，也许就是李培林咬的，也许不是，这一点方圆确实不太清楚。不就是乳房上有块青紫？李培林凭什么就可以打她？方圆一边擦眼泪一边走着，一会走到了自己的发廊门前，她停下摸了摸口袋里的钥匙，想开门进去，又想着两个工人在里面睡了，吵醒她们，让她们问来问去，也没什么意思。方圆就站在自家的发廊门前发呆，不久，她就看到了那个男人从那边走了过来，那男人左右环顾，方圆一眼就看出他想干什么。那男人发现方圆后，朝她走了过来，因为灯光昏暗，那男人走得很近了才看清方圆的脸，他似乎很惊讶这么晚了还可以看到这样的一张脸，急忙问，还做吗？方圆说，下班了，明天吧。那男人有点失望，想离开，又舍不得，走了几步，又回头说，小姐，这么晚了，你一个人站这儿，等谁啊。方圆说，不等谁。男人说，刚下班？方圆说，是的。男人说，那就再做一个吧。方圆说，对不起，工人睡觉了，还是明天吧。男人磨蹭着，在方圆脸上研究了一会，笑着说，小姐，你晚上有心事。方圆听了有点感动，就送了他一个微笑，男人抓住机会，又说，晚上我也很痛苦，我们是今晚最痛苦的两个人，这么晚了还在这儿碰上，也是缘分，我请你一起吃夜宵，好吗？方圆觉着这男人很体贴，不像个坏人，而且她也不想回房间，就跟了男人一起去吃夜宵。

吃夜宵的时候，男人又关切地问，有什么心事？方圆看着他，竟流下泪来，哽咽说，我挨打了。男人说，谁打你？方圆不好说老公打她，男人又挺了胸脯说，我是本地人，在我的地头上，谁敢欺负你，我让他去死。方圆说，谢谢，大哥是好人。

吃完夜宵，男人未经同意，就挽了方圆的胳膊，方圆也没意见，让他挽着，男人附在方圆的耳边轻声说，小姐，你真漂亮。方圆笑了笑，表示感谢，男人继续轻声说，我很喜欢你，跟我走，好吗？方圆转头看了他一眼，不说好，也不说不好。男人见她迟疑，说，你害怕？方圆说，我不怕。男人说，那就走吧，我不会亏待你的。方圆想了想，就让男人把她带走了。

男人把她带回了自己的床上。男人伸手摸她的乳房时，方圆突然想起了李培林，慌乱地遮了乳房，不让他摸，男人有点奇怪，开心说，怎么了？方圆说，我今天这儿不舒服，别动好吗。做爱的时候，方圆也没忘双手护着乳房，不让男人碰，她似乎把自己的身体分成了两半，下半身是可以出售的，而乳房还是留给了李培林。

从男人的房间出来，天已经亮了，平时，这个时刻，方圆总是睡觉，她已经很久没看见天是怎样慢慢亮起来的了，方圆走在街上，昂着头，心情就像早晨一样稀奇、美好，她感到自己的身体就跟天空似的，慢慢地亮起来了。她随便摸了摸男人给的五百元钱，这个价不低了，相当于她替男人按摩十次。方圆想，我做鸡了。其实我也没想做鸡，我只是跟他走，就做了鸡了。原来做鸡也很好。

以后，我就做鸡吧。方圆想。

九

我可能在某些细节，跨越了写实的界限，进入了虚构和想象的领域，所谓合理想象。就我的视角，显然不是目击，我当然是听说的。如果只是我的虚构，我将感到轻松，但可悲的是我的叙述大体上还是可靠的，方圆确实从那晚开始当了妓女，她当了妓女确实觉得心情不错。她差不多忘了李培林打她的事了，她是哼着歌回到房间的，让她吃惊的是李培林不在房间里，他去哪儿了？他能去哪儿？他一定是去发廊找她了。方圆赶到发廊，李培林果然在那儿，脑袋挂在轮椅外面，睡了。方圆轻轻推着轮椅，途中，李培林醒了，睁了一下眼睛，冷冷地看方圆一眼，然后又故意闭上，不理她。回到房间，方圆说，你一个人怎么走到发廊的？

李培林还是闭着眼睛，不理她。方圆说，还在生气？好了，好了，睡吧。

方圆准备把他搬上床时，李培林动了一下轮椅，拒绝了，他抬起头来，摆出了一副很严正的姿态，审问说，你去哪儿了？

方圆说，去玩了。

李培林说，你去哪儿了？

方圆说，不是说过，去玩了。

李培林显然不满意这样的回答，又问，你去哪儿了？

方圆摇头说，你烦不烦？

李培林说，哼，你说不说？你到底去哪个男人那里。

方圆笑了一下，说，我哪有那么多男人。

李培林说，你不要嬉皮笑脸的，你到底说不说？

方圆说，你真想知道我去干什么了？

李培林说，说！

方圆抿了抿嘴唇，说，我跟一个男人走了，我做鸡去了。

李培林说，放屁。

你不信。方圆说着掏出口袋里的五百元钱，这是我刚赚来的。

李培林说，真的？

方圆说，这么凶干吗？做鸡有什么不好。

李培林盯着方圆，忽然脸色铁青，他伸手在自己的裆部掏了掏，掏出一个蓄尿的塑料袋，那尿袋已经很鼓了，方圆还不明白他想干什么，尿袋就飞到了她脸上，溅了她一脸尿水。李培林似乎还嫌不够，又骂了一句臭婊子。那时，方圆满脸是尿，无法张嘴，否则尿就流进了嘴里。方圆躲进卫生间，洗了半日，出来斜了一眼李培林，一言不发去了发廊。

那天下午，李培林大约费了不少力气，终于把轮椅推到了发廊街上，然后，人们就听到了他的叫喊。

我的老婆方圆当婊子啦。

李培林的声音高亢、尖利，人们似乎不相信自己的耳朵，纷纷出来围了李培林问，李培林，你在说什么？李培林见那么多人围了来，好像很满意，又喊：

我的老婆方圆当婊子啦。

你是不是疯了？大家指责道，就一齐皱起了眉头，表示反感。本来开发廊和当婊子的界限就是很含糊的，发廊街上的人都很忌讳用这样的话骂人，即便是骂自己的老婆，也是讨人厌的，李培林可能确实是病了，也不管大家的反应，又大声喊道：

我的老婆方圆当婊子啦。

方圆在发廊里也听见了李培林的叫喊，那声音使她浑身发麻，就跟触电似的，一时间她丧失了反应的能力，只把脸贴在玻璃门上，迟钝地看着街上。人们觉着李培林实在太不像话，便不再理他，先后朝方圆的发廊走来，并且一点也不吝啬自己的同情。

人们说，李培林怎么可以这样？

人们说，你们到底发生了什么事？

人们说，哪有这样骂老婆的？这样的男人，应该跟他离婚。

人们说，方圆，你待他太好了，真不值得。

方圆看着大家，低声说，他身体坏了，心里难受。

大家想想也是，又觉着李培林也是可以原谅的，转头再看街上，李培林不见了。当时，包括方圆，谁也没想到李培林的异常举动，竟是走向死亡的一种告别。

大约一刻钟后，有人急急忙忙撞进方圆的发廊，上气不接下气说，快，李培林出事了。方圆来不及问就跟了那人跑，李培林的出事地点就在发廊街与外面大街的叉口上，他被一辆大卡车撞了，方圆赶到那里，只见他的轮椅倒在路边，人则躺在二丈地以外，方圆抱起李培林，慌得只知道哭，随即，发廊街上的人也赶来了，把他送进了医院。但是，李培林已经死了。

李培林的死，属于交通事故，这看似偶然，但也未必不是命运指使的。后来，在方圆的记忆里，李培林打她乳房，尿袋砸她脸上以及当街骂她婊子，都因为他的意外死亡，获得了一种解释。就是说，这些都是死亡的预兆。方圆觉着李培林的死，跟她是有关的，方圆因此陷入了悔恨和思念之中，人也瘦了许多。不过，在旁人看来，李培林的死，对方圆无疑是一种解脱，她应该高兴才是，大家暗地里都替她高兴，有几个开发廊的男人开始打起了她的主意，有一个甚至表示愿意为她离婚。他们不懂，李培林对她是很重要的，即使残废了，她也不忍抛弃，李培林的意外死亡，几乎使方圆丧失了生活目标。

对男人的示爱，方圆不感兴趣，开发廊，好像也厌倦了，方圆转让了发廊，一个人回到了西地。

但是，故乡西地也没给她什么安慰，西地，在她的心里已经很陌生，她还延续着城里的生活，白天睡觉，夜里劳作，可是在西地，夜里根本就没事可作，更可怕的是，每到夜里两点，她的乳房就有一种感觉，好像李培林的灵魂也跟到了西地，照常在这个时候吸奶。回家的第三天，方圆到山下的镇里买了一台 VCD 机，发疯似地购买了两百多盘碟片，然后躺在家里看碟片。

方圆在家呆了一个月。一个月后，她去了广州，还是开发廊。

（原载《花城》）

艾 伟 推 荐

瓦城上空的麦田

◎鬼子

　　我六岁多快七岁那年，母亲被别的男人偷走了。当时我不知道，我只知道我们家的床上怎么突然间空了一个人。我问父亲，我妈呢？我妈怎么空空的了？父亲没有回答。父亲只是朝我拉着那张老脸，像是拉扯着一块抹布。父亲那年已经是一个老头了。我母亲不老。我母亲比我父亲小好多好多，而且长得好看。我们三人走在一起的时候，很多人都在背后指点着我的父亲，说他应该是我的爷爷。但我没见过我的爷爷。我母亲也没见过我的爷爷。我不知道我的父亲为什么不去找回我的母亲。我只是发现，父亲时常一个人坐在那里，呆呆地想着什么，一边想一边狠狠地咬着牙，空空地啃着什么，啃得很苦很苦的样子。

　　过了没有多久，好像是下了一场连天的大雨，雨一停，太阳出来了，阳光刚刚照在我们家的门槛上，有人就跑了过来，站在我们家的阳光里，然后对我说，你也七岁了，你跟我们一起到学校去报名去读书吧。我跟着他们去了，我交了钱，我领到了书，我还上了两天课。第三天，我正在教室里歪头写着我的作业，父亲突然闯进来把我拉走。老师当时就站在我的旁边。那是一位女老师，长得跟我妈一样好看，胸脯也是那种高高的像两座摇摇晃晃的山。她对我父亲说，你这是干嘛？我父亲说不读了，我儿子他不读你们的书了。说着把我的课本统统塞到老师的山头上。女老师吓得往后一退，但她拖住了我父亲的胳膊。她说你不能这样，你不能不给你的儿子读书，你没有这个权力。父亲没有跟她多嘴，他把胳膊往外一抡，就把女老师抡到了一边。父亲拉着我，直直往学校门外走去，一边走，一边在嘴里骂着那位老师，什么权力？你他妈才没有权力！我听不懂他们说的权力是什么。我就像一只小鸡，被父亲紧紧地提在手里，两条小腿好像随时都要离开地面。

父亲告诉我，我们不读书了，我们到城里去！

我说城里在哪里？

父亲说，到了你就知道了。

我提着两条细细的小腿，就这样跟在父亲的身后，走呀走呀，一直走到天黑，我们才走到了瓦城，从此开始了捡垃圾的生活。

我曾以为，我的母亲也在瓦城，我以为父亲把我带到城里，不只是为了捡垃圾，同时要捡回我的母亲。但父亲提都没有提起过。直到四年前的冬天，他病倒在床上，我才从他的嘴里知道，我的母亲其实不在瓦城。我不知道父亲得了什么病，父亲也不知道，因为我们不上医院。父亲只是觉得呼吸越来越困难了，他觉得胸腔里的空气越来越稀，越来越少，越来越不够用了，就好像桶里的米一样，一天比一天少了，眼见着就要见底，眼见着就要吃没了，只等哪一天一场大风忽然吹来，那米桶就会把屁股翻起来，然后随着大风呜呜地叫着，然后朝另外一个世界飘去。我父亲说，真要翻就翻吧，他不怕。父亲怕的是，他翻了我怎么办？我那年才十一岁。他因此把我叫到床前，让我坐在他的床边，让我挨他近一点，再近一点。他说他不能大声说话了，如果大声说话，也许只能说完两句，也许两句都不能说完就断气了。我说那你就慢慢说吧，你别大声。我说你小声一点我能听见。

父亲说，我可能要死了，你知道吗？

我说我知道。

父亲说，我有一句话要留给你，你一定要放在心里，你要给我牢牢地记住。

我说只要好记，我会记住的，你说吧。

他说不，不管好记不好记，你都要给我牢牢地记住。

我说好的，那我一定牢牢地记住，你说吧。

父亲没有马上告诉我，而是把话绕到了远处，绕到死后他看不到的地方。

他说，你能不能先告诉我，我死了你怎么办？

我说回家。

我说你死了我马上就回家去。

那时候我还不太喜欢瓦城，我知道瓦城好，但我觉得瓦城是别人的瓦城，不是我的。我们住的房子在瓦城并不叫房子，而是一种乱搭乱住的棚子，我们干的活在瓦城也是最脏的活。我不喜欢。我还是喜欢我的村子。村里有山有水，有田有地，什么都有，爱怎么玩就怎么玩，可是在瓦城，哪里都是别人玩的地方，哪个好玩的地方我们都进不去，我们只能在远处两眼傻傻地看着。父亲却因为我的回答伤心起来，他突然忘了胸膛里的空气已经不多，他的声音突然大了起来，大得叫人感到恐慌。

他说不！我死后你千万千万不要离开瓦城，你知道吗？

父亲要留给我的，其实就是这么一句。父亲的两眼跟着就流下了泪来。

他说你知道我为什么把你带到瓦城来吗？

我说知道，你是带我找妈妈来的。

父亲的声音就又大了起来，他说不！我们不找她，她也不在瓦城。她跟一个男人私奔了，他们去的是另一个城市，那个城市叫米城。

我说米城在哪？

父亲说米城在米城，等你长大了你就知道了。

我说，那我们来瓦城干什么？

父亲说，我是为了让你有一天能成为瓦城的人。

我说现在我们不是瓦城人吗？

父亲说不是。

父亲说，只要你自己不离开瓦城，只要你永远在瓦城住下去，总有一天你会成为瓦城人的你知道吗？他说，你别小看你现在只是一个捡垃圾的小孩，你要知道，捡垃圾也是能够发大财的，等到你有了钱了，你就在瓦城买一套房子，那时候，你就是真正的瓦城人了，你知道吗？

我没有做声。我不知道那一天会是哪一天。

父亲说你听到我的话了吗？

我说听到了。

他说你不能光是听到，你要给我牢牢地记住你知道吗？

我没有做声。

父亲忽然又急了起来。他说你记住了没有？

我说，你就是为了这个不让我读书的吗？

父亲说对。他说我们村里有那么多读书的人，你看他们有哪一个成了城里人呢？没有！一个也没有。为什么？你知道为什么吗？

我不知道为什么。我那时才十一岁，我怎么知道呢？我没有回答。

父亲也没有回答。

父亲只是说，只要你不离开瓦城，我们村上的任何一个人，不管他们读过什么书，只要他们还住在村上，他们就永远也比不上你，你知道吗？

看见我还是没有回答，父亲便问，你知道是谁把你妈偷走的吗？

我说我不知道。我没有见过那个男人。

父亲说，我告诉你吧，偷走你妈的那个男人，就是一个捡垃圾的，可他有钱啊，他是捡垃圾捡成了有钱人的，你妈一看到他手里有钱，脚就软了，就跟着他走了，就不要我们了。

我恍然地呵了一声，好像蒙在眼睛上的一层什么突然被撕开了，突然间什么都清楚了。

而父亲的眼睛却一直在流泪。

想起母亲被别的男人偷走，父亲的眼泪总是堵不住。

他说你能向我保证你永远都不离开瓦城吗？

我于是答应他，我说好的，我向你保证。

父亲的眼泪这才慢慢地停在了眼角。

我父亲后来没死，后来又好好地活了下去，活了一年又一年，而且再没有生过那样的病。

说实话，如果不是因为前不久遇着了李四，我父亲如今还会活得好好的，而且还会一直地活下去，一直活到我在瓦城买下房子的那一天。

都是因为李四！

李四不是捡垃圾的。

李四和我父亲一样，也是山里的一个老头，但他们的山比我们的山还要偏远。李四的几个孩子，也没有一个是捡垃圾的，他们都是瓦城真正的市民，他们都念过很多的书，他们是念书念成了瓦城人的。这一点，我父亲不能与李四相比，我也不能和李四的孩子们相比。我父亲遇见李四的那一天，是李四的生日，李四是为了过生日从山里跑到瓦城来的。那一天他整整六十。李四对我说，人的生命走完了六十，就相当于走完了一个大圆圈，往下走，那是另一个圆圈的开始，也就是第二个圆圈，而这第二个圆圈是谁也走不完的，谁都是走完一天算一天，走完一年算一年，谁也说不准哪一天吮当一声就走不动了。他因此很看重走满六十岁的那一天，他希望他的孩子们都能回到他的身边来，一家人热热闹闹地杀它几只鸡，喝它几杯酒，然后再点放几笼鞭炮。但天亮的时候，他便怀疑了，怀疑他的孩子们也许不会回来，也许，他们已经把他的生日给忘了，因为他们已经好几年没有回家给他过生日了，往年的这一天，他总是摇摇头便原谅了他们，但那天，他愤怒了！

当时他坐在门槛上。

天亮起来他就一直地坐在门槛上。

他老伴也坐在门槛上。两人都默默地坐着，谁也没有吭声。

太阳快要起来的时候，他忍不住了，他问了一声你说，他们今天会回来吗？

他的老伴当时正一动不动地望着远处，望着远处的一朵白云。李四说，那是一朵湿漉漉的白云，那种白云在瓦城是永远看不到的。那种白云好像在慢慢地飘，又好像总是一动不动。他老伴经常看着那种湿漉漉的白云发呆。她没有回过头来。

她说我怎么知道呢？不回来就又是忙呗。

李四说他不喜欢她这么回答。哪一年她总是这一句，好像她已经习惯了，她无所谓了，她好像已经不再期盼着他们的回来。

李四说，忙就可以不回来给老子过生日了？

他老伴没有回话。

他说那我养他们干什么？

李四说着就愤怒地站了起来。

他老伴这才回过头，然后仰望着，就像仰望着屋头上的太阳。

李四告诉她，今天是老子的六十岁生日你知道吗？老子六十岁的生日他们都可以不回来，你说！你说我养他们干什么？

说着，他猛地一脚，踢开了老伴的双腿。

他说早知道这样，当初生他们的时候，我还不如一个一个地抽掉你屁股下的床板，我让他们从这里，从你的大腿那，一个一个地掉到床底去！

那里当然不是床底，那里只是一块很大的青石板。

他老伴知道他确实愤怒了，她看了看脚下的青石板，然后把腿拢上。

李四却不让，他一脚又踢开了。

他说生他们的时候，我们忙不忙？我们也因为忙就不要他们，就把他们统统地丢到床底，你说，你说他们还会有今天吗？

李四说着转身就跨进了屋里，然后扛出了一坛黑米酒。

那是他每年为自己的生日亲手酿制的一坛黑米酒，他说他整整陈了一年了。

他告诉他的老伴，今天这个生日，老子不在家里过了。

他老伴一下就吓慌了，她从门槛上慢慢地站起来。

她说你要去哪儿？

李四说，老子到他们城里去！我要看看他们是不是把老子的生日给忘了？

他老伴一下急了，她说他们要是真的忘了呢，他们忘了今天是你的生日你怎么办？

李四原来没有想到这一点，他被问住了。他想是呀，他们要是真的忘了今天是老子的生日，老子怎么办？

于是，他想起了身份证。

他随即对她吼起来：我的身份证呢？把我的身份证给我找来，快点！

他老伴却愣了，她说你要身份证干什么？

李四说，没有身份证我晚上住哪儿？

他老伴的脑子一下就糊涂了。她心里可能想，你不是去找孩子们的吗？你不住在他们家里你还能住哪儿呢？李四告诉她，他们要是忘了今天是老子的生日，我就不住在他们的家里，我不住，我为什么要住？他老伴说，那你还去干什么呢？李四说，我不去他们怎么知道今天是我的生日呢？他老伴说那就对了呀，你去了你告诉了他们今天是你的生日，他们还能不给你做生日吗？他们给你做了生日，你还要什么身份证，还找什么地方住呢？

李四说我为什么要告诉他们呢？他们要是忘了今天是老子的生日，我为什么还要告诉他们呢？老子拿着身份证，哪一个旅馆不可以住一个晚上呢？老子有这坛黑米酒陪着，我可以喝它一个通宵我怕什么呢？

他老伴觉得不对头，她说那你就别去了，你还去干什么呢？

说着把手伸过来，要把酒坛给他拿下来。

李四却不给，他狠狠地打掉了她的手。

他说快去，快点给我找来，快点！

他老伴只好转身哆哆嗦嗦地走进了屋里。

李四说，那天她是真的被他给吓慌了，她找到身份证走出来的时候，他看到她的手在不停地打抖。他知道，那是她的心在发慌，是她的心在暗暗地打抖。但李四没有替她想这些，李四觉得她的手一抖一抖的，他看了心里难受。他指着她的手就骂了起来。

他说你这是怎么啦？你有病啦你？

他老伴没有回答。她把身份证递给他，让他快点拿走。

李四却不接。他让她把手停下来。

他说你到底怎么啦？你怕是不是？你怕什么？老子到城里过生日，我有什么不对吗？你以为我去找死呀？你怕什么呢？

她的手却越抖越厉害，那身份证在她手里抖着抖着，差点就要掉到地上。

李四也更加愤怒了，他说你换一只手行不行，你这样抖来抖去的，是存心让我难受呀？

他老伴没有给他换手，而是把身份证塞进了他的手中。就在这时，李四看到她的眼里拉下了两滴长长的泪水。那两滴长长的泪水，就像两条长长的绳子，李四说后来一直挂在他的心中。李四说，如果在往时，他的心会被牵住的。但那天不行。他的心那天比石头还硬。他收起身份证就转身走了，他丢下她孤零零地站着。他想象不出，她那两滴泪水后来流到什么时候才会停下。但他知道，她会一直那么站着，可怜兮兮地看着他的背影，一直看到没有了人影，然后收下身子，孤零零地坐在门槛上，然后伤心地哭起来。他知道她的哭声不会太大，她会把那种声音默默地压在心底。她是哭给自己听的，她会一边哭一边不停地数落着她的那些孩子，数落他们千不该万不该，不该忘了他们父亲的生日。

他想，她会那样唠唠叨叨地哭下去，一直哭到他在瓦城下车的时候。

李四在瓦城下车的时候，瓦城的太阳已经没有了。

一路上，李四都在想，他想他们一定是忘了，一定是真的忘了的，但他总是希望有一个孩子还能记住，哪怕这个孩子是因为看到了他的到来才忽然想起的，他想这也没有关系，只要能想起来就可以原谅他，原谅他确实是因为太忙，确实是真的走不开，所以才没有回家给他做生日。

可这一个孩子是哪一个呢？他怎么也想不出。

他站在瓦城的街头上，望着满街下班的人群，心里乱糟糟的。

李四一共三个孩子，一个女的两个男的，一个叫李香，一个叫李瓦，还有一个叫李城。

李城是他的小儿子，一直还一个人过着，还一直没有找到对象。如果先上李城那里，弄不好门是锁着的，弄不好等到后半夜都见不到他的人影。他想不行，他不能先上李城家。他得找一个屋里有人的，那就是李香了。李四的三个孩子里，就李香是一家三口，他的孙女艳艳都快高中毕业了，这时候的艳艳肯定已经放学回来了，但是她爸爸妈妈呢？他们要是不在家，艳艳会知道今天是她爷爷的生日吗？她不会知道的。她不会知道。算了吧，看来还是先上李瓦家。李瓦是李香的弟弟，李城的哥哥。结了婚，但还一直过着两个人的生活。在李四的三个孩子里，李四知道李瓦是混得最好的。李四想，李瓦可能不在家，但他的老婆谢晓不应该不在，她应该下班后就回家给李瓦做饭，要不还算什么好女人？

就这样，李四敲开了李瓦家的房门。

李瓦不在家。谢晓告诉李四，一下班李瓦就跑到瓦城酒店订桌去了。那当然不是为了他的父亲李四，而是为了他们的局长。谢晓说，那餐饭李瓦早就跟局长说好了，可局长一直没有给他时间，便一直地拖着，一直拖到了那一天。谢晓是回来拿酒的。她手里提着四瓶茅台酒。

谢晓说爸，你来得正好，你也一起去吧。

李四却不去。

他说他请他的局长吃饭，我去干什么？我不去！

谢晓不知道怎么办？她掏出手机告诉李瓦，她说爸来了，你爸来了。李四坐在沙发上，但他听到了李瓦在手机里的声音，李瓦说，他来干什么？谢晓说我不知道。李瓦说那就让他一起来吧。谢晓说我说了，他说他不去。

我不去！李四又说道。

谢晓说，你听到了没有？他说他不去。那就随便他，李瓦说，那你问问他，他想吃什么，你到楼下的小炒店，给他炒两个，你让他们送上去。谢晓放下手机问，爸，你喜欢吃什么？李四说不吃。他说你们吃你们的去吧，我不吃。我歇一下就走，我去你们大姐家。就这一句，谢晓的神色轻松了，她说那就随便你。她说，那我走了，他们在等我呢。李四说走吧走吧。她便下楼去了。谢晓下楼没有走远，李四就抓起了桌面上的一只茶杯，狠狠地摔在了地面上，摔得满屋都是。

李香一家三口正在吃饭，一看见李四进来，几乎都同时地放下了手中的碗筷。最先尖叫的是艳艳，她说哇是爷爷，爷爷来了！然后是李香，她说爸，什么时候到的？跟着接话的是李香的丈夫刘大奇，他说是刚下的车吧？怎么这么晚呢？

刘大奇的手很长，远远的就伸了过来，把他肩上的酒坛端走了。

李四心里说光热情有什么鸟用呢，老子想听到的不是这些。

他因此一屁股重重地坐在沙发上。

他说不！我是从李瓦那里过来的。

李香的嘴里于是呵了一声，把手停在了冰箱上。

她说那你要不要再吃点？冰箱里有菜。

李四说不用。他说你们吃你们的，你们不用管我。

刘大奇说，那就让爸歇着吧。他说爸，那你看电视吧。喜欢看什么？我来帮你调。刘大奇拿起遥控器，就被艳艳抢走了。她说爷爷，我来帮你调，你说，你想看什么？李四说，你给我，我会调。李四不想调，他坐在那里就像一只被干烧的铁锅，就差没有冒火了。他胡乱地调调调，调出了一个唱歌的女人，然后，把遥控器丢在了沙发上。

吃完饭，李香一家三口都出去了。

李香下岗后借钱买了一辆桑塔纳，在忙着跑出租，她恨不得三天内就把借款统统还上。

她说爸，哪天我拉你在城里逛一逛！

李四说不逛，逛街有什么意思，我又不是来逛街的。

李香笑了笑，就出门去了。

李香没有听出父亲的话里藏着话。

刘大奇说他夜里值班，也出门去了。

他说爸，明天晚上我陪你好好喝两杯。

李四说喝什么喝？你会喝酒吗？

最后走的是艳艳，说是去补习英语，准备高考。随着房门咣一声关上，屋里转眼孤零零的只剩了李四一人。李四坐了一会，也愤怒了，他摇摇头，又骂了一句：

我操你们的妈！

骂完，他抓起身边的遥控器，往地上狠狠一砸，砸得粉碎。

他让电视里的大嘴女人继续哇哇哇地唱着，他懒得把她关掉。

李城正牵着一个女孩的小手，在马路上散步。看见父亲的时候忽地一愣，把女孩拉住了。他告诉她，这是我爸。那女孩随即深深地鞠了一躬。她的腰很细，鞠得很深，李四等了好久，才看到了她那浮起的脸面。李四觉得还长得不错。他看了看李城手里的那只小手，心里忽然就有了一点好受。

他说你们要去哪？

李城说没去哪，吃完饭，随便走走。转身要领父亲回家，李四却把李城拦住了。他顺势在李城的胸膛上拍了拍：

他说去吧去吧，散你们的步去吧。不用管我。

李城当真就停住了，他笑了笑，说，真的？那我们走了？

李四说走吧走吧。一边说一边把手挥过了头顶。

李城牵着那个女孩的小手，真的就走了，走了好远，才被李四喊了回来。

他说你先给我开门呀，你不开门我怎么进！

李城这才笑笑地跑了回来。李四心里便暗暗地骂，他说这兔崽子，有一个女孩牵着，就把给老头开门的事给忘了？晚上老子要训训你。可他哪里想到，李城却不让他留下，门一开，李城就把他缠住了。

李城说爸，晚上你准备住哪儿？不会住在我这吧？

李四一听什么话？他说你什么意思？

李城说你能不能帮个忙，先住我哥我姐他们那，你看我这，就这么一张床。

李四说一张床怎么啦？你睡你的，我睡我的，我们一人睡一头。

李城的那张脸，一下就皱成了一团。他说爸，你刚才没看到呀？

看到什么？李四愣了半天才明白了过来，他说好好好，我不住，我不住，我歇一下就走。

李城这才笑笑地出去了。

这一次李四没有砸东西，也不骂，他只觉得全身真的像被抽走了什么筋，抽得他一身软耷耷的，他一点力气都没有。他喝了半杯李城剩在桌上的茶水，紧紧地抱着那坛酒，然后慢慢地往外走来。

我父亲就是随后遇着李四的，那是在大街上。按往常，我和我的父亲，我们每天都遇到许多不幸的人，但没有几个被我们放在心上的，我们总是泛泛地看两眼，转身就走了，捡我们的垃圾去了。用我父亲的话说，真放在了心上了，又能怎样呢？你同情他，谁同情你？我父亲的意思是，可怜的人多着呢，你同情得过来吗？

但他偏偏碰上了李四。

李四来到大街上的时候，到处已经灯火辉煌，但李四的心情却黑灯瞎火的。他扛着那坛黑米酒，两脚软耷耷地走着。他想，看来得真的找一家旅店住下了，住下了再好好地想一想，想一想这几个孩子到底都怎么啦，怎么就把老子的生日给忘了？

于是，他掏出了身份证。

然而就在这时，他发现他的手竟然也在颤抖。

他忽然就想起了早上的老伴来。他想这是怎么啦？他不知道为什么。他咬着牙，想让手上的身份证停下来，他希望它不再颤抖，可他越是使劲，身份证就越是抖得厉害。他不由骂了一句，你他妈的今天怎么啦？一边骂一边把酒坛换过去，把身份证换到另一只手上。但那手也一样地颤抖。好像颤抖的原因不是因为他的手，而是因为那张身份证。李四说怪了，怪了，他妈的怪了！他说这身份证他妈的到底是怎么回事？怎么这么操蛋呢，他有点不肯相信，他把酒放在了地上，把身份证丢在酒坛的上边。他想他的手可能是麻木了，手一麻木，就常常不太听话，他于是来来去去地甩动着。

但一点用处都没有，甩完了手，那身份证还是一样地颤抖。

我猜想，那一定是他的心在发虚，那是他的心里没底，他对他进城的事情感到了恐慌。接着他便想，他要是这样拿着身份证走进人家旅馆去，人家会说他是有病的。他知道旅馆里都是一些漂亮的小女孩，他会把她们吓坏的。

鬼子瓦城上空的麦田

　　于是他把肩上的酒再次地放下来。他想先找一个地方喝它两口酒。他想喝下两口酒，他的手也许就好了，也许就不抖了。他四下看了看，最后他看到了一个地方，那是不远处的一块绿地，绿地里有两三张水泥桌，其中有一张正好空着。

　　他捧着黑米酒，走了过去。

　　因为是心太急，因为手还在暗暗地发抖，他把酒坛捧到嘴边，一股酒水就猛地扑了出来，满满地灌了他一嘴，还灌到了他的脸上，弄得他满胸都是。呛得他不停地咳着。

　　就在这时，他听到了一串嘲笑声。

　　那人就是我的父亲。

　　我父亲就坐在不远的另一张桌子边。

　　他是捡垃圾捡累了坐在那里的。

　　我当时不在，我到别的地方玩去了。我晚上一般不再捡垃圾。

　　李四知道我父亲在笑他，他把嘴边的酒擦了擦，就朝我父亲看了过来。他知道我父亲是捡垃圾的，他说因为我父亲的手里拿着一把长长的钳子。李四自己也笑了，他朝我父亲招过了手去。让我父亲过来跟他一起喝酒。我父亲肯定明白他的意思，但我父亲坐着不动，他只是对着他笑着。父亲的那种笑其实是一种傻笑，但李四说，你父亲的笑特别的礼貌，他就捧着酒，朝我父亲走来。

　　喝酒吗？他问我父亲，陪我喝几口，怎么样？

　　他拍拍那坛黑米酒，这可是深山的黑米酒，不信你闻闻？

　　他哪里知道，我父亲其实是个酒鬼，别说是他的黑米酒，就是一般的水酒，只要有酒味，只要能闻到，走在大街上他都会悄悄地放慢他的脚步。

而李四却说，你父亲真是一个好人，他闻都不闻就点头答应了。

你父亲真他妈好！好人！

李四随即把酒坛推到了我父亲的面前，他叫我父亲喝！

我父亲却没有端起，他说换个地方吧，这怎么喝呢？

李四说好，那我到旅馆开个房，我们到旅馆好好喝去。

我父亲说不用，开什么房呀？你要是不嫌弃，到我那里去，我们慢慢喝，怎么样？

李四问都不问你家在哪，他抱着酒坛就站了起来。

路上，李四告诉我的父亲，说那天是他六十岁的生日，我父亲马上停了下来，他说真的？李四说当然真的。我父亲马上往街边一家熟食店走去，掏钱给李四买了一块长长的红烧肉，回家后又替李四切成了方方正正的六十个小块，整整齐齐地摆在一个菜盘里，摆在李四的面前，然后请李四下筷。

你先来，今天是你的生日，你先来！我父亲对他说。

看着那切得整整齐齐的六十个方块红烧肉，李四说，他的眼泪哗地就流了下来，他想他的那几个孩子，怎么连一个捡垃圾的老头都不如呢？

我想象不出，那六十个方块的红烧肉，我父亲切成什么模样。那天晚上我回来很晚，我走进住棚的时候，他们早就喝醉了。他们就扑在桌边，在响亮地打着呼噜。那六十个方块的红烧肉，早就被他们吃得精光，桌上只剩了一个空空的盘子，两个空空的酒碗，还有就是那个黑黑的酒坛。

我当时不知道那就是李四，我以为也是一个捡垃圾的，很多捡垃圾的老头，都爱找我父亲喝酒。我把他们两个一一地弄到了床上，给他们放下了蚊帐，便找别的朋友搭铺去了。我们家的那个住棚里只有一张床，那张床睡不下三个人。我不走也得走。

但我没有想到，那一走，就再也见不到我的父亲了。

那天夜里，我也喝了半碗黑米酒才离开了住棚。

那确实是一坛好酒，很香，香得我受不了，我捧起来摇了摇，我发现至少还有半坛。我先倒了一点在碗里尝了尝，接着又连连倒了三次。那酒喝进去的时候，一点都不像别的那些水酒，一点都不辣，一点也不烧，喝完了你的咽喉还是舒舒服服的，走在路上的时候，你才慢慢感到脸上有点温热，那种温热是一种全身都很舒服的温热，就像小时候把脸贴在母亲的大腿上，那是一辈子都忘不掉的一种感觉。我真想不明白，李四的孩子们，怎么就忘了那种黑米酒的滋味呢？

就因为那半碗的黑米酒，我在朋友的住棚里一直睡到了第二天的中午，醒来后，我首先想到的还是那坛黑米酒。我想我父亲他们就是醒来了，也是喝不完的。我拉着那位朋友就一起往回赶。我那位朋友叫做溜子。我想让溜子也尝一尝那种黑米酒的美味。

然而，那坛黑米酒已经被他们喝光了。

我带着溜子走进住棚里的时候，住棚里一个人也没有，只闻到一股香喷喷的酒味。我没想到他们已经喝光。我指着摆在桌上的酒坛对溜子说，闻一闻，你先闻一闻，你闻闻这味道怎么样？溜子的鼻子早就吸得满屋都是哧哧哧的响声，他笑着脸，嘴巴往一旁的耳朵歪着，说他妈的这味道真的不错。说着把酒坛搂进了怀里，摇也不摇，就高高地捧了起来，嘴巴大大地在酒坛下张开着。我知道他那是禁不住了，我知道他想先喝两口再说。我没有阻拦他。我站到旁边用手护着那个酒坛，怕他一不小心砸了。

我说慢点，你慢一点，你不要着急。

谁知溜子的大嘴等了半天，只接到了一滴、两滴、三滴，第四滴一直挂在坛边，拍了两拍才肯落下。

溜子没有做声，他把嘴里的三滴酒细细地品了品，然后把酒坛塞进我的怀里。

我摇了摇，酒坛里，声音确实空空的。

我当时有点难堪，我觉得有点对不起溜子。

我突然将酒坛愤怒地举过了头顶，然后狠狠一砸，把酒坛砸得粉碎。

也许，就在那酒坛落地的时候，我父亲在大街上出事了。

我父亲他喝醉了酒，李四也喝醉了酒，他们两个老头正在大街上摇摇晃晃地走着，突然，他们站在街道中央让车的时候，父亲伸手抓住了一根从眼前飞过的木头。那是一辆装满了木头的大卡车。父亲的嘴上好像还骂了一句什么，但李四没有听到，他刚要拉住我的父亲，那木头已经把我父亲拉走了，我父亲往前跟跄了几步，最后狠狠地摔在了一个花坛的边边上，把脑袋的一半给摔飞了……

李四说，是我父亲拉着他上街去的。

天亮的时候，他本来要赶早回家，他抱起酒坛的时候，发现剩下的酒还挺多的。他叫我父亲找两个空瓶来，他说坛里的酒给你留着吧，我把酒坛拿回去。我父亲却抓来了两个大饭碗，吭吭地放在了桌面上，他说找什么找，喝！喝完了你把酒坛拿回去。李四说不行，我待会还得回家呢。我父亲笑了笑，一眨眼就两个大碗灌满了。李四没办法，只好笑了笑，两人又喝了起来。喝完我父亲告诉他，回去干什么？找你那几个兔崽子去，我帮你！他说你既然来了，你就不能不让他们知道昨天是你的生日，走！我跟你一起找他们去。李四说他不想去，他觉得生日都过了，再找还有什么意义呢？无非是他们给你补一餐，那又怎么样呢？他说他要的不是这些。不是。一点都不是。他告诉我父亲，有些东西是永远也补不回来的。他说算了。我父亲说不能算了，怎么能就这样算了呢？他说该要的东西，你就必须要回来，不要你就永远也得不到。

我父亲拉着他，就到了大街上。

李四说，都是因为他。

他说，你父亲的死，我是有责任的。如果我不邀他陪我喝酒，他怎么会出事呢？

但我父亲倒在地上的时候，李四却没有想到我父亲已经死了。他说坛里剩下的酒，他们是平分喝掉的，两个人的醉，也是一模一样的。我父亲倒地的时候，他身上的酒恍恍惚惚醒了些，但没有完全醒来。他说在他的一生中，不知见过多少死人，但没有见过像我父亲那样死的，脑壳有一半都飞走了，飞到了远远的一边去。我父亲倒地的时候，他以为我父亲还活着，他扑过去就抱住了我的父亲，他不停地呼喊着救人呀，救人呀！一直喊到来了警察。

警察一来就把他拉走了，但他还不停地往我父亲扑回来，他让警察们帮他把我父亲快点送到医院去抢救。他说医院在哪里？你们快点帮我呀，快点帮我送到医院去，你们听到了没有！

我知道那些赶来的都是交警，是专门管理交通事故的。那些人见过的死人多着啦，什么样的死他们都看到过，他们对我父亲那块飞出去的脑壳，没有太多的惊讶。他们只用粉笔在脑壳的外边画了一个大圆圈，然后就留着了，还有一个大圆圈，是把我父亲圈起来。李四便大声地喊叫着，画什么画，你们画这些干什么？你们快点帮他送他去医院呀！他在他们的手里拼命地挣扎着。

他们告诉他，人都死了，还送什么医院。

李四还是不信我父亲已经死了。他说他们乱说。他拼命地扑腾着，叫喊着。

一个警察气愤了，把李四拉到我父亲的脑壳边。

他说你看到没有，这是他的脑壳，他脑壳都飞出来了，你看到没有？

李四说我知道这是他的脑壳呀，可你看到他流血了吗？他一滴血都没有流呀，你看到没有？

李四也拖着那个警察，拖到我父亲的旁边。

那警察这才突然愣了一下，他也弄不清我父亲为什么没流出一滴血。这是李四对我说的，他说他可能一辈子都弄不清楚，我父亲为什么没流一滴血。可事实上我到我父亲倒地的街面上看过，我父亲的血流了好大的一摊。我不知道李四为什么看不到我父亲的血。可能是酒多了，眼睛红了，什么都看不清了。

李四身上的酒气一下就被交警们闻出了。

那交警马上抓住了他，你们刚才喝了多少酒？

李四猛一把将那警察压倒在地，让那警察的脑袋紧紧地靠在我父亲的嘴边。

他说你问问他吧，你问问他，我们喝了多少酒？

李四自己都不敢相信，他哪来的那么大的力气。但随后倒地的，便是他李四，几个警察呼啦啦上来，就把他给放倒了。

　　李四说，那天他是真的喝多了，醒来后，才恐慌得全身都在不住地打抖。他原先想回家的念头是一点都没有了。醒来后便到处地奔跑着找我。是交警让他找我的。交警问他，他家里还有什么人。李四说有一个儿子。交警说，那你帮我们把他找来吧，快点。李四便到处地奔跑着。他当然找不着我。那天我不再捡垃圾。为了给溜子一个交代，我在街边的小店买了六瓶瓦城啤，喝完我们就玩别的去了。

　　李四为了找我，说是跑得全身是汗，他的脑子里一直记着他们的一句话，他们说，让你去找人你可不能溜了，你要是不回来，我要找你的！这话当然是一个交警对他说的。他还真是怕警察等他等久了，他怕警察等急了，他跑着跑着，很快就又跑回到警察们的身边。警察们说没找着人你回来干什么？再去。他就又跑了回去。来回跑了几趟之后，他决定不再跑了，他对警察说，我不找了。他说我都跑遍了你们瓦城了，我哪里都找不着他。

　　直到这时，一个警察才问他，他儿子干什么的？

　　李四说，捡垃圾的。

　　警察一听，脸上的表情马上就换了。

　　他问李四，那他是干什么的，也是捡垃圾的？

　　李四说对，也是捡垃圾的。

　　李四还告诉他们，说我们都不是瓦城的人，我们是从山里跑到瓦城捡垃圾来的。

　　警察接着便问道，你呢？你也不是瓦城的吧？

　　李四摇着头，说不是。他说我也是山里的。

　　那警察于是张大了嘴巴，空空地呵了一声，他说我还以为他儿子是哪单位的呢？一个捡垃圾的你怎么找？弄不好十天半月都找不着，你信不信？

李四说那我怎么办呢？

警察说，你说你怎么办吧？

李四不知道怎么办。他说你说我怎么办呢？

警察说，你还能怎么办呢？你不是他的朋友吗？你帮他送到火葬场去吧。

李四当时有点迟疑，他说我帮他送可以吗？

警察说，怎么不可以呢？他儿子你又找不着，你当然可以帮他送去呀。

李四想了想，说，好的，那我就帮他送去吧。

警察说好的，那就这样，那我给你写个证明吧，否则人家也不帮你火化的。

可李四没有想到的是，那警察给他证明的时候，竟把我父亲的名字写成他李四的名字了。警察问什么名字？李四以为是在问自己，随口说李四，木子李的李，一二三四的四。那警察跟着还重复了一遍，说好，木子李的李，一二三四的四。就这样，那证明上的名字就成了李四了。其实，他在写证明的时候，应该问问身份证的。李四说，他没问，所以他就没有给他，他要是问，他会给他的，因为我父亲的身份证一直就在他的身上。他是因为在住棚里等不到我，才跑回来从我父亲的身上拿走了身份证的，他拿着我父亲的身份证到处去问人，他说你们认识这个人吗？你们认识吗？他是捡垃圾的，我想找他的儿子，他的儿子你们认识吗？那警察不问的理由，可能是李四告诉过他们，说我和我的父亲不是他们瓦城的人，说我们是山里来捡垃圾的。当然，也许不是。不是又是什么呢？我无法知道。

那警察把写好的证明，放在一个信封里，还用订书机在信封口钉了一颗订子，然后递给李四，让李四跟着一辆车子，把我父亲送到了火葬场。那封信李四不敢打开，不敢打开的原因就是警察在信封口钉上了那颗钉子。到了火葬场，他就按照火葬场的规矩，把那封信交到了一个窗户里。窗户里坐着一个光头的男人，那光头低着头忙着，忙完头也不抬，只对窗外的李四说，明天来吧，明天中午十一点。

李四一下就愣住了，他听不明白。他说明天中午还来干什么？明天我没有时间了，明天我要回家去，我的家在很远很远的深山里。

那光头这才竖起了脑袋来，他嘴巴张得开开的，好像窗外的李四是他没有见过的怪物。

光头说，你的意思是什么？你是说，告别仪式呀这些，你不给他搞了？你想马上给他火化，你想把他的骨灰马上拿走？

李四连连地点点头，他说对对对，我想把他的骨灰马上拿走。

那光头当时觉得有点奇怪，就又问了一大堆什么有没有单位，什么有没有家属的问题。李四也觉得光头有点奇怪，他想你是警察吗，你问这些干什么？但他还是回答了他。说完那光头倒同情起来了，他说那好，那我帮你去问问，我让他们给你加个班，好不好？最后让李四交了一些钱，给李四放了一段音乐，说是给我的父亲放的，然后让李四等着。

拿到骨灰的时候，天已经黑了。

送我父亲去的车子，早就走了。李四只好顺着来路，往城里匆匆地走着。

李四说，他本来要把我父亲的骨灰拿到我的住棚里，等着我的回来，他打算等我一个晚上，如果天亮了我还不回来，他就把我父亲的骨灰放在桌子上，然后压一张纸条，简单说明一下我父亲撞车的经过，然后，就回他的山里去。可是，他回到城里的时候，却突然想起了一个问题，他想，如果他手里捧着的骨灰盒不是我的父亲，而是他李四呢？弄不好他李四到现在都还丢尸在那个可怜的停尸房里，他想他的那些孩子，他们会知道吗？李四于是感到一种从来没有过的凄凉，感到一种从来没有过的悲伤，他一边走，一边禁不住对着我父亲的骨灰盒默默地叨念起来，他说胡老头呀胡老头，你死了还有人帮你收尸，你死了还有人帮你去火化，如果是我李四呢？谁来帮我收尸呢？谁来送我去火化？

想着想着，李四突然愤怒了。

他说我操你们的妈！

我操你妈李香！

我操你妈李瓦！

我操你妈李城！

我辛辛苦苦一辈子，我养你们干什么？我把你们一个一个地养大，一个一个地送进了瓦城来，我让你们都成为了瓦城人，可你们呢？你们把老子的生日都给忘了，我操你们的妈！

街上的行人都被他的骂声给吓住了，都以为可能是个疯子，也可能是个被抛弃的老人，都远远地就给他闪开了。

但李四不管这些，他望都不望他们。

骂过以后，他突然在大街上站住了。

他突然觉得，他不能这样便宜了他们。他不能这样便宜了他的李香，他不能这样便宜了他的李瓦，也不能这样便宜了他的李城。他想，他得给他们一点厉害看看，就像他们小时不听话的时候，他将他们的裤子脱下来，用竹鞭狠狠地抽在他们的屁股上，或者瞪着眼猛地给他们一个耳光，一个响亮的耳光，让他们痛哭一顿，让他们在痛哭中想一想都错在哪啦？想一想父亲为什么这样打我？想一想以后再也不能这样，否则，父亲还会脱下他们的裤子，还会抽打他们的屁股，还会给他们响亮的耳光！

老子得让他们痛哭一场！就是不痛哭，也要让他们的脑子愣一愣，让他们在心里疼一疼，让他们想一想，我们到底都怎么啦？我们对不对得起我们的父亲？

他捧着骨灰盒，转身就朝李香家走去。

他想李香你是大姐，你有什么理由记不住你父亲的生日呢？我知道你和你的丈夫你们都下岗了，我知道你借了钱买了车，你想尽快地把欠债还上，可这就有理由把你父亲的生日给忘了吗？你看人家胡老头，人家是捡垃圾的人家的日子难道比你更好吗？可你知道人家是怎么一个好人吗？人家一听说是你父亲的六十大寿，人家往自己身上掏钱给你父亲买了一块长长的红烧肉，还给你父亲切成了六十个方方正正的小方块，人家是一个捡垃圾的啊，你难道比一个捡垃圾的老头都不如吗？

李香的家正好没人，在楼下就可以看到，她家的窗户都是黑乎乎的。他想这样好，这样等到他们回来的时候，还没进门，他们就看到了。

他不让李香的邻居看到他，他悄悄地摸上楼去，他悄悄地摸下楼来。他把我父亲的骨灰盒悄悄地放在李香家的门前，然后把他自己的身份证放在了我父亲的骨灰盒上。

他在楼下的不远处等着，等一个陌生人的经过。后来他拦住了一个二十来岁模样的大女孩。他对她说，你帮我一个忙好吗？女孩说什么忙你说，他说你能不能帮我转告李香家，说放在他们家门前的那个骨灰盒，是他们爸爸的骨灰盒，是一个捡垃圾的老头帮她送来的，你告诉她，是她的爸爸临死前吩咐我把他的骨灰送来的。那女孩好像被吓得身子缩了缩，远远地就朝李香家的方向看去，眼光里顿时有点怕怕的。她问李四，你是说，李香他们爸爸死了？李四说对，你就告诉她，你说他们的爸爸死了，是一个捡垃圾的老头帮他们送去火化的，火化前本来要告诉他们的，但他们的爸爸死前吩咐了，说他恨他们，他只能让他们看到他的骨灰，火化前他不让他们看到他。

李四说完就走了。

他想那女孩肯定会帮他告诉李香的。他想她会的。

那天晚上，我回到住棚里不是太晚，大约是九点多不到十点的时候。

远远的，我就看到有一个人坐在住棚的门前。灯光从住棚里照出来，投在他的脊背上，脸当然是看不清的，但我还是看出他不是我的父亲。一直走到了他的面前，我才发现原来是昨夜跟我父亲喝醉酒的那个老头。当时我还知道他叫做李四。

李四一直地坐着，我都走到了跟前了，他还一直地坐着，只是眼睛定定地看着我，然后问道：

你是胡来城吗？

胡来城是我的名字，这是我到瓦城捡垃圾后，一个捡垃圾的老头帮我改的。我的名字原来叫胡红一，我不知道是什么意思，反正听起来一点意思也没有，但胡来城不错，我没读过书我都能够读出很多理想的东西来。

我说对，我是胡来城。

他的两条腿便顺势往前一屈，跪在了我的面前，把我吓了一跳。

随后，他便告诉了我父亲的死，以及没有交给我骨灰的经过。

你说我还能有什么办法呢？我只是觉得他这种做法太过于荒唐了，我说你那几个孩子他们不就忘了你的生日吗，哪里用得着这样收拾他们呢？你也太毒了一点了。但细细看过他那一脸的愤怒和痛苦，你又觉得他那样闹一闹他们，也是有一点点合理的。我不想对他说得太多，一个十六不到只有十五岁的毛头小子跟一个六十岁的老头，有一些话是永远说不到一块的，我担心的只是，他那几个孩子真把我父亲的骨灰当成是他死了，那我怎么办呢？但李四告诉我不会。

他说他那几个孩子绝对不会。

你以为我那几个孩子他们是饭桶吗？他说，我告诉你，他们一点不饭桶，他们比你，比我，比谁都聪明，他们才不会以为他们的父亲是真的死了，不会一见骨灰就以为是真的。

我当时还觉得奇怪，我说那你的目的是什么呢？

他说我只是为了吓唬吓唬他们，我相信他们看到骨灰盒的时候，肯定会想到那是我给他们闹的，但他们随后就会想起，他们的父亲为什么要这样？他们的父亲昨天是干什么来了？我相信他们想着想着，就会有人想起了昨天是他们父亲的生日了。

他说，他们肯定会想起的。

我对他的这种心情表示理解，但我对他想象的结果表示怀疑。他却一口咬定你用不着怀疑。他嘴里不停地告诉我，他那几个孩子聪明得很，他那几个孩子很聪明。他说你想想吧，他们要是不聪明，他们要是跟其他的山里人一个样，他们能一个一个走进瓦城吗？他们基本上都是国家的干部呀，你以为他们的脑子饭桶吗？

经他这么再三地说来说去，我又多多少少的有了一点相信。

他说你放心吧，明天早上我还你父亲的骨灰盒。

但那天晚上，我还是怎么也睡不着，我的脑子里翻来覆去的，几乎都是父亲被车撞死在大街上的情景。就因为我没有在场，就因为我没有看到，所以父亲被车撞的惨状便显得各种各样的，每一种惨状都把我吓得半死。李四也睡不着，我发现他的身子在床上动来动去的，怎么也睡不安宁。但我们谁都没有开口。我们的嘴巴和我们的心一样地难受。

天快亮的时候，我却迷迷糊糊地睡着了。等到我醒来的时候，我看见李四早已坐在住棚的门前，不知在看着什么，也不知他在想着什么。我看到的是他的背影。

李四的背影像一块石头，一动不动。

我问他什么时候了？

他说中午了。他的脸却没有回过来看我。

我说，我父亲的骨灰呢，拿回来了吗？

这时他才回过了头来。他说我在等你呢，你醒了？

我说废话，我没醒我在跟你说梦话吗？

他说我在等你呐，我们一起去拿唄。

我说你什么意思？骨灰是你放在那里的，你应该自己拿回来给我，你凭什么要我跟你去？没等他回话，我又说，去吧去吧，你去拿回来给我吧，我不会跟你去的。话没说完，我往后一倒，又躺了下去。

但他没有去。他悄悄地走到我的床边，竟走得一点没有声响。我被他突然出现的影子吓了一跳。我歪歪地睁着眼睛看着他。我没有说话。而他，有点像是一个走不动路的老人，或者说，

鬼子瓦城上空的麦田

有点像一头善良的老牛，不幸跌进了一个路边的坑坑里，那坑坑虽然不是很大，也不是很深，但怎么也起不来，在乞求着我的帮忙。

他说，我要是愿意见到他们，我一个人早就去了。可我不想再见到他们，也不想让他们再见到我。走吧，你跟我一起去拿吧，待会我也不上去，我告诉你哪是她的家，你上去拿，我在下边等着你，等你拿到了，我也不回你这里了，我回我的山里去。

他说他的心十分难受。

看着他的那种眼神，我真的看到了他的心在难受。我好像还看到了他的心在流血的样子。我的心不知不觉地也就软下了。

我随即翻身下床，我不再多嘴。

我说好的，那走吧。

走了没有多远，他突然站住了。他朝我回过头来，呆呆地看着我的脸。

我说怎么，不走了？

他说你还没洗脸呢？

我说洗什么脸呢，不洗，走吧。

他还是站着不走。他说去吧，你先回去洗个脸吧。

我笑了。我说你看到我那里有洗脸的东西吗？毛巾、脸盆，有吗？

他说那你就用水擦一擦吧。我们去拿你父亲的骨灰你知道吗？别让他看到你这样的脸。

我说反正他又看不到。

他说他能看到的。

他说人一死就什么都能看到了，你知道吗？

我心里暗暗一笑，我说你这是什么歪理？

他说我这不是歪理。人一死真的什么都能看到。他能看到你，也能看到我，他能看到我的心，也能看到你的心，真的，他现在就等着我们去拿他回来。

听他这么一说，一股凉飕飕的东西，便恍恍惚惚地在我的脑后飘起。我转身回到水龙头的下边，往肮脏的脸上一捧又一捧地拨着水，拨了一次一次，然后是拼命地搓，搓得一脸热乎乎的。最后，我把脑袋塞到水龙头的下边，也狠狠地洗了一次。

路上，我告诉李四，我以前也是天天早上洗脸的，后来，我妈被别的男人偷走了，我跟着父亲到了瓦城，我就再也不洗了。

李四说为什么？他觉得奇怪。

我说我也说不清楚，反正天亮起来，父亲就把我拉走了，让我跟他捡垃圾去了。我父亲说等出汗的时候抹一抹，就什么都干净了。

他不禁暗暗一笑，嘴里轻轻说了一句，你爸爸是一个老混蛋。

他说你明天可以不洗，但今天不洗不行，今天不洗，你爸爸不会认你的。

然而那天中午，我没有拿到我父亲的骨灰。

李香家的房门紧紧地关着。我在李香家的门前没有看到任何的盒子，我跑到李香家的楼下，顺着院子的围墙找了一圈，也没有看到任何像是骨灰的盒子。最后，我拦住了一个过来的人，我说李香家都哪去了？那人的嗓门粗得吓人，他说你找他们家干什么？你是他们家亲戚吗？我说不是。他的眼睛便翻了翻，说走了，天一亮就回山里去了。我一愣，不由惊诧起来，我说他们回山里干什么？那人的声音就更大了。他说她父亲死了！她和她的弟弟几个，他们一家人全都回山里给他们父亲奔丧去了。你有什么事吗？有事你十天半个月以后再来吧。

那人说完往前边走去，好像有什么急事。

我站在那里愣了一下，随后，一转身就急急地离开了。

李四看见我两手空空的，远远地就迎了上来。

他说怎么啦？他们不给你是不是？

我当时已经生气了。

我说你已经死了，他们拿着我父亲的骨灰，回山里给你奔丧去了。

李四的脸色忽然就难看了起来，嘴巴张得大大的，像是要死的样子。他忽然转过脸，朝远处的什么地方远远地看着，那地方就是他们家的方向。

我问他怎么办？

他没有回答我。

我又问了一句，怎么办？

他好像还是没有听到。

我于是大声地吼了起来，我愤怒了。

我说怎么办，你快说呀！

他吓了一跳，这才转过了脸来。但他摇摇头，收着身子，蹲在了脚下。他双手紧紧地抱着头，嘴里不断地呢喃着：他们怎么这么笨呢？怎么这么笨？

听那声音，好像快要哭了。

但我没有同情他。我感觉着全身都是火，我把许多想到的气话，统统朝他的脑壳上砸了下去。我说你不是说他们不会当真吗？你不是说你那几个孩子不是饭桶吗？你不是说他们都是聪明人他们一点都不愚蠢吗？他们怎么就把我父亲的骨灰当作了你死了？

突然，李四从地上站起来，大声地吼了一字：好！

他说这正好让他们好好地哭几天！让他们尝尝父亲要是真的死了，那滋味是一种什么样的滋味。他要让他们好好地想一想，想一想是否对不起他们的父亲。

我说，那我父亲的骨灰怎么办？

他说你放心，我给你保证，等他们哭够了，我保证还给你。

他不停地摇着我的肩膀，他让我相信他。

不相信又能怎么样？

你只能相信他。

后来我们才知道，李四的三个孩子，还有他的女婿、他的儿媳妇，以及他的孙女艳艳，他们六个人，从后半夜一直哭到了天亮，他们除了哭还是哭，没有人对父亲的死有过一点点的怀疑。最先回到门前的是艳艳，她马上就拨响了妈妈李香的呼机，李香跟着就拨响了丈夫刘大奇的值班电话，刘大奇再把电话拨到李瓦的家里，李瓦一听，马上开车跑到李城的楼下，把李城拉到了姐姐的家中。

从瓦城回到山里的路挺长的，他们捧着我父亲的骨灰，一路地哭个不停。听那司机说，他们的哭声，把他弄得手也软了，脚也软了，有几次踩刹车都踩不灵了，差点把车开到了山脚下。

最惨的当然不是他们，而是他们的母亲，这一点谁都可以想象。他们的母亲就坐在门槛上看着他们的回来。她被他们给吓住了。她指着李瓦手里的骨灰盒，问他这是什么？你们干嘛哭成这样？

李瓦噗地一声，就跪在了母亲的脚下。

他说妈，这是我爸。

后边的五个人，也噗咚噗咚地跪在了门槛下，哭声哇哇地烂成一片。

你爸他怎么啦？你们干吗都跪着？老太婆顿时惊叫了起来。

李瓦说，我爸，他死了。

老太婆忽然就全身颤抖了起来，她想摸一摸我父亲的骨灰盒，她的手还没有落到上边，她的身子歪倒了。等到她醒来的时候，便哭诉着，牙齿都咬崩了。

她一个一个地敲问着：

你知道你爸到你们城里干什么吗？

你知道吗？

还有你，他跟你说了吗？

直到这时，他们还是无人想起，想起那天原来是他们父亲的生日，他们只是愣愣地看着老人家，不敢点头，也不敢摇头。

他是到你们城里过生日去的，你们知道吗！

老太婆的牙齿咬得格格地响。

跪在地上的六个人，这时突然停止了哭声了。

静静的，每个人的咽喉都像被人掐住了。

老人的哭声却无法停止，她一边哭，一边不停地责骂着：

你们爸是怎么死的？

你们给他做了生日吗？

是你们把他给气死的吧？

谁？

是谁把他给气死的？

她越哭越恨，越恨越伤心。她一个脑袋一个脑袋地点过去，一个脑袋一个脑袋地点过来。

你们为什么把他的生日给忘了呢？

为什么？

你们给我说呀？

没有一个开口。谁都想不起自己是怎么把父亲的生日给忘了的。他们只知道哭，好像只有哭才能证明对不起死去的父亲。于是又开始哭了起来，而且谁也不肯先停下。

说呀？

你们为什么忘了呢？

老太婆不停地骂着：

你们为什么不说话？

你们把你们爸的生日都给忘了，你们还活着干什么？

你们也都死去吧！

你们死了就自己找你们爸爸说去，你们不用跟我说，跟我说一点用都没有。

去呀，你们也都死去呀！

你们为什么不去死呢？

你们给我这么跪着干什么？

是我叫你们忘了他的生日吗？

你们给我跪着干什么呢？你们跪着干什么？……

当天晚上，老太婆就断气了。他们让她吃东西，她不吃；他们让她到床上歇一歇，她也不去；她连坐都不坐，哭完了，骂完了，她用一个布袋装了一些米，提在手里，往门外走去。孩子们都慌了，都不知道母亲要去干什么？都紧紧地跟在她的身后说，妈，你要去哪儿？你别去。他们跟在她的身边想扶她，她把他们的手一一地打掉。

她摇摇晃晃地往前走。

她说你们不要管我，我也不要你们管。你们爸是到城里找你们去的，你们都让他死了，你们还管我干什么，你们谁都不要管我。我不要你们管。

但孩子们还是紧紧地跟在她的身后。他们都想不出她要去哪里，都担心她脚下一空，会一头栽下路边的深沟里。

天上的月亮很亮，亮得只剩下了它孤独地挂在夜空，像是动也不动。

老太婆走的不是大路，她走的是路边的那些田坎，那些细细的窄窄的田坎。一边走，一边把抓在手里的米撒些出去，一边撒，一边喊着李四的名字。

她说李四呀李四，你快回来吧，你不回来我怎么办呢？你不会丢下我一个老太婆不管吧，你不会这么狠心的，你快回来吧！她说你看到我在喊你吗？你听到我在喊你吗？听到了你就回来吧，你在月亮里听到了你就从月亮里回来吧……你要是在城里听到你就在城里回来……你在树林里听到了你就从树林里回来吧……你要是在河水里听到你就在河水里回来……我看见月亮了，月亮现在就在我的头上，我看见她冷冰冰的，那里不是你住的地方，你快点从月亮里回来吧……瓦城我也看到了，我看到瓦城也不是你住的地方，你也从瓦城回来吧……回来吧……

她一路走，一路喊，一路撒；一路撒，一路走，一路喊；走过了一块田又一块田，走过了一块地又一块地，她把米袋里的米撒完了，就把米袋递给身边的孩子，去，给我再拿一点来，我要给你们爸喊魂，我们要把你们爸丢在你们城里的魂喊回来。头一次给的是谢晓，谢晓急急地就接过母亲的空布袋，急急地往家里跑，然后急急地给母亲装了一点跑回来，像是生怕耽误了母亲喊魂的时间，父亲的魂就真的回不来了。第二次给的还是谢晓，谢晓急急地又跑回去，装了一点米又急急地跑回来。第三次，她的目光还是落在谢晓的脸上，这一次，谢晓装满了整整一大袋，装得沉甸甸的，她怕第四次喊的还是她，回来的时候，她没有把米袋递给她，她说妈，我帮你拿。老太婆不用，她把米袋接了过来，但她没有想到米袋那么重，米袋一沉，竟把她的身子给拉了下去，吓得孩子们的心都从喉头飞了出来，惊惶失措地扑上去，一边扶住母亲的腰一边接住米袋不让落地。都说妈，你放手吧，我们帮你拿。老太婆却死也不肯放手。她像驱赶苍蝇一样，驱赶着他们，她让他们去去去，都给我一边去，我要给你们爸喊魂，我要把你们爸的魂从你们的城里喊回来，他是到你们那里被你们给弄丢的，我要把他喊回来。

老太婆接着又摇摇晃晃地往前喊过去。

老太婆的喊叫一声高，一声低；一声长，一声短；最后又顺着走去的田坎往回喊来，回到门槛前的时候，她的声音突然没有了，她张着一张大嘴巴，愣愣地站着，也不进门。孩子们等了一会，以为母亲有话要说，都愣愣地等着。谁知，老人的咽喉里突然滚出一声怪响，一股血从嘴里喷了出来，她就这样倒在了门槛上。

父亲如果不死，母亲怎么会死呢？

在随后守灵的日子里，李四的孩子们，真是不知如何痛苦才是。

他们先是一个接一个地忏悔着自己的不是。这个说，其实进门的时候，他们就发现了父亲的愤怒了，父亲把他们家的一只杯子给砸烂了，绝对是他砸烂的，如果不是有意砸烂，父亲会清理干净的，可父亲没有收拾，就愤怒地到大姐家去了。当大姐的随即把话接了过去，她说父亲是到他们家里去了，而且父亲也愤怒了，父亲把他们家的电视机也一直地打开着，声音很大，轰轰轰的，遥控器也砸烂在了地上，但他们没有放在心上，他们想，父亲愤怒后一定是到老三李城那里去了。李城说父亲倒是没有砸烂他家的任何东西，没有，但李城也能在脑子里找到了对不起父亲的地方，他说自己应该让父亲留下的，因为他的女朋友，后来并没有住在他那里，他的女朋友说那天晚上她没有情绪。李城没有办法，李城说没有情绪就没有情绪，那你就回你家里去吧。她就回她的家里去了。李城说，他要是把父亲留在他那里，父亲是不会出事的，父亲不出事，母亲怎么会出事呢？

所以他说，他是最最该死的！于是将脑门狠狠地撞在了墙上，撞得咚咚咚地乱响。

他们就都劝他，说你用不着这么想，该死的不光是你，我们都该死，谁叫我们都把父亲的生日给忘了呢？

这时，艳艳说话了。

艳艳觉得，平时你们不都以为我是个有问题的女孩吗？没想到，你们的问题比我大多了，你们都弄出了两条人命了。

艳艳的嘴有点毒。她说，我觉得你们应该一个一个地说一遍，说你们是怎么把爷爷的生日给忘了的。

艳艳的话是谁都听到了，但谁都没有作声。

艳艳又说了，她把手横过去，直直地指着她的母亲，她说：妈，从你开始吧，你是老大，你说，你是怎么把爷爷的生日给忘了的？

李香看着女儿，不知如何开口，也不敢愤怒。

坐在姐姐对面的李城却忽然开口了。

他说：姐，你还记得前年吗？

大家的眼光便乱窜了起来，看看李香又看看李城，看看李城，又看看李香。

李城说：我说真心话吧，前年我是真的记起了父亲的生日的，不信你们问姐，姐，是吧？我是为父亲的生日专门跑到姐家去的。我说姐，后天是爸爸的生日，我们要不要回去一趟。姐，你当时怎么说，你还记得吗？

李香暗暗地有点紧张。她说我说了什么啦？我好像没有说什么。

李城说：你说了，你说回什么回，不回！你有时间你回吧，我没有时间。你当时就是这么说。

李香的眼睛突然爆开了一样，她说你瞎编，我怎么会这么说呢？我绝对不会那么说。

李城说：姐，你当时就是这么说的。

李香说：那后来你回来了吗？你怎么不回来呢？

李城说：这就得怪你了，说真话，我是因为你不回来，我才不回的，我干嘛一个人回来呀？

李香说：那你可以找李瓦呀？你跟李瓦两人一起回来不行吗？

李瓦的脸色也暗暗地紧张了起来。

李城说：我去找过他，但没有找到。后来我就想，怎么就我一个想到父亲的生日呢？你们怎么没有想到呢？如果想到了，为什么没有听到谁说呢？我想了想，后来不知怎么，就懒得往下想了。去年，我说真话，我是一点都没想起，真的，今年就不用说了。

李瓦把话接了过去。他说：我有一年也是想到过要回来的，我还跟朋友说好了要开他的车回来呢，朋友都答应了，说你开吧，我给你留着。后来不知碰着了一个什么事，就给忘了。这事我好像跟姐说过呢。

李香说：你什么时候跟我说过呢？你没有跟我说到过，你们今天是怎么啦，怎么什么事情都说跟我说过呀？

李瓦说：要么我就是跟老三说过的，反正我跟谁说过，我绝对跟谁说过的。

李城说：你这是瞎说，你没跟我说过，你绝对没有跟我说过。

说来说去，说去说来，好像还是弄不清楚父亲的生日是怎么给忘了的。后来，就都把原因归结为太忙了，实在是太忙了，整天都在忙，忙得人的脑子都热烘烘的，像被火烧着了一样。可不忙行吗？不忙怎么活下去呢？你不忙，别人忙呀，别人就会当着你的面，把所有的好东西，一样一样地抢走，最后会把你碗里的饭也抢走，你说你不忙你怎么办？

这时，艳艳又说话了。

她说：其实呀，你们也用不着光在自己的身上找原因，我觉得爷爷本人也是有问题的，爷爷太过分了，不就一个生日吗？城里人又不是什么神仙，干嘛非要记住你的生日呢？

艳艳的话好像还没有说完，一个巴掌飞了过来，把她的脸给打歪了。

那是她父亲的巴掌，打得很重。

那一个巴掌之后，屋里突然静了下来，所有的嘴巴都闭上了，什么自己的不是，什么别人的不是，都不再议论了，能做的，只是默默地守灵。当然，在后来的几天里，他们还是决定了几件事。他们决定，回家后马上拿父母的相片去放大，然后各家摆在屋里，每家都给父母做个灵堂，一直到做完七七。七七就是七个七天的意思，就是每一个七天都要给父母的在天之灵举行一次送行的仪式，好让父母在另一个世界里得到安生。此外，还决定每年清明节都要回到山里来，回来给父母烧香，回来给父母扫坟，就是天上下着刀子也不能免掉；还有，就是把房子卖了，不卖留着干什么？卖房的钱，全都交给李城，就当是父母留给他的结婚钱。

离开山里的那一天，天刚亮，买房的人就把钱拿来了。那是一摞不薄的钱，买房的人问：给谁？你们谁给点一点。老三李城走上去，说：点什么点，给我吧。他拿过钱，就直直地往门外走去，然后对着远处的山头，大声地喊叫着：

爸！

妈！

我是老三李城。

我会尽快找一个女的结婚的，你们放心吧！

在等待去拿骨灰的那些天里，我没有去捡过一天的垃圾。李四也觉得我没有必要再去。那些天的饭菜，也都是他给买的。我没让他买，也没说不让他买，反正他买回来了，我就照吃不误。我为什么不吃呢？要不是因为他，我父亲怎么会死呢？吃完了我便躺到床上睡觉，我脑子想的几乎都是死去的父亲。我真的为死去的父亲感到伤心。我不停地催着李四，让他快点带我回他的山里，我想早一天把我父亲的骨灰拿到。我不敢让他一个人回去，我怕他一个人走了，不把我的父亲带回来，我怎么办呢？我到哪里去找他去呢？我还不时地警告他，我说你不能一个人偷偷地回去你知道吗？你一定要带我跟你一起回去。李四总是告诉我：你放心吧，我怎么能不还你父亲的骨灰呢？我要是不还你，你说我的心里就好受吗？我又不是坏人，你看我像坏人吗？但我总是有点不太相信他。我总是担心他会一个人什么时候偷偷地跑了。睡觉的时候，我总是让他睡在里边，以为那样他夜里就跑不掉了，其实这样的想法是很天真的。那些夜里，我虽然时常因为父亲的死而睡不着，可一旦睡下，都是睡得很死的，李四要是想溜，早就溜掉了，但他没有溜。夜里，他几乎没有离开过我的住棚半步。

李四这一点还是挺不错的。

我敢说，这一点城里人很少能做到。

那样的情景一直熬了十天。

临走的前一天，李四让我带着他，到商店里去走了一圈。

他说，他要给他的老伴买点吃的东西。

他没想到他的老伴已经死了。

我当然也没有想到。

我问他买什么吃的呢？

他说有一种很好吃很好吃的东西，但他忘了名字了，只知道有点像是他们山里的米糕，但山里的米糕做得没有那么软，也没有那么好吃，吃的时候有点软软的还有点粉粉的，反正是十分的好吃。他问我哪里有卖？听他那么一说，我知道那肯定是云片糕。云片糕很便宜，在城里根本算不得好吃的东西。我说那种东西有什么好吃呢，一点都不好吃。我给他推荐了很多好吃的，尤其是巧克力，他却坚决不买。

他说他就买云片糕。

他说：你说不好吃那是你的嘴巴，我老伴的嘴巴她觉得好吃，那就是天下最好吃的，你知道吗？

接着，他便比画着他老伴吃云片糕时的那种模样，说她总是很端正很端正地坐在门槛上，一小片一小片地把云片糕掰下来，然后一只手轻轻地提着放进嘴里，一只手在下巴的下边接着，那是以防万一，万一有云片糕的碎片从嘴边跌落，她好把它们接住，然后把它们慢慢地放进嘴里。她总是吃得很香，吃得一脸甜甜的，一点都不着急，好像一个永远长不大的小女孩。

我心里便暗暗地笑他。

路上，我曾想象过李四那老伴的模样，我想我一定要好好地看一看，看一看她拿到云片糕时的模样，是不是真的像个永远长不大的小女孩。一个小女孩与一个老太婆，那是一个天和一个地呀，她怎么爱吃云片糕，也不可能吃出一个小女孩的模样来？

你知道，我的这种想象早就提前落空。

就连李四家的那栋房屋，我都看不到是什么模样了。

那一天从清早起，买主就请来了一帮人，把李四的那栋房子给拆了。我们看到的时候，房子已经没有了，拆下来的东西乱七八糟地丢得到处都是，就像一堆垃圾。在我的眼里，那就是垃圾。

当时的天，是准备黑下来的那个时候。

前来拆房子的人，有的已经走了，收工了，回家喝酒去了；有的正扛着拆下的木头，走在李四家门前的路上。

李四远远地就站住了。

我也站住了，我站在李四的身后。

我说：怎么啦？走呀，不走啦？

李四半天没有说话。

那些人也不说话，他们也远远的就站住了。

接着，有人把话问了过来，说：是四叔吗？

李四没有回答。

李四愣愣地看着他那已经没有了的房子。

那时的李四其实是被那样的情景吓傻了。

有人再一次把话问了过来，说：四叔，是你吗？

李四还是没有回答。

突然有人慌了起来，以为是遇着了鬼了，咣地就将肩上的木头丢在了地上。

木头落地的声音很响，那声音把其他人也都吓慌了，跟随着，木头落地的声响和四散奔逃的脚步声，响成一片，像是天塌。

回来！我是李四！你们跑什么跑！

李四突然朝着他们吼道。

那些人的身上都像是牵了绳子，李四那么一喊，就把他们都牵住了。

说真话，从那天晚上开始，我是真正地同情起了李四了。在那之前，我觉得他其实没有那么大的可怜，不就一个生日吗？做也过，不做也过，干吗弄得那么严重呢？我觉得他闹得太过了。可那天晚上，我觉得这个老人的命，还真是他妈的比我还苦，比我还惨！我失去的只是我的父亲，而他呢？他的老伴没有了，他的房子没有了，他，一个六十岁的老头，也在他孩子们的心目中死去了，往下，他该怎么办呢？

当天晚上，李四打着火把，带我去拿我父亲的骨灰盒，他刚要揭开坟墓，被我喊住了。

我说：算了，不挖了，就让我父亲埋在这里吧。

我想，我父亲他不死也死了，我拿着他的骨灰回瓦城又能怎样呢？还不如就这么留着，让他躺在这个静悄悄的深山沟里。我想，或许这还是老天爷的一种安排呢？如果哪一天我能了却他的心愿，我真的成了瓦城的人了，我真的能在瓦城买了我的房子，我再看看有没有别的什么办法吧，比如能不能把他迁进瓦城的公墓什么的。如果没有，就永远让他躺在这里吧。

李四没有多想，他只是对我说：随你的便，你自己想好。

我说：那就随我的便吧，我想好了。

他说：反正这事你以后不能后悔，后悔了也不能怪我。

我说：我不会怪你的，我也不再会后悔。我说你放心吧。

然后，我们来到他老伴的坟前。

他把买回的云片糕，一片一片地掰下来，一片一片地摆放在他老伴坟前的石板上。

就在这时，我禁不住问他，我说你怎么办呢？

他说：我还能怎么办呢？你说，你说我还能怎么办？

一个六十岁的老头子竟然这样回答一个毛头小子的问话，你可以想象，他的心是多么的难过，多么的凄凉，他已经不知道自己怎么办了，你说，你不同情他，你同情谁呢？我简直觉得，如果全世界只有一个人需要你去同情，那个人可能就是他李四。

我说：你不会想到死吧？

他没有回话。

我说：你千万不要想到死，你知道吗？

他还是没有回话。

我说：你跟我回到瓦城去吧，我带你去找你的那些孩子。

他说：你说他们还会认我吗？

我明白他的意思，他是担心他们会不会因此而恨他，而不认他。我说：怎么可能呢？你是他们的父亲，他们是你的孩子，他们怎么敢不认你呢？我说别的事情我可以帮你作证。

他说：他们要是不认我，我怎么办？

我当时觉得，这个老头怎么有那么多的顾虑呢？我觉得只要他回到瓦城，只要他站在了他们的眼前，他甚至不用开口，他们都会知道，这就是他们的父亲。他们怎么会不认他呢？于是我安慰他，我说在你回到他们的身边之前，你就跟我住在一起吧，反正我也没有了父亲了，你就当作是我的父亲好了。你可以一直住到他们认你的那一天。

我说：我父亲的身份证不是还在你的身上吗？他说是的，还在。说着要掏出来还给我。我说不用，我说：你先拿着吧，在城里，没有身份证有时还挺麻烦的，一不小心，就会碰着喜欢盘问的警察，他们的手总是伸得长长的，然后问你，有身份证吗？拿来看看。

我说：你就拿着我父亲的身份证顶用吧，反正你的身份证已经没有了。

他的身份证已经被他的孩子们烧掉了，连同烧纸，一起烧在了我父亲的坟前。

他看着我父亲愣了好久，他说那我拿你父亲的身份证也没用呀，谁不一眼就看出来了。

我不由愣了一下。相貌的问题确实是个问题。我便拿过父亲的身份证看一看，说实话，在这之前，我还真的没有看过几次父亲的身份证，这一看，我吃了一惊。因为我父亲在身份证上的人头，也不太像我的父亲。当然，也不像李四。

于是我把身份证递给了李四，我让他好好地看一看。

李四也觉得怪了。他说真的不是太像你的父亲，为什么呢？

他说那有人怀疑过这不是你的父亲吗？

我说怀疑多了，但我父亲的名字是对的，这上边的地址也是对的。还有一点，就是这脸上的颧骨，还是很像的。李四便摸了摸自己的颧骨，我顺眼看了看，发现他的颧骨，也是我父亲的那种颧骨，不是太像，也不是一点不像。他说：那我的名字不一样呀？我说：这就简单了，有人问你，你就说你是我的父亲，你只要记住我父亲的名字，记住这身份证上的地址就行了。

他的手便深情地落在我的肩头上。我看到他的嘴巴动了动，他好像有话要说，最后却什么也说不出来，他的眼睛眨了眨，好像在暗暗地流泪。

回瓦城的那天早上，山里的露水挺重的，走了没有几步，脚上的裤子就湿透了。

走到一个半山腰的时候，他突然停下来，指着不远处的一块地，他说：那是我家的。

我说：你家都没有了，你哪里还有地呢，你的孩子们不是把地都卖了吗。

他说没有。他说他们卖掉的只是地里的东西，不是地。地是不能卖的。我没死，那地就还是我的，我要是死了，那地就回到国家的手里，谁也不能卖。

他忽然眼光默默地望着我。

他说：要不你回你的瓦城去吧，我不去了。

我说：为什么？

他说：我还有地，我怕什么呢？

我说：你已经没有了房子了，你知道吗？

他说：那要什么紧呢？盖一个茅棚，我就可以住下了。

鬼子 瓦城上空的麦田

我说：算了吧你，你今天盖了茅棚，明天后天，你的那些孩子，他们总有一天会知道你还活着的，到时，他们还得把你弄到城里去的。你已经六十了，你一个人在山里能呆多久呢？

他便不再说话。

但他还是朝他的那块地走去。

我悄悄地跟在他的身后。

他是朝地里的那个稻草人走去的。那个稻草人歪歪的，眼看就要倒地了。

我看到他扶起稻草人的时候，眼里悄悄地竟流下了泪来，好像他扶的不是什么稻草人，而是他那永远离开了人间的老伴，或者那稻草人就是他自己。

他让我帮他，帮他把稻草人往地里插深一点，插牢一点，他希望它别再倒下。

他说：这里风大，你使劲点，免得我们一走，风一来，又倒了。

插好后他又试了几下，扯了扯稻草人的手，然后朝我点点头，算是放心了。临离开时，他又整了整稻草人身上的衣服，他的动作很细，从稻草人的衣领开始，慢慢地往下顺，先是衣袖，然后是胸襟，然后是衣摆，然后，是裤子，我看到他的手几乎没有放过一个地方，一点一点都做得十分体贴；完了，才去整理那稻草人头上的帽子，完完全全地把稻草人当成了一个人了。最后，他把稻草人手里拿着的那个白色的塑料口袋，也重新系了一遍。

我指着那个塑料袋问他，挂这个干什么呢？

李四只对我笑了笑，没说。

我想了想，觉得那塑料袋也不可能有什么特别的意思，也许只是随便挂挂，就没有追问。

从地里出来，走到路上的时候，我的脑子突然被什么挂住了，我马上回过头去。这一次，我终于明白了李四为什么掉下眼泪。那个稻草人，除了头上的帽子是李四的帽子，那稻草人身上穿的衣服，那稻草人下身穿的裤子，全都是他老伴的。我看着看着，竟像是突然看到了他的老伴了，她就站在我们的面前。

按理说，让李四回到他的孩子身边，不是一件太难的事，至少比捡垃圾要容易一些。你没捡过垃圾你当然不懂，但你可以想象一下，捡垃圾确实不是一件容易的事情，首先是臭。垃圾臭，捡完垃圾你一身的臭，但这些都是你自己愿意的，你怪不了谁。我说的不容易还不是这个，我是说，捡的时候你得在垃圾里不停地翻，你得不停地找，你得把你的眼睛睁得大大的，你一点都不能迷糊，你要是迷糊了，你就会除了一身的臭气，你什么也没有得到。

然而事实上，李四的事情，简直难透了。

刚刚回到瓦城的大街上，我们就碰着了他的孙女艳艳。

那是我头一次看到艳艳，我先是看到了李四的那张照片，然后才看到艳艳的。李四的那张照片，比锅盖还大，他被装在一个很好看的镜框里，被艳艳抱在胸前，正从街对面的一家照相馆里出来。

我一下就愣住了，我想那照片怎么这么像李四呢？

我忽然叫李四等一等，我说你先在这里等等，你先别走。然后，我横过街面，直奔李四的照片追去，然后把她拦住。

我问：小姐，你这抱的是谁？

我真的用了小姐二字，别以为我是捡垃圾的，讨女孩喜欢的一些字我还是会说的。

她扫了我一眼，说：你认识他吗？

我说：我可能认识。

我本来想说，我应该认识。或者直接说，我认识。但我给我留了一点余地。

她便告诉我，这是我的爷爷，他死了，你知道吗？

家里死了人的人都这样，他们好像都担心别人不知道他们家里有人死了。

我心里一下就咬定了，我知道那照片上的人头就是李四，捧着李四的这个女孩，就是李四的孙女。我因此高兴了起来，我马上对她摇摇头，我说你看看那是谁？

我朝着站在街对面的李四指了过去。

李四的目光一直地跟着我，他早就看到了他的艳艳了，他们的目光这时碰在了一起。

艳艳哇地一声就尖叫了起来，但她马上就把嘴巴挡住了，她说真的好像我爷爷耶，怎么这么像呢？

我说：不，不是像，而是真的，那就是你的爷爷，你爷爷他没死，他活得好好的。

我一边说一边迫不及待地朝街对面的李四招手，我让他过来。我想只要李四过来，只要他们把话对上，往下就什么都不用多说了。

可是，街对面的李四突然转身走了，而且走得很急，就像是小偷逃脱追踪的样子。我大喊了一声跑过去，哎，你干吗？你到哪儿去？

李四没有回头。李四的身影转眼就在前边消失了，被乱糟糟的人群吃掉了。

我一看急了，我丢下艳艳就朝李四追去。

但那李四不知怎么溜的，怎么找都没有看到他的影子，等到我回头想对艳艳说些什么的时候，艳艳也早就走了，艳艳不在原来的地方了，她回家去了。我在大街上又胡乱地找了一下李四，还是没有，找不到。我的心里当时真是恨死了李四了！

我心里想：

这老头，

你他妈的，

老子不理你了！

我差点在大街上自己给自己几个巴掌，然后发誓不再理他，我发誓他现在就是死在了大街上，老子也不理他。在走回住棚的路上，我一身都是愤怒。

一进门，我就把自己摔在了床上，可我刚刚躺下，突然有人敲门。

我说谁呀？

外边没有回话，但敲门声却没有停止。

我把门打开一看，他妈的，门口站着的就是那个讨厌的李四！

当时的天，已经黑下来了。

我说：你他妈的李四，你还来找我干什么？你已经没戏了，你完蛋了，你知道吗？你错过了一次最好的机会，你知道没有？可他怎么说？他说，他是怕他的艳艳会被他吓疯在大街上。我说：疯你妈，她年龄比我都大，她怎么会被吓疯呢？他说：她是女的你是男的，他说在她的心里，她爷爷——我，李四，已经死了，你知道吗？我说：我当然知道你死了呀，可你只要一过去，你和她，你们两人只要一说话，她就知道你真的就是她的爷爷，你真的没死，你知道吗？他说：问题是，我还没有跟她说话她就被我吓疯了，我怎么办？

他说他幸亏没有过去，他要是过去了，她艳艳肯定被他吓疯了的。

他一口咬定，他是为了他的艳艳。

真拿他没有办法。

我说：好，那你现在怎么办吧？没有等到他回话，我又把话拦了过去，我说：你不用再跟我说怎么办，我不管你怎么办了，反正你的事从此与我无关了，你不用再跟我说什么，你说了我也不听。

他愣了半天，最后问道，你真的不帮我了？

我说：我帮你干什么？我不帮了。

他暗暗地叹了一口气，然后说，那我明早就回我的山里。

我说：回吧回吧，明早天一亮你就回你的山里去吧。

他说：那我今晚怎么办呢？我在你这里住一个晚上可以吗？

我说：住吧住吧，反正明早天亮你就走了，今晚爱住你就住吧。

他于是爬到了床上，一声不吭地躺下了。

也不知怎么搞的，第二天凌晨，天还黑麻麻的我就醒来了。我是怕他真的溜回了他的山里。

我看到他还躺在我的身旁，于是把他推了起来。他睁开眼睛一看，说：天还没亮呢，我天亮再走吧。我说走什么走，你要是真的走了，以后你再来找我，我就真的不帮你了。

他说：你什么意思？

我说：我告诉你，你不要走。

他说：不走我怎么办？

我说：我给你想办法吧。

他说：你有什么办法呢？

我说：我现在还没有，我现在要睡觉。

说完，我一头睡了下去，一直睡到了中午才醒来。

我的办法还是从艳艳身上下手。

李四也表示同意。但他说，只能让艳艳告诉她的爸爸妈妈和她的叔叔们，让他们到这里来找他，他不想先去找他们。我明白他的心思，这是一个有关脸面的问题。不管怎么说，事情已经闹大了，事情的最初应该说是他那些孩子的过错，而事情的后来，则是他李四的不对了，这一点，李四心里是清楚的。我表示可以理解。我对他说，先这么办吧，不行了再想别的办法。人只要活着，办法总是会有的，我父亲活着的时候时常对我这样说。我父亲说，只要你永远记住了这句话，你就总有一天会成为瓦城人的。这个道理放在李四的身上，我觉得也是适合的。

我相信李四能回到他那些孩子的身边。

于是，每天中午的放学时间，我都跑到艳艳的学校门前，等着艳艳放学出来。

我告诉艳艳，你爷爷真的还活着，你的爷爷现在就住在我家里。

可艳艳就是不肯理我。

头一天她急急地走着，我跟她说了不到两句，她就拔腿飞跑了起来。

我当然不敢追，也不能追，我要是追上去，她要是告诉街边的人，说我是流氓，我就是不被打死，也有可能遍体鳞伤，以后捡垃圾都将成为问题。

第二天，我告诉她，你叫你家里的人先去看一看吧，看一看你们就知道那是不是你的爷爷了，可是，我话没说完，她拔腿又一次跑了。

第三天，我刚要上去，她身边的三四个男孩呼地一下，把她围住了，他们的眼睛全都火一样往我的身上燃烧着，他们的手和他们的脚，都在做着一种随时出击的样子，张牙舞爪的。我哪里还敢靠近呢？我不敢。我只有远远地看着她走远。

第四天和第三天一样。我知道这样下去肯定不行了。于是，我把第五天的方法改了，我让李四把事情的经过简单地写在了一张纸上，然后装在一个信封里，我拿去交给艳艳他们学校的门卫，让他帮我转交给艳艳。

那天我躲在暗处，我看见那门卫把信封交到了艳艳的手里，我看到她把那张纸抽出来看了看，又把它放回了信封里，她四处张望了一下；她可能想看看我在什么地方，但她没有发现我。她把信封装进了书包里，就慢慢地回家去了。

回来后我告诉李四，我说这两天你就在家里呆着吧，我相信他们会来的。至少有一点，我想他们会想到他们的父亲还活着，那就是李四的笔迹。

我问李四，他们应该熟悉你写的字吧。

李四说：怎么能不熟悉呢？

我说：那就好办了，那你就等着吧。

我说：等他们把你接走的时候，你告诉他们，你说我有一个要求。

他说：什么事？你说。

我说：你让他们给我一点钱，算是对我的辛苦和良心一点小小的回报。

他说：这应该不成问题吧。

我说：这很难说，到时你说了，可能就不成问题，你要是不说，不就成了问题吗。

他说：你这脑子里怎么想得这么复杂呀，你不是没有读过书吗？

我说读过一点，读了差不多三天。

他说：三天算什么呢，三天算个鸟！

李四就这样等着，每天都在住棚附近等着，我吩咐他不要走远。我担心他们来了看不到他。但我不能等，我得出去捡我的垃圾。

第三天中午，我出门没有多久，他们来了。

一共来了七个人，除了李四的几个孩子和他的女婿儿媳孙女，还有一个警察。

他们是坐着那个警察的车子来的，那警察是李瓦的好朋友。

那是一辆警用的面包车，面包车的头顶上装着那种可以叫唤的红灯，可以一路走一路叫一路放射着红色的光芒。李四说，那辆车远远过来的时候，他的心听得都碎了。

李四当时正在住棚不远处的路边，整理一堆我弄回来的垃圾，那是一堆转眼就可以换钱的垃圾，是我从很多很多的垃圾里捡回来的。我让李四把它们分类，哪天拉到各种不同的收购站去。

李四说，他以为那车子是路过的，没想到不是，那车子突然停了下来，把他吓了一跳。

车子一停，他就看到了他们，看到他的那些孩子，还有那个警察。

但他没有站起来，他就那么坐着。他只是抬起胳膊往脸上擦了擦，他想擦掉脸上的汗水，可他没有想到，他的胳膊很脏，抹过之后，他才发现胳膊上都是脏兮兮的汗水。

那警察本来走在后边，可他闪了几闪，就抢到了前头，站到了李四的面前。

李四当时想，他来干什么？他又不是我的孩子。

那警察却先说话了，他朝李四长长地伸着手，他说把你的身份证拿我看一看。

李四当然知道他的意思，但他不想理他，他觉得他的话没头没尾的，他把目光投到了孩子们的脸上。

他的嘴巴却紧紧地关闭着，他不想开口，他想听听是谁最先叫他爸爸。

孩子们就散开在警察的身旁，都在愣愣地看着他，没有人说话。

终于，李四发现李瓦的嘴巴连连地动了动，但是没有声音，他想他妈的，这小子什么时候得了结巴了，叫一声爸爸这么难？

李瓦的话终于出口了。

李瓦说：你，你听到没有，把你的身份证拿出来。

李四猛地瞪了李瓦一眼，但他还是没有作声，他把目光转到了李香他们的脸上。

那警察又说话了。这一次，他蹲下了身子，蹲在李四的面前，声音很低，也很平和。

他说：大爷，你有身份证吗？让我看一看吧。

李四的心里一下舒服多了，这一舒服，李四忽然糊涂了。

李四手也不擦，就从身上掏出了身份证。

那警察接过身份证的时候，那种神态谁都可以想象，高兴得就像抓到了坏人了。他一看到那上边的人名，就知道不用再说什么了，他两根手指紧紧一夹，就把身份证高高地举过了他的头顶。李瓦他们没有看到那身份证上的人头，那人头刚好夹在警察的手指里，那是他有意夹的，他觉得，让李瓦他们看到那上边的名字就什么都不用再说了。

那是我父亲的名字。我父亲叫胡来。

李瓦他们全都看到了胡来这个名字，而且看得一清二楚。

那警察把我父亲的身份证狠狠一摔，摔在了李四的脚下。

然后，他起身走了。

李四想这人怎么这样呢？他看了看脚下的身份证，伸手刚要捡起，突然，有人把垃圾狠狠地踢到了他的身上。

是他的李瓦。

李瓦指着他的父亲，狠狠地警告道：

老头，好好捡你的垃圾吧！

就这一声警告，李四的心头突然一阵绞痛，像是被刀深深地插了进去。他想愤怒地站起来，他想给他一个耳光，可他竟然站不起来。他只有一双愤怒的眼睛，狠狠地盯着他，但他的眼睛盯不了多久，就被闭上了，因为他的另外两个孩子，他的女婿，他的儿媳，还有他的孙女，他们都愤怒地把垃圾踢到了他的身上，踢得垃圾满天地飞舞，他睁不开眼睛，也张不开嘴巴，最后，一屁股倒在了地上。

随着那些满天飞舞的垃圾，李四听到的尽是恶毒的咒骂。

他们说：想过好日子是不是？做你的狗梦去吧！

他们说：死去吧老头！别以为长得像我们父亲，就可以冒充我们的父亲了！死去吧！

刘大奇还上来给了他一脚，狠狠踢在他的大腿上。

他说：你儿子呢？你儿子哪儿去了？

李四心想：我儿子不都站在你旁边吗？你说我儿子哪儿去了？

刘大奇说，你告诉他，要是再敢骚扰我的艳艳，当心敲烂他的脑袋！

说完，一个一个愤怒地扬长而去。

看着他们走去的背影，李四好久才从垃圾堆里坐了起来。

随后，他放声大哭。

我从外边回来的时候，李四还在乱糟糟的垃圾里坐着，我看到他两眼血红。

他说他永远都不会原谅他们，他们把那么多的垃圾都踢到了他的身上，他永远都不会原谅他们。总有一天，他要让他们统统跪在他的面前，他说总有一天。好像他恨的不是他的孩子，而是几个趁火打劫的恶人。

但我告诉他，我最恨的却是他，是他李四。

我说你应该对他们说话呀，你怎么能一句话也不说呢？

他说，他们都认不出我是他们的父亲，我对他们说什么呢？

他说：他说不出。

我说：有什么说不出呢？你首先得让他们听出你的声音呀，你可以叫他们的小名，你可以说出他们很多很多的事情。你不说，他们怎么能认出你来呢？你在他们的脑子里你已经死了，你知道吗？

李四却因此愤怒了起来。

他说：死了怎么啦？我就是烧成了灰，他们也应该认得出来！我是他们的父亲，他们是我养大的，他们有什么理由认不出我来？

我说：你他妈的做梦，你还没烧成灰呢，他们都认不出你了，你要是真的烧成灰，你说还有谁能认出你呢？

他却一口咬定，他们没有理由认不出我来。你说他们有什么理由？

事情都成了这样了，他还找理由？真他妈的有点可恨！

我说：你这老头你怎么这么犟呢，你要是这么犟，你就永远回不到他们的身边，你相信吗？

李四没有给我回答，他只说，反正他们认不出我来，我回到他们身边又有什么用呢？

他说只要他们认不出他来，他就永远也不认他们。

我死也不认。他说。

他就是犟！

他说他们只要往我身上闻一闻，他们都能闻出我是他们的父亲来。他说他们根本就用不着看什么身份证。看身份证干什么？那身份证是什么东西？就因为身份证上的名字不是我的，我就不是他们的父亲了？荒唐！荒他妈的唐！

这话说得还算有点道理，可道理这东西有时就是不能成为道理。用我父亲的话说，垃圾堆里的道理多着了，那都是被城里的人们扔掉的，都变成了垃圾了。

其实，早在艳艳扛着遗像回家的那天晚上，李瓦他们就一致认为，可能有人想冒充他们的父亲了。那天，他们为了艳艳在大街上的奇遇，作了整整一个晚上的分析，最后的结论是：肯定有人在想冒充！这年月，他们说什么荒唐的事情都有可能发生，不是连市委副书记都有人敢冒充了吗？而且还在市政府的办公楼里开会作报告，风光了整整半个年头。都觉得应该提防呀，应该小心，千万千万不能上当，千万千万不能被人当成传说的笑话。

惟独没有人想一想，他们的父亲是不是真的还活着。

所以，看到艳艳拿回那封信时，也没人细心地看一看那信上的笔迹，哪怕怀疑一下也是好的，那是他们父亲的笔迹呀，他们竟然视而不见，或许他们有人在脑子里想到过，但他们的心里就是不肯相信，他们只是相信：冒充他们父亲的人，终于来了！

他们觉得不可思议，一个捡垃圾的老头胆子怎么这么大呢？

李瓦当即就把电话打到了那个警察的手机上。他问他有空吗？什么时候有空，有空帮我们收拾两个捡垃圾的混蛋，他妈的，一个捡垃圾的老头竟敢要冒充我的父亲，对，他说他还活着，他说他在哪里哪里，正在捡垃圾度日，真他妈的此地无银。

捡垃圾是我和李四在信里留下的疏忽，我们真的不该写，也许那样他们就不会一眼把我们给看低了。不过，当时我和李四也是想到过的，我们最后觉得，还是说真话吧，说真话也许更好些，谁想到真话反而把李四的事情给砸了？

李四的那些孩子，他们为什么会这样呢？

李四想不明白。

我也想不明白。

我和李四曾经想过，是不是跟他们的职业有关呢？是不是他们的职业把他们的脑子弄成了那样？其实不是的。除了艳艳是读书的，李香是开出租车的，李香的丈夫、李香的弟弟还有李香的弟媳，他们都是干什么的，我好像一直没有提到过，其实不提反而好，免得有人产生误解。我告诉李四，我在瓦城捡了快十年的垃圾了，我可是什么人都见过，他们都差不多，真的差不多。

可话说回来，如果我们是李瓦，如果我们是李香，我们又会怎么样呢？

我们也会怀疑吗？

会的，我们可能也会怀疑的。

但这话我没有告诉李四。

瓦城的很多事情，他也许到死都是弄不清楚。

我也弄不清楚。

从此，我和李四，两人像两根木头，经常呆呆地站着，你望望我，我望望你，我说怎么办呢？他也说，怎么办呢？都不知道怎么办。每天晚上，我们好像都在想呀想呀，想看看还有没有什么办法，但什么办法也没有。那些天里，李四也跟着我上街捡垃圾去了。那是他自愿的。我说不用，我说只要住棚里还有吃的，你就每天都睡着吧，只要你能睡出什么办法来，那就好办了。我心里想，他不可能一直地跟我往下住，他还得想办法回到他的孩子们身边去。可他觉得老是那么睡呀睡呀，可能睡死了都睡不出办法来，就跟着我上街去了。

在大街上，李四只要看到他的孩子，就会急急地往前走去，他想让他们看到他，他希望他们在看到他的时候，突然找回到他们心里的印象。毕竟，他是他们的父亲呀，他不信他们真的一点都没有了印象。他不信。

但是，一点用处都没有。

除了几个白眼，或者几句咒骂，没有得到更多的东西。

我说，首要的问题可能还是沟通的问题，你还是想办法跟他们说说话吧，你别光是那么愣愣地看着他们。光是愣愣地看着他们是不行的，绝对不行。

可他还是那一句，他说只要他们认不出他来，他就永远不会对他们开口。

我对他们开口干什么呢？他说。

有一天晚上，深更半夜了，他睡不着，他把我推醒。

他说，你能陪我去一个地方吗？

我说：去哪儿？你一个人去吧，我要睡觉。

可他还是拉着我，他说：去吧，陪我去一下。

他说他不能一个人去，他怕出事。

我只好迷迷糊糊地跟着他去了，但他却没有告诉我要去什么地方，直到走到了，他停下了脚步，他才悄悄地告诉我，他想听听他那李城的房里睡着几个人。

我当时没有听懂。我觉得这老头怎么这么奇怪。

我说睡一个人又怎么样，睡两个人又怎么样？

他说睡一个人那就是他的老三李城一人。

我说那睡两个人呢？

他说睡两个那就不光是他老三李城了，另一个肯定是他李城的女朋友。

我说：那又怎么样呢？

他便不再看我，他说：你不懂，我说了你也不懂。

我说：我有什么不懂的呢？你说吧！

他还是不说，他说：待会告诉你吧，待会告诉你，你先给我听听，听听是一个还是两个？

李城住的是一楼，楼下的路灯全是黑的。李四拉着我悄悄地摸到李城的窗下，我们听了好久，才听到了睡的不光是李城，还有一个是个女的，毫无疑问，那就是李城的女朋友了。但那女的声音一点都不好听，有点像是猫叫。而李四心里却是甜丝丝的，我当时还想多听一点什么，他却把我拉走了。

他说行了，不要再听了。

往回的路上他告诉我，他心里最牵挂的只有这个老三了。他说他李城快三十了，他的房里如果晚上总是睡着一个人，那他以后就难了。我说：难不难是他的事，他们连你都不认了，你还管他干什么呢？他就说，这你就又不懂了，再怎么说，他总是我的孩子吧，我心里不挂念他，谁挂念他呢，他妈妈没有了，他的哥哥和他的姐姐，他们这样没心没肺的，他们还会想着他吗？

这老头真他妈的不可理解。

人心其实都是不可理解的，但人心都是肉长的，就连李瓦他们也是这样。李瓦他们的心也不是那种完全的木头，真的不是。在他们的心里，他们的母亲死了，他们的父亲他们也以为死了，他们真的很伤心，他们真的感到他们是有错的，他们不知道如何才能弥补他们的过失。每天晚上，吃饭的时候，他们都会在桌上多放两个饭碗，多放两双筷子，喝酒的时候，还给父亲也满满的倒上一杯。每一家的电视机旁，都放着父母的照片，都镶在那种很高档的镜框里，照片的前边，就是父母的灵位。进门的时候，都会首先走到父母的面前，默默地看一看；出门的时候，也是首先走到父母的面前，默默地站一会，然后才转身出门，然后，轻轻地把门关上，而且关门的声音都比以前小了，像是声音大了会吵着了父母，他们总是把门轻轻地带上，可能是轻轻地带上了，那门还是响，他们就在锁头那里抹上一点蜡，在门的活页上滴上几滴油，让门的声音慢慢地小下去，最后几乎是没有了响声。这些都是后来我和李四亲眼看到的，而且是李四自己发现的，他先是怀疑他们的门，怎么都不像以前会发出梆梆的响声了，毕竟，李四是有经验的，他把门上的活页，一个一个地看了，还用手去摸，摸得手指上都是油。头一次，他是在李城家里看到的，他当时看着手上的油，泪水就下来了。我不知道他的心里当时是怎么想的，我没问他，我只是对他的这种说法表示有点怀疑，我说你凭什么以为这活页的油，就是为了不让门的声音太大，而不让门声响得太大，又是为了不惊动他们的爸爸妈妈，为了让他们好好安息呢？

但李四说，你不用怀疑。

他说我知道。

有一件事，我倒是完完全全地相信，那是艳艳当面告诉我的。

她说，她母亲每天深夜开车回来，临睡前，都会走到她爷爷和奶奶的面前，然后默默地说着：

爸，

妈，

我累了，

我要睡了，

我要关灯了，

你们也好好歇着吧！

说完了默默地鞠上一躬，然后再把灯慢慢地关上。

她说她妈妈几乎每天晚上都要这样，而每一次都让她十分地感动。

我当时只闪过一点点的怀疑，我说真的吗？

她说当然是真的。

我便在脑子里把她母亲那种默默的样子默默地想象了一遍，并在嘴里默默地念道：爸，妈，我累了，我要睡了，我要关灯了，你们也好好歇着吧！就这么刚一念完，我还来不及在想象中把灯慢慢地关上，我的眼睛忽然一热，我悄悄地被感动了，我差点要落下泪来。

艳艳和我曾有过一次亲密的接触，当然，我说的这种亲密不是你们说的那种亲密，而是她在我的屁股上狠狠地踢了一脚，在我的大腿上踢了一脚，一共踢了我两脚。

是她自己找到我的，因为我和李四，我们俩偷偷地打开了他们家的房门。

那是李四忽然想到的一个绝招。有一天，我回家的时候，看见他蹲在住棚的门前等我。他说他的钥匙丢了，我当即就告诉他，丢了也可以进啊，你用不着这么等着。我让他把身份证拿出来，我用我父亲的身份证轻轻一插，就把锁头打开了。

他一看，两眼就惊奇地大了起来，他拿过身份证不停地看着，摸着，他没想到那身份证竟然还有那么大的用处。

突然，他喊了一声，有了！

我问他什么有了，他竟不说，只拉着我，让我跟着他走。我没想到他要拉我去干什么，直到我们悄悄地摸到了艳艳家的门前，我还不知道他要干什么。我不知道那就是艳艳他们的家。在那之前，我没有去过。直到他用我父亲的身份证打开了艳艳家的房门，一眼看到了电视机旁的他和他老伴的遗像，我才大吃了一惊。我这时才发现，李四胆子真大。他要是在路上把这个想法告诉我，我会死死地拉住他，我不会让他去做这样的事情的。倒不是怕他捅烂了我父亲的身份证，不是。我是怕他这种小偷的做法，要是被人发现了，问题可就大了，如果屋里有人，如果打开房门的时候突然碰着了邻居出来，结果真是不堪想象。

然而，我们进了一家又一家，而且往返进出了好几次，我们从来都没有碰到过哪家有人，我们在楼道上倒是碰到过几次楼里的邻居，但没有人把我们放在眼里，我们在开门的时候也碰着有人上楼下楼，但没有人怀疑我们是坏人，就连一丝怀疑的眼光也没有。其实他们咳嗽一声都能把我们吓得半死，但他们好像见了我们，反而把嘴巴闭上了，闭得紧紧的。

有一天，李四还为此专门问我，他说：瓦城人怎么这样呢？

我说：全靠他们这样，要不你早就完蛋了，你早就被当作坏人抓了好几次了。

他点点头，他说这倒是。

我问他：你当时胆子怎么这么大呢？

他说：没什么胆子，我只是想，那是我孩子的家，我怎么不能进呢？

别的，他说他没有多想。

每一次，我跟着李四走进李瓦他们的家里，李四都不让我乱走乱动，他就让我在他的身边站着。他说你别动他们的东西，你什么都别动。我跑到厕所，也就是你们说的洗手间，我要撒泡尿，李四都不让，我的东西都掏出来了，我已经站好了架势，他还跑过来一把狠狠地揪住我的东西，硬是塞回了我的裤子里。他怕我的尿会留下异味，会让他们产生怀疑。

我说：我的尿有那么臭吗？

他说：臭死了，不跟你住在一起我还不知道呢，你的尿简直是臭死了，好像整个瓦城的垃圾都在你的尿里，你的尿里全他妈的都是瓦城的垃圾。

为了李四，我只好憋着。

李四的目的十分简单。一进门，他就走到他们的遗像前，先是给他的老伴默默地说上一句什么，然后拿起他的遗像，狠狠地摔到地上，把他的遗像摔得粉碎，然后找出一些能让他们想起他的东西，丢在被他砸烂的遗像旁边，比如，他从山里给他们拿来的一些竹器；比如，他们给他穿过的一件什么衣服。有一天，我们在李香的家里，他竟把厨房里的切菜板也扛了过来，丢在碎玻璃的边上。我看着纳闷，我说你这是干什么？他指着菜板边上的铁箍说，这是我帮他们箍上的，我要不箍，这菜板早就没有了。

在李瓦的家里，我们又看到了我们写的那封信，我想把它撕了，他却叫我放手，他让我给他，然后他在李瓦家的书房里，找到了以前他给李瓦写的信，他把两样东西放在一起，放在那些碎玻璃的上边。

他想唤醒他们的记忆。

然后，我们回到住棚里等着。

我们等着他们的动静，我们以为他们会悄悄地出现在住棚的门前，然后悄悄地把住棚的门推开，然后……然而没有，什么动静也没有。

李四不肯相信。他说我们再去，我不相信他们真的这么麻木！

就这样，我们又反反复复地进出在他们的家中，每一次重去，我们都看到李四的遗像又换了一张新的，李四就再一次摔烂在地上，再一次地重复着把那些能让他们想起他的物件，一一地摆在碎玻璃的上边。

那样的过程其实是李四很痛苦的过程，有时我看到他很愤怒，愤怒得两眼血红；有时，我则看到他默默地流着老泪，一滴滴，一串串，落在那些物件的上边。

然而，李瓦他们都把这些当作什么了呢？他们当然不会视而不见，但他们只是感到恐慌，感到一种从来没有过的恐慌。看着摔碎在地上的镜框，看着碎玻璃上的那些物件，他们只是在暗暗地发抖，他们被吓慌了，他们都以为，是父亲在发怒了，是他们的父亲回来显灵了。李瓦不敢告诉李香，李香也不敢问问李城，李城当然也不敢跟李瓦吱声，都以为父亲怪罪的只是自己，都再一次地在心里默默地骂着自己，骂自己真他妈的该死，骂自己那天晚上为什么不问问父亲后来住在了哪里，如果问一问，如果找一找，即使头一天晚上没有找到，但第二天也许还是能找着的。父亲不死，母亲怎么会死呢？肯定是父亲怪罪来了，所以，他们都默默地承受着，谁都没有吱声。

这是艳艳告诉我的，因为艳艳猜到了是我们干的。

但她没有告诉他们家的大人。

那天我正在街边捡我的垃圾，我没想到艳艳会突然出现在我的身旁，一脚狠狠地踹在我的屁股上，把我踹倒在了垃圾桶旁。

我回头一看抽身就想逃跑，我怕她还有同学跟上，我怕他们揍我。

但我被她喊住了。

她说：别跑，跑了明天还得找你。

我看了看四下没有别人，就站住了。

她说，你和你爸爸，你们是怎么进的我们家？

我当然不能告诉她，我装着我没有听懂。我说：我不知道你说什么。

她说：你别装，你再装我也知道是你们进的。

我说：你凭什么，你有证据吗？

她说：我不要任何证据，你也不用慌，我只要你给我保证，以后不能再进了，知道吗？

说着，她打开那瓶拿在手里的矿泉水，递到我的手里。

我没想到会有那样的好事。你别看那只是半瓶的矿泉水，而且是她喝剩的，在那之前，有谁给我喝过吗？没有。我们整天在大街上来来往往地捡我们的垃圾，从我们身边走过的人，有大的也有小的，有男的也有女的，有是官的也有不是官的，有有钱的也有没有钱的，有谁给我喝过半口水呢？有人的手里拿着剩下的矿泉水比那还要多，可他们总是当着你的面，直直地丢进了垃圾桶里。

看着那半瓶矿泉水，我是真的有点感动，当然，我不至于感动得两手发抖，我只是忽然觉得她长得真是有点漂亮。其实她长得很一般。我对她笑了笑，我说了一声谢谢。她随后把我叫到一旁的台阶边坐下。我不坐。我怎么能跟她坐在一起呢？我在她的面前站着。然后她告诉我，说她的爸爸妈妈，她的叔叔他们，是如何如何的愚蠢，只有她猜到是我们干的。

你知道我怎么猜到你们吗？她问。

我说：我不知道。

　　她说：因为你们没有拿走任何一样东西。我说：不拿东西就能证明是我们干的吗？她说：当然啦，因为你们有更大的阴谋，你们想让我们觉得我爷爷还活着，你们还是想让你的爸爸能成为我的爷爷。

　　我说：那其实就是你的爷爷。

　　她说：你别再这么说，你再这么说，我就报警去了。

　　我说：那你去呀，你报警去呀。

　　她说：你以为我不敢吗？我刚才就是要报警去的，可我看到你，我就不想去了。

　　我说：为什么？是因为觉得我们可怜吗，不会吧？我让她别这么说，你要是这么说，我会觉得全身发冷的。

　　她便生气地站了起来，她说你别不相信人好吗，我真的是看见你可怜才停下的。我觉得你们这些捡垃圾的还真的不容易。整天跟这些垃圾在一起，又臭又脏，能挣几个钱呢？

　　我说：挣不了几个，一般般吧。

　　她说：这我知道，捡垃圾如果能捡出好日子，你们也就不打我爷爷的主意了。对吗？

　　我说：对什么对，不对！那真的就是你的爷爷。

　　她一脚就狠狠地飞在了我的大腿上，把我飞得远远的。

　　我有点吃不透艳艳这个女孩。她是真的可怜我们吗？

　　过了好几个晚上，我才把艳艳的发觉告诉了李四。李四听后脑袋突然一沉，掉到了大腿根上。好久才抬起了头来。他说：完了，完了，他们怎么这么麻木呢？他们不是都读过书吗？他们怎么就相信那是我显的灵呢？我人都还活得好好的，我显什么灵呢？我就是死了，我也是显不了灵的呀，我怎么显呢？我一个山里的老头子，我都不相信那些东西，他们怎么反倒相信了？你们都读过什么书呀？你们有的还是国家的干部呢？你们到底干的国家什么部？

我一声不吭。

就是那天晚上，深更半夜的时候，他突然从床上悄悄地爬了起来，灯也不开，就悄悄地往外走去。我以为他是撒尿去的，但他一出门就回头把门掩上了。我心里忽然一沉，心想这老头会不会去寻短见呀？我不敢多想，也不敢把他喊住。我悄悄地就跟在了他的身后，跟着他慢慢地走着。

最后，他爬上了一段高高的城墙。

那是一段古老的城墙，人们把那里叫做古南门。

我想他爬到那上边干什么呢？他要是头朝下往下一栽，那也是必死无疑的。

我于是大声地喊道：李大叔，你要干什么？

我的声音把他吓了一跳，他在城墙上朝我回过了头来。但他没有作声。

我急急地朝他爬去。

他说：你来干什么呢？

我说：那你呢？你来干什么？

他说：我睡不着，我想到这里来坐坐。

我说：这么远的地方有什么好坐的呢？你不会有什么想不开吧？

他说：不，我只是想到这里坐一坐。

我不肯相信。我说：你不用骗我。

他说：我骗你干什么呢？

然后，他把目光抛往远处的天边，好像要在前边的黑暗里寻找什么。

然后，他告诉我，这里他已经不知坐过多少次了，前前后后，都二十年了。头一次，是送他的李香进城的那一天。那一天你知道我上来干什么吗？他问我。

我摇摇头，我说我不知道。

他说，我当时只是觉得这个地方好，我想找一个高一点的地方坐一坐，我想好好地看一看瓦城。因为瓦城是我心里一直向往的地方，我早就发誓要让我的三个孩子，一个一个地都成为瓦城的人。那时他们还小。

我忽然就感到异常的惊奇，我说：那你跟我父亲一样。

他便定定地看了我一下，他的头接着摇了摇，他说不一样。他说：你父亲怎么跟我一样呢？不一样。我和他完全不一样。

我知道他的意思。他的意思是我的父亲不如他，我不能随乱地拿我的父亲与他相比。

他接着便转过了头去，继续看着远处的黑暗。

他说：那天我就坐在这里，那时太阳已经下山了，但天上的白云还在，还在东一朵西一朵地飘着，我就看着那些白云，我想啊想啊，突然，我眼里的一朵白云变成了一块麦田，我发现那块麦田是从远远的山里飘过来的，飘呀飘呀，就飘到瓦城来了。

你知道我的意思吗？他问我。

我觉得这种想法蛮有意思的，我觉得有点像梦。但我不知道他说的意思是什么意思。

我摇摇头，我的意思是我不知道。

他说，我当时的感觉是那一块麦田就是我的李香。

我当时有点想乐，我不由轻轻一笑。

他说：你别笑，真的。你现在还小，你还不知道，在每一个当父母的心中，他们的任何一个孩子，其实都是他们心中的一块麦田，等你大了，等你结了婚，等你有了小孩，你就什么都知道了。从那以后，不管是送来我的李瓦，还是送来我的李城，只要他们有人又进入了瓦城，送到后我都会爬到这里来，我总是像现在这样坐着，然后看一看天空，看一看天边的白云，我会觉得我心中的又一块麦田，在飘呀飘呀，从山里又远远地飘到了瓦城来了。那种感觉你可以想象，那真是太幸福，太幸福了。李城是最后一个到瓦城来的，那一天，我还拿来了一瓶酒，我坐在这里慢慢地喝着，我喝一口，想一想；想一想，又喝一口。我觉得在我们那个山里，我是永远没人敢比的。我这么跟你说吧，在我们山里，只有我李四，我能让自己的孩子一个一个地全都成为了瓦城的人。我在我们那里，是最能干的，也是最被别人羡慕的，因为别人的孩子，别人的麦田，他们都在山里呆着，永远在山里呆着，就我李四，就我李四的孩子，就我李四的麦田，全都一块一块地飞到了瓦城来了。你说，谁能跟我比呢？

没有，

绝对没有！

李四说得有点激动，说着说着，就流了一脸的泪水。

从古南门回来，我的脑子里也经常飘荡着李四的那些麦田，我想象着，如何把那些麦田，一块一块地拖下来，然后铺垫在李四的脚下，铺展在李四的身边，让李四轻轻地抚摸着它们，让李四在上边任意地走来走去，累了，他还可以躺在上边呼呼地睡着他的大觉，一直睡到月亮升起的时候，才被那些麦田慢慢地托起，托起，然后在夜风中晃来晃去，晃去晃来……

但我不知如何帮他。

李四好像也没了捡垃圾的劲头了，整天蔫蔫的，像一块一直等不到雨天的麦田，让人越来越可怜他。我安慰他，我说实在不行，实在回不到他们的身边，你就真的当我的父亲好了，我们一起捡垃圾过我们的日子吧。

他却总是摇着头。

很坚决地摇着。

他说：不，我再等他们几天，我看看他们在七七那天做些什么，我看他们还能不能让我看到希望，如果没有了希望，我还是回我的山里去吧。只要回到我的山里，只要我不死，总会有一天，会有人把话传到他们的耳朵里的，到时，他们会回到山里去的，到时，他们会自己跪在我的面前的，我让他们一个一个地跪，我让他们给我跪成一排。

我没有作声，从他的声音里，我觉得有点阴森森的，我觉得身子有点发冷。

于是，我们便数着日子，等着第七个七天的到来。

那一天，他早早地就把我推醒了。

他让我帮他去侦察，看他们各家都有些什么动静，然后回去告诉他。

我急急地就跑到了他们各家的楼下，但我看不到他们与往常有什么不一样的动静，该上班的他们还是一样去上班；该跑车的，还是一样去跑车；该上学的，也还是一样去上学。中午的时候，他们该回家的还是一样地回家，接着，该上班的还是转身就上班去了；该跑车的，还是一样去跑车；该上学的，也还是一样去上学，一个下午就这样也过去了。我在他们经过的路口，注视着他们。我看不到什么值得跑回去告诉李四的东西。

我心想，完了，这李四看来要彻底地失望了。我想，我该不该把他挽留下来呢？怎么挽留？留下来又能怎么办呢？就这么让他跟我一起捡垃圾，一直捡到死去？就这么几个问题，让我整整犯难了一天，有的问题，在阴暗的地方想不开，我就跑到强烈的阳光下，我让太阳拼命地晒在我的头顶上，我希望太阳晒着晒着，突然间就把我的脑袋晒出了一点什么想法来，可太阳把我都晒昏了，我还是想不出该怎么办。我想还是再等一等吧，我希望能等出一个李四希望得到的结果来。

李四要等待的是一个什么结果呢？

李四没有告诉我。我问过他，他说到时看情况吧，看情况了再说。

他说，他也有点吃不准，吃不准会不会还有希望。

临黄昏时，我才突然发现了他们的活动。

我先是发现了李瓦夫妇，他们都换了衣服，然后站在街边拦住了一辆出租车。门还没有打开，李瓦就朝里边的司机喊道：

去瓦城酒店。

看着往前开走的车子，我也飞腿朝瓦城酒店狂奔而去。

到了瓦城酒店我才发现，李城早就来了，李香一家也来了。还有一些我不认识的人，肯定都是他们的朋友。他们在瓦城酒店的一楼餐厅里，摆了大大的一桌酒菜。

我转身就往回跑去，我要回去告诉住棚里的李四。跑没多远，我便拦住了一辆的士，我怕等我跑着回到了住棚，再和李四跑回来的时候，他们早就离开了酒店了。那是我有生以来头一次坐的出租车，也是目前惟一的一次。我让出租车先拉我回到住棚的门前，然后拉着李四，飞一样回到了瓦城酒店的大门前。

鬼子瓦城上空的麦田

　　我告诉李四，他们肯定是在这里吃饭。

　　李四说对，他们今天是应该吃饭，跟他们在一起吃的，还应该有他们的母亲，还有我。等吃完了这一餐了，他们的母亲，还有我，就算是跟他们永远地离别了。

　　我说永远离别的是他们的母亲，不是你，你还活着，你还要回到他们的身边。

　　他说：对呀，我就是要回到他们的身边，我没说我死呀，我那说的是道理。

　　他突然就急了起来。

　　我说那我们怎么办？我们也进去跟他们坐在一起吗，不可能吧？

　　他便不再理我，他四处地乱窜着，最后，窜到了一楼餐厅外边的一面玻璃墙下蹲着。

　　从那里，可以清清楚楚地看到酒桌上的他们。

　　那是一面高高的玻璃墙，从顶上几乎一直地装到地面上。李四拉着我在他的身后坐着，他不让我靠在他的身边，不让我与他并排。但我还是从玻璃的反光里，看到他的胸前举着了一张小小的照片。那是他老伴的照片。是他在翻李瓦家的书房时翻到的，被他偷偷地收在了身上。

　　我知道他的意思，但我说，你这样没有用的，你还是进去吧，这可是一次最好的机会了，你进去一个一个地叫他们的小名，你告诉他们，你是他们的父亲，你手里拿着的是他们的母亲。你让他们好好地看一看。他们要是再不相信，你就一个一个地说出他们身上的印记，然后让他们一个一个地脱下他们的裤子。我话没说完，就被打住了。

他说：你怎么老这么下流呢？你不能光想着这些下流的手段。

他说完狠狠地白了我一眼。

我说：那你就进去跟他们说说话吧，你一说话，他们会听出你的声音的。

他摇着头，他说他不进去。

他说我进去干什么呢？我只让他们看到我，我让他们看到我难受，这就够了。

因为我是他们的父亲！他说。

我说：好好好，你是他们的父亲，那你就这么蹲着吧，你看他们难受不难受。

一转身，我也蹲到一边去了。

酒桌上的人都吃得挺开心的，该喝的还是一口就把杯里的酒喝掉了，该吃的，还是一嘴塞得满满的，吃得眼睛一翻一翻的，几乎都是白眼，看他们的吃相，你一点都看不出来，他们的爸爸死了，他们的妈妈也死了，这一餐，是给他们的父母送行的。

玻璃墙外的李四默默地蹲着，默默地看着，默默地在胸前举着老伴的照片。

从玻璃的反光里，我看到李四的眼泪在默默地流着，在默默地往下滴答着，慢慢地，他好像有点受不了了，他的身子好像在暗暗地颤抖，他晃了晃身子，最后把脑门重重地顶在玻璃墙上，但他手里的照片没有放下，他的眼泪还在慢慢地往下流着，他的眼光穿过泪水，还在充满希望地盯着酒桌上的孩子们。

那样的情景，我都受不了了，但我不敢过去惊动他。我的眼睛眨了眨，我也禁不住流下了泪来。

终于，李四被他们看到了。

最先看到的是艳艳，她两眼忽然一惊，随后把手长长地横到桌面上，她让他们把手里的酒杯和饭碗停下。她让他们快看，快看一看玻璃墙外边的李四。

就这样，所有的眼光都朝玻璃墙外的李四投来。

他们可能没有看到李四胸前的那一张照片，因为那张照片太小了。但李四脸上的泪水呢？李四的脸那么大，他们是应该看到的。

但没有！

李四的泪水只是李四自己的泪水。双方的眼睛对视了没有多久，李瓦就招手把一个饭店里的保安叫到了面前。从李瓦那动来动去的嘴巴上，我能猜得出，他跟保安说了些什么。

他一定说：去！去帮我把外边的那个老头轰走，那是一个捡垃圾的老头，他趴在那里影响我们吃饭，你知道吗？一边说，一边朝玻璃墙外的李四胡乱地指着。那保安不住地点着头，然后对着玻璃，直线朝我们走来。一边走，一边朝着我们不停地扬手，嘴巴也跟着不停地说话，那意思是让我们走开走开，捡你们的垃圾去，这是饭店知道吗？饭店里没有你们要捡的垃圾，到别处去吧，走走走！人家里边要吃饭，你们知道吗？他肯定是这么说的，不这么说他会怎么说呢？

我怕保安。我怕保安远过于害怕警察。他们根本不跟你讲什么道理，他们的道理是，你们这些人不能随乱跑到我们这里来。

我一看不好，马上过来拉了李四一把。

李四却不理我，他把我的手打掉了。

我说再不走待会就要挨打。

他还是不理我。他依旧那么蹲着，手里的老伴一直地贴在胸前。

那保安不停地敲打着李四脑门上的玻璃，让李四走开走开。

李四却不怕。

李四没有把脑门从玻璃墙上挪开。

那保安的眼睛突然就愤怒了，他接连比划了几下之后，转身就往外扑来。

一看保安那怒气冲冲的样子，我的两条腿早已惯性地往远处飞去，但我还是紧紧地拖住了李四，我使出了全身的力气，把他从玻璃墙下拖得飞了起来。

我说走吧，不走就他妈的遭殃了！

李四的身子沉沉的，他拼命地与我对抗着，我都把他拖出了好远了，他还倾着身子往回扑着，想回到那块玻璃墙下。

全靠艳艳飞快地跑了出来，才把那个怒气冲冲的保安给拦住了。

艳艳的手里提着一个不小的食品袋，袋里装有不少随意倒进来的吃的东西，有鱼，有肉，还有虾子等等，都是一些我从来没有吃过的东西。她把那些递到李四的手里，一边推着李四快走，一边回头叫那个保安回你的酒店去，你不要管。

然后，我听到艳艳对李四叫了一声大爷，她说你别哭，你用不着难过。

李四推回手里的袋子，但艳艳不让，艳艳让他拿着。

她说：你拿着吧，你真的很像我的爷爷，你要不是捡垃圾的，我也许会认你做我的爷爷的，你相信吗？

说着，她还从身上掏出了一些钱来，硬是塞进了李四的手里。

李四当时只剩了哭，只剩了流泪，他的嘴巴哆嗦着，就是听不到一句话。

也许从艳艳的身上他感觉到了一点点什么温暖，回来后，竟不再提要回山里的事了。他整天只是默默地坐着，泪水也是要掉不掉的。我不知道为什么。我没有问他，也不该问他，否则就等于要把他赶走。我也不再问他往下怎么办？有关他的话题，我一句都不提。

默默地，又过了好几天。

但不知怎么，我的心里总像结着一块疙瘩，我觉得他这么住下去总不是办法，毕竟，他是李瓦他们的父亲，而不是我的父亲。我想我还得帮他。我决定硬着头皮，找他的孩子们谈一谈。我想让他们到我的住棚里坐一坐。我想只要坐一坐，只要谈一谈，李四就会眨眼间又是他们的父亲了。李四要的不就是他们给他先开口吗？

出门之前，我换了一身好点的衣服，我还在大街上剪了一下头发，我让我变得干净一点，我不能让他们觉得我一身臭烘烘的，那样他们不会理我，也不会听我说话。

走过派出所门前的时候，正好碰着了李瓦。他正跟那一个警察朋友聊着什么，聊得满嘴笑哈哈的。于是我站住了。我想，我先跟李瓦谈一谈吧。但我没有朝他们走上去。我说过我怕警察。我这不是说我恨他们，不是。我只是怕。我在一棵树下等着，等李瓦走开了，我再追上去。

但李瓦却先看到了我了。

他朝我招招手，让我过去。

我没有过去。我也没有走开。

他便拉着那个警察，两人一起朝我走来。

他们两人的脚步声挺重的，也挺响的，一步步的就像是一脚脚踏在我的心坎上，让你感到有一种要震要裂的感觉。真的。

李瓦一上来就问我：你和你的父亲，最近还有什么新的想法？

我知道他的意思，但我告诉他，我不知道你说的什么意思。

我说：那真的就是你的父亲，我今天就是想找你好好地谈一谈。

李瓦的嘴里突然就嘿嘿了两声，回头对那警察说：听到没有，他还想找我谈一谈哩，他说那老头就是我的父亲。

我说：真的，那真的就是你的父亲，不信你去跟他聊一聊你就知道了。

他叭地一声，一个巴掌狠狠地打在了我的脸上，把我的脸都打歪了。

我揉了揉，我把脸又扭了回来。我的泪水已经出来了，但我的嘴巴没有停下。

我说：真的，你去跟他聊一聊你就相信了。那真的就是你的父亲。他叫李四。

李瓦叭地一声，又一掌打在了我的脸上，我突然感到嘴里一阵温热，我知道我的嘴里出血了，我努努嘴，我想把血吐出来，但我的双手忽然被那警察扭住了，他往后一拉，就把我铐在了身后的小树上。那树很小，摇摇晃晃的，让你想靠都靠不住。李瓦也不让我靠，他猛然一脚就踢在了我的小腿肚上。我脚下一失，身子从树上滑了下来，一屁股重重地坐在了地上。

李瓦慢慢地蹲下来，蹲在了我的面前，然后问：告诉我，那老头是谁的父亲？

我告诉他，我说那老头真的不是我的父亲。我说我的父亲已经死了，你们拿回山里埋掉的那个老头，那就是我的父亲。

李瓦说：我不听你说这个，我现在只问你，我需要你直接地给我回答，你告诉我，那老头是谁的父亲？

我说：真的是你的父亲，他真的就叫做李四。

他呼地就站了起来，猛地一脚就踢在我的大腿间，踢在我的东西上，让我感到彻骨的酸疼，但我不敢大声尖叫，你越是大声尖叫，他就会越加地踢你，我只是咬着牙，我夹紧了腿，我拿屁股在地面上胡乱地搓着。

接着，李瓦又蹲了下来，像是要慢慢地看着我那疼痛的样子，好久，才又问道：

说！那是谁的父亲？

我说不是我的。

他说：我是在问你，那是谁的父亲？

我摇摇头，我那是痛得实在太难受，但我还是说，那真的是你的父亲。

这一次，他慢慢地站了起来，然后拿眼去看一旁的警察，好像不想再理我了，可是，谁知他忽然地就转过了身来，一脚狠狠地踢在了我小腿前的骨头上，这个地方只有皮只有骨头，只有筋，一点肉都没有，整根骨头都像被他的皮鞋踢断了一样，我疼得简直不知如何才是，往时要是伤着这个地方，我会在地上不停地跳，不停地转圈，会不停地搓来搓去，可这次，我只剩了胡乱地晃着腿，只剩了不停地歪着嘴巴。

李瓦却没有完，他随后又慢慢地蹲了下来，歪着头，嘴里慢慢地问道：

我再问你，那老头是谁的父亲？

这一次，我的嘴巴突然软了，因为我的心在不住地颤抖，我觉得李四是他的父亲他都不要，我却为了李四忍受着他的折磨，我值得吗？何况，我的手在树后边铐着，我的屁股在地上坐着，我的整个人都在他的皮鞋前摆着，我的嘴巴还能硬到哪里去呢？

我于是说，我的，我的。

我说那老头是我的父亲。

李瓦这才满足地呵了一声，然后笑了笑，然后在我的脸上轻轻地拍了拍，然后慢慢地站了起来，然后，站到一旁烧烟去了。

这一次，是那警察上来了。他一边接过李瓦给他的香烟，一边在我面前蹲下了身子。

他说：你不就是想让你的父亲不再捡垃圾吗？你不就是想让你的父亲生活得好一点吗？从这一点上说，你还是一个挺孝顺的孩子的，你真的很孝顺，我们很多人都比不了你呢，但你不能在大街上看到有人捧着一幅像你父亲的像，你就想到要让你的父亲去冒充别人的父亲呀。我告诉你，我现在就可以这么铐着你，把你送到医院去，然后给你抽血，然后给你做亲子鉴定，到时候，你就等着坐牢吧，你相信吗？

我相信，我给他不停地点着头，我说我相信。

其实，我是怕坐牢。别人怕不怕坐牢我不知道，我觉得我这种捡垃圾的，我还是怕的好，我要是一不小心进了监狱，我还怎么成为瓦城人呢？我父亲的理想我怎么实现？

谁都可以想象，回到住棚后我是如何愤怒的。我把李四狠狠地骂了一顿，然后捡起我的东西转身走了。我自己离开了我的住棚。我不管他了。我想我一个捡垃圾的，我不能管他那么多，我管他那么多干什么呢！我说你这个老头，你也死去吧！你不是想回到你那些孩子的身边去吗？做你的梦去吧！没人要你这顽固的老头。就为了一个烂生日，你弄得我爸爸死了，弄得你老婆也死了，眼下就只剩了你孤零零的一个人，你的孩子也不要你了，你说你还活着干什么呢？你也死去吧！

他埋着头，没有做声。

我说：你这个老头你怎么就那么顽固呢？你的孩子们他们不认你，他们是有理由的，因为你已经死了，何况你的死是你自己弄出来的，你怪不了他们。他们当然有他们的不对，可你是他们的父亲呀？你怎么就不能原谅他们呢？有一句话，说是大人不记小人过，你没听过吗？我一个捡垃圾的我都听说过，你怎么没听说过呢？你怎么光是知道指责他们，你怎么就不知道也指责指责你自己呢？

在我看来，只要他肯把那张父亲的脸皮撕下来，他的孩子们会原谅他的。毕竟，他是他们的父亲呀！

他却埋着头，还是没有给我回话。

我说：我在瓦城捡了快十年的垃圾了，我还没有捡到过像你这样麻烦的。

就这一句，他竟说话了。

他说：你什么意思？他的两只眼睛有点恨恨地瞪着我。

他说：你说我是垃圾？

我当时不知道我是这个意思。我真的不知道。

我说：我没说你是垃圾，我只是觉得你有点让人讨厌了。

可他却一口咬住了。他说：你就是说了，你说你捡了十年的垃圾了，可你没捡到过像我这么麻烦的，你就是把我当成了垃圾了。

　　我一下竟不知道如何给他回话了，我说：你他妈的李四，你就是垃圾，你的孩子们他们都不要你了，他们把你扔掉了，你说你不是垃圾你是什么？

　　我话没说完，他突然一个巴掌打在了我的脸上。打得我一脸火辣辣的。说实话，我当时真的想给他还手，但我后来忍住了，我没有把手举起来。我愣愣地站了一下，我摸了摸被打得火辣辣的脸，我说：好，好！你不是垃圾，是我说错了，你的孩子们他们没有扔掉你，他们还在等着，等着你回到他们的身边，你自己想办法吧，你要是想不出办法你就死在这里，反正这个住棚我也不要了，我要去米城找我的母亲，我不会回来了。

　　当天，我真的就去了米城，我真的想乘机找找我母亲的消息。

　　我无法想象，后来的李四是怎么过的。

　　住棚里的米已经不多，我猜想，那天晚上的李四，可能是灯也不开饭也不煮，他就那么黑乎乎地躺着，一直躺到了第二天的早上。天一亮，他就赶到了瓦城的汽车站，然后在售票的窗口来回地转圈着，他手里可能紧紧地攥着一些钱，但不会太多，也许刚够买一张回到县里的车票，也许不够。他迟疑着，是回去呢，还是继续留下，留下努力回到孩子们的身边？最后，他望了望车站上空的白云，也许他真的看到了白云了，于是他把钱收进了口袋，转身又回到了我的住棚里。

　　我猜想，后来的李四，肯定是一个一个地出现在了李香李瓦李城他们家的门前，然后一家一家地敲打着他们的房门。他只是默默地敲打着，他绝对不会作声，在他来说，他要敲打的也不是他们的家门，而是他们的良心。他等着他们出来，然后，两眼愣愣地看着他们。

反正，他不说话。

可他们呢？李香李瓦李城，他们认出了那是他们的父亲吗？

没有。

肯定没有。

否则，就不会出现后边的结果了。在他们的眼里，李四还是那个捡垃圾的老头，而不是他们的父亲。他们对他的敲门感到讨厌，感到愤怒，他们总是梆地一声就把门关上，关门之前，或者给他一点吃的，或者给他一点钱，然后告诉他，我们这是可怜你，你知道吗？因为你长得确实很像我们死去的父亲，但你不能太过分，你不能老是这么缠着我们你知道吗，你不能这么缠着，你老这么缠着，你就太不懂事了。

去吧，捡你的垃圾去吧！

然后，把李四推到了楼道上。

有一次，说是李四的敲门声把李城给气疯了，他提着一把炒菜铲，差点就要劈在李四的额门上。李城说，你不会真的想找死吧？你要是真的想找死，你就一直地往上走，你可以爬到楼顶上然后狠狠地往下摔。知道怎么摔吗？头朝下，知道吧，别脚朝下，脚朝下有时死不了。这是李城的邻居后来传说的，他们说，那个捡垃圾的老头果真就顺着往上爬，一直爬到了那高高的楼顶上，好在他没有往下跳，他只是在上边默默地坐着，坐得整一栋楼的人一个个都心惊肉跳的，尤其是李城，简直吓得半死。那后，李城就再也不敢吓他了，他总是乖乖给他递上一点吃的，然后让他走走走，走吧你。

从楼顶下来的李四，后来说是再也不要那些吃的了，他把那些吃的全都丢在了楼脚的垃圾桶里。这一点，看到的人都觉得不可理解。

出事的那一天有很多的说法，但我知道，很多都是不真实的，都是对李四的嘲笑或谩骂。我相信的只是有关馒头的那一个。

时间说是已经中午，那个捡垃圾的老头也就是他们说我的父亲其实是李四，说他正从大街边的一家馒头铺经过，那是一家瓦城很有名的馒头铺，瓦城人喜欢称它为老馒头，李四看着老馒头里的大馒头，他想他应该吃两个，他以为他身上还有钱，他张嘴对老馒头的小老板叫道，给我拿两个。

可是，他掏了好久，才掏出了一个馒头的钱。

他的脸色于是有点难堪，他把声音也低低地压住了。

他说我先买一个吧，我先买一个。

他拿了一个就悻悻地走了。说是那个馒头，他后来没有吃，而是把它扔掉了。谁也不知为什么？只说他一直地拿着，一直地看着，最后就把它抛到了空中。

也许，就是扔掉馒头之后他来到了李香的家门前。他想用我父亲的身份证再一次把李香的房门打开。他想进去找些吃的？他想进去好好地躺一躺？毕竟，他是他们的父亲呀？他累了，他不想再走了，他不想再这样下去了。

然而，他却怎么也进不去。

我父亲的身份证早已软耷耷的，怎么捅，也捅不开李香的房门了。李四不禁为此伤心起来，他绝望地摇摇头，恨恨地把我父亲的身份证丢进了楼道上的垃圾桶。丢出之前，他也许闭了一下眼睛，然后软软地坐在了楼道上，然后，呜呜地哭了起来，哭得颤悠悠的。

随后，他出现在了瓦城人民法院的大门里。

在他想来，他已经是走投无路了，这里，是他最后的选择。

法院大门的一旁有一个接待室，那是专门接待告状的。

李四直直地朝接待室走去。

接待室里有很多人，几个法警正在不停地忙碌着，但他们几乎都看到了进来的李四，有人给他点点头，让他先找个地方坐着。

李四却不坐。他就那么站着。

他说我要告我的三个孩子！他们一个叫李香一个叫李瓦，还有一个叫李城。

他的声音很急，他的声音很躁，他的声音把他们全都镇住了。都朝他愣愣地看了过来。

这时，有一个脑袋从旁边的门里探了出来。那个脑袋认识李四，他就是李瓦的那个警察朋友，叫李四拿出身份证的是他，用手铐把我铐在树下的也是他。他怎么无处不在呢？无处不在的警察当然是好警察了，但这天他来这里干什么？李四还没有把话说完，他就指着李四大声地喊道：

你们别听他的，这老头是一个捡垃圾的老头，他想冒充李瓦他们的父亲，李瓦是我的朋友，我见过李瓦的父亲，李瓦的父亲已经死了，李瓦的父亲长得跟他有些相似。

李四突然就愤怒了，他指着那警察也骂道：

他胡说！我知道他跟我的李瓦相好，他胡说！

那警察没有理他，他冲上来就推着他，他让他往外走。他告诉他走走走，这里不是你进的地方，这里是给那些有冤的人进来的，你走吧，你想讹诈，你到哪个垃圾桶边讹诈你们那些捡垃圾的去吧。走走走，不走我就把你关起来。

李四的任何抗拒都显得力不从心。

就这样，李四被那警察推拉着，一步一步地退出了法院的大门，一步一步地被推到了法院门前的大街上。

一场无可避免的后果，就这样随后发生了。

李瓦和他的姐姐李香，两人正在大街边说着什么。也许他们是无意中出现在那里的，他们不可能是有意，但他们被那警察一眼就看到了。那警察忽然就大叫了一声李瓦，然后给李瓦招招手，像是抓住了一个什么坏人，他提着李四就直直地走到了他们的面前。

他说：李瓦，你知道这老头跑进去干什么了？他到里边告你们去了，他说，他是你们的父亲。

李瓦笑了笑便朝李四凑过了脸去。

他说：老头，你是不是疯了？

肯定是疯了！一旁的李香随口说道。

就在这时，李四的两个巴掌突然闪电一样，叭叭地打在了他们的脸上。

打完，李四转身慢慢地往前走去。

李四的巴掌很重，打得李香满嘴哇哇地乱叫，她想上去拖回李四，却被弟弟拉住了。他不让。那个警察也被李瓦拉住了。

他说不要去管他，让他疯去吧。他肯定是疯了的。

李瓦的话，李四听到了，李四听到后，李四不走了。

他突然笑笑地回过头来。

他笑笑地看着他们。

然后，脑袋一闪，撞向一辆飞奔而过的大卡车……

听说，李四的血，洒了一地。

　　李四的死，我是在米城的晚报上看到的。瓦城的事情怎么跑到米城的晚报上，我不知道。那张米城晚报就丢在街边的一个垃圾桶旁。我一看就愣住了，我的心咚咚地乱跳，好像要跳出我的胸膛，我没有多想就跑到了米城的汽车站，连夜赶回在瓦城的路上。

　　米城的晚报说，有一个捡垃圾的老头，有一天，在大街上看到一个女孩怀里捧着一张她刚刚去世的爷爷的遗像，他发现那张遗像跟他长得几乎相似，于是就异想天开，想冒充那女孩的爷爷，想从此过上一种不再捡垃圾的生活，但是，女孩的家人们一次又一次地粉碎了他的痴心妄想，最后，那个捡垃圾的老头竟因此而发疯了，他傻傻地笑着在大街上撞死在了他们的面前。

　　这样的故事，在瓦城不会新鲜太久，三五天我就能在垃圾堆里捡到一个，不同的只是故事的真假。可谁能告诉他们故事的真假呢？你告诉给谁呢？谁相信你呢？我能够做的，就是赶快回到瓦城，回到瓦城去认领李四的骨灰。

　　我不领，他李四就会永远的没有人领。

　　火葬场的外边太阳挺大的，但火葬场的里边，却让人感到阵阵地发冷。

　　窗户里的那个人，还是李四原来跟我说过的那个光头。

　　我说，前两天有人送来了一个老头，叫做李四，记得吗？光头摇了摇，说没有。我于是发现说错了，我改口说，是一个叫胡来的老头，叫胡来，记得吗？光头还是摇了摇，说没有。我只好给他拿出了那张晚报，我让他看看那上边的文章，他这才呵了一声，然后问，你是他什么人？我一时不知如何回答。

　　光头说，是你的父亲吗？

我只好点点头。我怕他不给我认领。

光头的嘴里便毫不留情地骂了起来,他说你知道一个人能死几回吗？一个人只死一回你知道吗，可你怎么连父亲的死都不管呢？我说我不在家，我说我是看了报纸才知道的。光头就说，你不在家你到哪儿去了，你不是捡垃圾的吗？我说我是捡垃圾的，但我到别的城市去了，我去了一趟米城。光头便觉得奇怪，觉得不可思议，觉得一个捡垃圾的，你到米城干什么呢。我没有回答他。我说，我父亲现在在哪儿？他说你先交钱吧，我们不能白白帮你火化你知道吗？我说行，我交钱。他就带我走了，交完钱，他们才把李四的骨灰盒交到了我的手上。

走出火葬场的时候，我却突然走不动了。

我的脚突然一软，我跪倒在了如火的阳光下。

看着手上的骨灰盒，我的嘴里禁不住默默地问道：

李四……李四大叔，如果我不离开你，你说，你会死吗？

……

我把李四送回山里的那一天，一出门，天就下起了雨来，我曾犹豫了一下，但我后来想，也许那样的雨，就是为了李四而下的，就直直地往车站走去了。从瓦城到瓦县，雨没有停过，雨一路地下着；从瓦县到瓦镇，雨还是没有停过,雨还是一路地下着。从瓦镇开始，车就没有了路了，就要开始走路了，老天爷这才忽然地睁开了眼睛，把雨悄悄地收了起来。但我却不走了。山里的路都是石板路，并没有太多那种想象的泥泞，但我走到李四的山里，天也黑了。我住哪呢？我还不如住在镇上。

住在瓦镇的那天晚上，我做了一个梦，我梦见李四从后边忽然揪住了我的衣领，他说，我死了，你知道吗？我说我知道。他说你知道了你就应该替我报仇，你知道吗？我说你不是自己死的吗？你报什么仇呢？他说不，我是冤死的，我当然有仇，你一定要替我收拾他们。我说算了吧，他们都是你的孩子你的骨肉，你用不着这么歹毒。他说不，你要是不替我报仇，我就死不瞑目。我不答应，他就一直地拉扯着我的衣领，说一句拉一下，拉一下说一句，拉得我全身像散架似的，感到一阵阵的冰凉。我只好说好好好，我怎么帮你，你说吧，我看我能不能帮你？他的手这才慢慢地给我放下。他说你当然能帮我，你肯定能帮。你不是有一理想，要成为瓦城的人吗？我说是，我说这是我的理想，也是我父亲的理想。他说，那你就要努力，你要尽快在瓦城买下一套你的房子，然后，你就去追求我的孙女艳艳，你先是跟她恋爱，然后你跟她结婚，然后，等他们的爸爸妈妈和她的叔叔都老的时候，你就像他们对待我一样对待他们……但他没有说完，我就跑开了，我嘴里说不不不，我不！我不是说我不喜欢他的艳艳，不是，我是觉得他的这种想法太他妈的小心眼，太他妈的庸俗了，瓦城的垃圾堆里，每天都扔有很多这样的故事。我觉得没什么意思。然后，我就醒来了。

醒后我还摸了摸后边的衣领，我感觉着有种异常的冰凉。

本来，我想把李四放进他老伴的坟墓里，让他与他的老伴永远地生活在一起的，但我后来放弃了，我想他的老伴不一定就喜欢他，因为他临出门的时候，她曾劝过他，他要是不到城里去，她是不会死的，但他不听，我想她不会原谅他的。

最后，我把李四和我父亲放在了一起。

我想，这两个老头，他们不都渴望他们的孩子成为瓦城人吗？一个早就实现了，另一个还远远地看不到边，让他们两人在一起交流交流，也许是挺有意思的，至少我父亲的经验可以弥补李四的某种失落，而李四的经验又让我的父亲对我表示深深的歉疚。埋好后，我给他们两人深深地鞠了三躬，我说你们好好聊吧，我走了，我还得回我的瓦城去。

路过李四那块地的时候，我停了一下，我想起了地里的稻草人。

然而，那稻草人早已经倒在了地上。我觉得不对呀，当时我插得挺深的，怎么就倒下了呢？我把稻草人扶了起来，重新插好，而且插得深深的，然后，我学着李四当时的样子，先是整了整李四的那顶帽子，然后从他老伴的衣领那里慢慢地整理下来，然后到胸襟，然后到衣摆，一点一点，细细地没有放过，就连那稻草人手中的那一个白色的塑料袋，我也给重新系好。但就是这个塑料袋，我才刚刚系好，它忽然就飞走了。是一阵风把它忽然吹走的。它先是跟着风动了动，忽然就从稻草人的手里飞走了，就像一个白色的精灵。

我想我明明是系好了的呀，它怎么就飞走了呢？

我的目光愣愣地追随着它，我有点发呆。

忽然，我好像发现了一点什么，我看到它飘去的前方，就是瓦城的去向。

于是，我大声地喊了过去，我说慢点，你等等我！

然后，我拔腿朝我的瓦城飞奔。

（原载《人民文学》）

刘醒龙 推 荐

花瓣饭

◎ 迟子建

　　风把屋檐下已经干枯了的艾蒿吹下来了。它从窗前划过，就像一条灵巧的腿，轻快地跳过一格一格的窗棂。这艾蒿是端午节时妈妈插上去的，说是辟邪。想必这屋子已无邪气了，它就像一个兴完风雨的巫婆一样走了。

　　风不是一股，而是很多。在我眼中，它们有粗有细，有强有弱。菜园的风，就是细弱的风，它们吹拂着肥瘦不均的菜叶时，阔大的叶片只是微微动着，摇摆得并不厉害。所以白菜叶上的黑瓢虫不至于被晃得落下来，在豆角花上嬉戏的蝴蝶更是安然无恙。而瘦的菜叶，也不过耸着身子晃悠几下。可是你看半空的那些风，它们可就强大得多了。乌云被吹得一抖一抖的，脸色越来越青。狂风还使乌云的脸出现许多裂纹，它分明就要哭泣的样子。那些义无反顾撞向墙角的风，由于被碰了头，觉得没了面子，便不再回头，干脆忍气吞声地自消自散了。至于那些奔跑着的花花绿绿的鸡，你看它们羽毛上的风吧，它是那么的柔软、轻盈，那羽毛被风掀得一瓣一瓣地张开，仿佛花儿伸着舌头在说话。

姐姐在灶上做饭，我蹲在灶前用炉钩子调理火，算是个小小的司火女神。弟弟呢，他在后屋逗着笼中的鸟。他叫嚷得比鸟还欢实。姐姐一会嫌我把火捅得太大了，一会又嫌我没有将火挑旺。也不怪她发牢骚，锅里炒着菜本该用旺火的时候，我却把柴火往灶口撤了撤，舔着锅底的火就蔫蔫巴巴了。而她煮苞米面粥急需文火的时候，咳，我把火侍弄得蓬蓬勃勃的，比除夕夜的焰火还盛。

灶房的门开着，我在听风声。风声越来越大的时候，天色也黯淡得厉害了。突然，灶房骤然亮了一下，这短暂而巨大的明亮使屋子仿佛颤动了一下，是闪电出现了。跟着，雷声轰隆隆地炸响，门被震得咣当咣当地叫，看来雨要来了。

"要下雨了，快去关窗户。"姐姐吩咐我。

我撤下炉钩子跑到院子时，雨点已经东一颗西一颗地坠下来了。我飞快地关窗，看到一窗的黑云像一群乌鸦似地盘踞着。鸡架里的鸡个个都缩着脖子，它们喜欢风，但不喜欢雨。风能梳理羽毛，而雨则会使羽毛变得零乱。我把窗台上的肥皂盒拿回屋子，一旦它淋了雨，被泡化了，我们就别想有干净衣服穿了。

饭菜做妥了，姐姐正把它们一样一样地往屋中央的八仙桌子上摆。灶膛里是一汪金灿灿的火炭，它们明媚晶莹，散发着颤动的热气。那块大的如熟透的苹果，而小的则如鲜浓欲滴的草莓。这懒洋洋的火多半用来温水。爸爸妈妈回家后，总要洗上一把脸的。以往爸爸是不用洗的，可自从他到粮库当装卸工后，总是灰头土脸地回来，他不洗是没法吃饭和钻被窝的。温水除了供他们洗漱，还用来刷碗。

关了窗，又关了灶房的门，雨就强大起来了。雨声火辣辣的，仿佛炉膛上开了的水在哗哗叫，又仿佛一群大嗓门的婴儿被打了屁股在哭。天色昏暗了。玻璃窗上弥漫着一波一波的雨水，使窗外的景致变得模糊了。

到了吃饭的时辰了，可爸爸妈妈都没有回来。饭桌上的晚饭同以往一样，一大盆金黄色的苞米面粥，一盘炒土豆丝，一碗黄酱和一把青葱。此外，还有一碟淋了香油的杏黄色卜留克咸菜。咸菜里拌了些辣椒丝，所以它看上去就像一片黄土地上生长的一簇簇红柳，看上去十分明媚。

弟弟从后屋来到前屋，他瞥了一眼饭桌，嘟囔了一句："又是这些破饭？"然后他又把眼放到窗外，骂："他妈的下雨了！"

弟弟十岁，我十二，姐姐十五岁。也许是他小的缘故，什么都看不惯。他淘气，他的蓝布衫是双排扣的，其中有一排扣只剩下了一颗，它看上去就像坚守最后一班岗的老兵。其余的扣都被他玩丢了。它们有的是被树枝钩去了，有的被狗爪子挠掉了，还有的是打架时被人给拽去了。他的衣领从来没有板正过，领尖总是打着卷。他眼睛不大，厚眼皮，一说话就爱撇嘴，且老是气冲冲的样子。他喜欢在外面跑，接触风和阳光的时候多，所以他的脸很黑，妈妈叫他"黑印度"。

黑印度说："今天这雨他妈的真大，我得把五彩线放了。"

五彩线是端午节时妈妈给我们姐弟三人拴在手脖子上的。这五种颜色是：红色、粉色、黄色、蓝色、白色。白色和黄色很接近，当初我就把它们看混了，以为只有四种色。据说系了五彩线的孩子，上山不会招虫和蛇的叮咬，而且不会被夜晚时游走的小鬼给附了体。一般来说，五彩线要等到端午节后的第一场雨来临时，用剪刀把它剪断，放到雨中，据说这样它就能成龙。我嫌它绑在手腕上难受，总感觉那里像是爬着条毛毛虫，所以未等有雨的日子，就在河边把它拽断，让它随波逐流了。黑印度呢，他嫌端午节后的第一场雨太小，怕他放的龙因雨贫而不能兴风作浪，就将其留了下来。如今这雨气势宏大，他当然不会错过这机会了。他让我帮他剪断五彩线，拈着它跑进雨中，我听见他在院子里叫："要成就成条大龙吧！"

等他放完五彩线回来，已是个落汤鸡了。他把湿衣服脱下来，蹲在灶前去烤火，一边烤火一边打喷嚏。火炭的热气就像鞭子一样，把他衣服里的癞皮狗似的汗腥气给驱赶出来了，姐姐从里屋将头探向灶房数落他："别烤了，难闻死了！"说完，她从立柜里面为他找出一件干爽衣裳。那衣裳的兜口和袖口都打着补丁，领子也被磨破了。黑印度把湿衣服扔进洗衣盆中，换上干净衣裳，他问姐姐："你不把五彩线给放了？"

姐姐垂头斜着眼看了一下左手腕上戴着的五彩线，她带着凄怨的语气说："我哪有那个福气！过些天山货下来了，我还得进山去采，我要是把五彩线剪断了，到时碰到长虫来咬我怎么办？"听她的口气，那五彩线就是锁住毒蛇咽喉的铁锁，她轻易不能丢了这护身符。的确，作为长女，她比我和弟弟承担了更多的家务活，喂鸡、做饭、挑水、拾掇屋子。此外，野生的浆果和蘑菇下来时，她还得进山采摘。我对家务活并不是袖手旁观，但由于天性懒惰，专拣那些轻巧活去做：抹抹炕面和柜子上的灰呀，给灶膛烧火呀，刷个碗或者淘淘米呀等等。妈妈说我"尽干些面子上的活"。黑印度呢，他除了经管那一笼鸟之外，家务活他是不问不碰。你若让他去仓房舀一碗小米，他都不知道米袋子放在哪里。他更不知道锄头和镰刀挂在哪面墙上，不知道在院子外面刨食的那一群鸡中，哪几只是自家的。

雷声和闪电就像一匹匹快马，马蹄过处，乌云被击得七零八落。雨渐渐小了，天空也微微露出亮色。不过即使乌云全部消散，天也亮堂不起来了，因为已是向晚时分了。姐姐先前还对着桌上的饭皱眉头，担心雨如果不停下来，会耽误爸爸妈妈回家，晚饭会被推迟，那样她又得把已经端上桌的饭重新拿到灶房热了。

黑印度从后屋里把高帽子拿了过来。这帽子是用报纸糊的，下宽上窄，呈圆锥形。他把它扔到炕上，对姐姐说："鸟儿把屎拉在这上面了，你擦擦吧。"

姐姐嘟囔一句："谁让你把鸟笼挂在帽子上的呢。这帽子要是弄脏了，他们再让妈妈游街时，还不得罚她多走几条街呀？"

"这破帽子弄点鸟屎有什么？我看它比报纸上的那些黑字还要好看呢！再说了，游街又不累，多走几条街有什么！"黑印度"呸"了一口，不以为然地说。

"等着我把你那笼子里的鸟都给放了，我让它们拉屎！"我威胁黑印度说。我知道，这纸帽子不能有污点，否则批斗妈妈的人会说她认罪态度不好。

"你个二豁子整天净编反辫子，有那工夫你学学梳头得了，少管闲事！"黑印度不屑一顾地嘲讽我。

我排行老二，又是个大豁牙，黑印度就叫我二豁子。他一这么叫，我就哭，这回当然也不例外。姐姐素来把流泪的一方看作受欺凌者，她呵斥黑印度："少在屋惹事，打把伞出去接接爸爸妈妈！"

爸爸半个月前到县城的粮库当装卸工去了。他骑着自行车上班，走二十多里的山路，早出晚归。爸爸以前在我们小镇学校当校长，他不满意工宣队进驻学校，让学生老是上劳动课，不学文化，便与工宣队的队长吵了起来。结果爸爸被告到县教育局，教育局又把他的恶劣言论上报到县委，他被撤职，发配到县城粮库当工人去了。他换下笔挺的中山装的时候对妈妈说："早晚有一天我会穿着它再回学校，我就不信学生可以不学文化！"

爸爸的倒霉在我看来势在必然。因为妈妈先他之前被判为苏修特务，妈妈戴着高帽子开始了游街经历。一个校长的老婆是特务，这校长起码也该是个情报员。杨菲菲与我斗嘴时就这么骂过爸爸："他是苏修特务的狗腿子！"我毫不客气地回敬杨菲菲："你爸是你妈养的狗杂种！"结果狗杂种的后代和狗腿子的后代扭结在一起，互相咬，她把我的胳膊咬青了，我把她的大拇指的指甲咬裂了。

黑印度正要打伞出门，院门响了，妈妈回来了。妈妈被雨淋得精湿，手中提着一只篮子，那里面装着的菜被雨洗得一派青绿。

妈妈见院子里没有自行车，就问黑印度："你爸还没回来？"

"没有！"黑印度很干脆地说。

"他也该回来了。"妈妈嘀咕了一句，将篮子放到仓房的雨搭下。

"天下雨了，他没穿雨衣，说不定半路上躲到哪棵树下避雨了呢。"黑印度说，"他要是在树下逮只兔子，还不得在那儿笼堆火烤兔子吃呀！"

妈妈忍不住笑了，她对黑印度说："你爸他哪有那份闲心！"

黑印度一撇嘴说："他是没碰到野味，碰到他就有闲心了！"

"刚才那雷那么响，他会不会被——"妈妈忧戚地说。

"他又没做缺德事，不会被天打五雷轰！"黑印度说：

"雷劈的人都是坏蛋！"

妈妈听了黑印度的话，这才有些心安地进屋换上一套干爽衣服。我把纸帽子捧给她看，我控诉黑印度把鸟笼挂在帽子上，屎都落在那上面了。

"没事儿，他们看不清楚的。"妈妈温和地说。她把那帽子放在茶柜上，就像放暖水瓶一样地小心翼翼。

姐姐见窗台上有两只苍蝇在闹，就握着苍蝇拍去打。黑印度见天基本晴了，就把鸟笼提到院子里，让它们见见已透出暮气的天光。我呢，因为妈妈没有责备黑印度而有些悻悻然，我故意碰翻了窗台上的花瓶。那是只天蓝色的鱼的形态的花瓶，里面插着一束已经半蔫的野花。花瓶里的水已经有几天未换了，黏稠而又散发着臭气。姐姐扶起花瓶嗔怪我："就剩一只花瓶了，你还想把它打碎了不是？"以往我曾打碎过两只花瓶，一只是圆肚形的，褐色；另一只与我碰倒的这只一模一样，它们是一对。据说这对花瓶是爸爸妈妈结婚时，他们的朋友凑钱买的。我想这花瓶肯定看到了我出生的情形，它是不该知道这个秘密的，所以老是想着把它打碎，让它失去记忆。

"我看这花瓶碍眼。"我说，"你们也不想想看啊，鱼嘴里天天插着满满当当的花，它怎么喘气啊？我一看这花瓶就憋得慌。"

妈妈正打算出门，她听了我的话又折回身来，她把花瓶拿起，放到窗台的角落，对我笑笑说："以后再养花，就不用这鱼瓶了，用空罐头瓶吧，省得你憋得慌。"

姐姐把花瓶流淌出的脏水用抹布擦了，又将那些已不精神的花扔进垃圾桶里。她显然对妈妈纵容我有些不满，她嘟囔道："又不是真的鱼嘴，你跟着气闷什么。"

妈妈微妙地笑了，她看了看我，又看了看姐姐，说："什么时候我再采一把花回来养，你们喜欢什么样的？"

"百合。"姐姐说。

"紫马莲。"我说，"要是有芍药花就更好了。"

"芍药都开过了。"姐姐说。

"没准也有一枝两枝没落的，赶巧被我采到呢！"妈妈说这话时，语气和面部表情都呈现着一股天真的情态。她对我们说，她要出去迎迎爸爸，让我们不要乱走。

雨停了。天色愈来愈昏暗了。八仙桌子上的饭菜渐渐凉了。只听到墙上挂钟"滴答滴答"响，黑印度又把鸟笼子提回后屋了。他在路过灶房的时候被柴火绊了一跤，他骂："贱骨头，把你们烧成灰你们就鸡巴老实了。"

我讨厌黑印度，他说脏话是不分青红皂白的。有时对人和事，有时则对物。我最受不了他对着物口出不逊，因为它们又没长嘴，无法与他唇枪舌剑地辩论。姐姐消灭了苍蝇，又擦干净了窗台，唤我给灶膛点把火，她想把粥热一下。

"这钟声要是能当柴火使就好了。"我嘟囔一句，很不情愿地到灶房烧火。柴火一旦烧起来就噼啪作响，这让我有种错误联想，认为响声里应裹挟着热气。如果那样的话，饭菜凉了，让钟声去烘热它们就是了。

我刚点起柴火，爸爸就进来了。他披着件橘黄色雨衣，看上去很鲜艳。他把自行车停好，先问候了一下鸡架里的鸡："你们吃饱了喝足了？"他爱给鸡喂食，所以他走在院子里的时候，总有一群鸡像士兵保护着将军一样簇拥着他。

"你妈还没回来？"他进了里屋后问姐姐。

"回来了，找你去了。"姐姐说。

姐姐正在拟写一份与父母的决裂书，这是班主任老师授意她写的。说是如果她不与他们划清界限，就加入不了红卫兵。她正有几个字不会写，打算着问父亲呢。可是爸爸听说妈妈不在，就急着出去找她。

黑印度对姐姐说："你问他，还不如问字典！字典比他能耐，问啥有啥！"

黑印度这一段不管爸爸叫"爸爸"，他称爸爸为"他"。姐姐呵斥他说："以后别'他他'的，那不是爸爸么！"

"不叫'爸爸'怎么了？"黑印度说，"他不过是个臭老九！"

姐姐说："你滚！"

"你不也写决裂书要和他划清界限吗？"黑印度说。

"可他去粮库接受革命再教育去了，他被改造好了还是个好同志！"姐姐说。

黑印度不吭声了。我已经把苞米面粥重新温了一下。那粥初次出锅后，粥的表面凝了脂，看上去就像盖了一顶金色草帽。如今热气再度熏炙它，那上面就被捂出道道裂痕，感觉这草帽就像是破了。我把粥从锅里重新端回饭桌，打算着再热热土豆丝，它已回生了。

"等爸爸妈妈进屋了再热。"姐姐制止我热土豆丝，她说这菜不经热，热一回就不脆生了。

"操，我都饿了。"黑印度瞟了一眼饭桌，说，"他们是不是互相找到外国去了？"

"印度！"我抓住这个有利时机报复黑印度。

"操，男人黑点我看不错，像是有种的样子！"黑印度回敬我说。

"驴脸也黑！"我说。

"对，它还是个豁牙子呢，一叫唤那嘴就漏风！"黑印度恶毒地说。

我正要去灶房抓一块劈柴打黑印度，妈妈回来了。她满面焦急的样子，她一进屋就问我们："你爸爸还没回来呀？"

"你没见院子里有他的自行车啊。"我说，"回来了！"

"那他人呢？"

"找你去了！"我们三个人异口同声地说。

妈妈脸上的表情松弛了许多。她问我们："他是不是被雨浇透了？他没把湿衣服换下就找我去了？"

"他没挨着浇。他穿了一件跟橘子皮一样色儿的雨衣，可漂亮呢。"我说。

"那雨衣呢？"妈妈的眼睛跳了一下，问。

"在水缸盖上呢！"我跑到灶房，飞快地把雨衣取来。

那雨衣还湿着，就像夕阳映照下的一片湖水，看上去鲜润明媚。它的身上还沾着几枚碧绿小巧的树叶，想必是狂风把它们从树上赶到行进在山路上的父亲身上的吧。这树叶可爱极了，就像出浴少女留在身上的几点皂花，有一股淡淡的馨香。可是妈妈却用凄怨的眼神看它，仿佛是她心爱的女孩子出去学坏了一样令她伤感。她有气无力地问："谁给你爸爸披了这么漂亮的雨衣？"

"肯定是个女的！"黑印度提着鸟笼子回屋，他接过话茬说，"男子汉谁用这么鲜艳的雨衣？"

妈妈的眼神更加愁苦了。她用手抚弄了一下衣襟，飞快地走进屋子，打开立柜，把属于她的那包衣服抱到炕上。我们家人的衣裳，每人一包袱，爸爸的包袱皮是白色的，姐姐的

迟子建 花瓣饭

是紫花的，我的是红花的，黑印度的是绿色的，而妈妈的是深蓝色的。其实白色的原本是黑印度的，可他嫌那颜色丧气，就像孝布一样，所以爸爸就把绿色的换给他。他对绿色也不是十分满意，说是一个绿包袱看上去就像只癞蛤蟆。

妈妈解开蓝包袱，她的那摞衣裳就一层一层地呈现了。它们绝大多数颜色深重、老旧，不是黑色、蓝色的，就是紫色和咖啡色的。只有一件是洋红色的，那是她年轻丰满的时候穿的，现在她老了，瘦了，这衣裳就有几年不穿了。妈妈抽出这件衣裳，犹豫了一番，还是把它换在身上了。她背对着我脱下身上那件灰色衣服时，我在黯淡的光线中望见了她赤裸的后背。那后背瘦得让人感觉中央的脊骨分外突出，就像一根枯树枝竖在那里。

黑印度见妈妈穿上了这件洋红色的衣服，就撇了撇嘴。待妈妈又出门去寻爸爸之后，他才大声地对我和姐姐说："这个苏修特务穿这么新鲜，是不是要过江投奔她的主子去？"

姐姐骂他"混蛋"，我则被他逗笑了。黑印度所说的江就是黑龙江，它是中苏界河，妈妈童年就生活在那里。也许正是由于这段特殊的经历，人们不分青红皂白地把她定名为苏修特务。我想我们家幸好没有什么绝密文件，否则这个大特务还不得把它带过江去，献给苏修帝国主义邀功行赏啊。

我觉得天肯定有着眼皮和睫毛，一旦它们耷拉下来了，天就黑了。只是我不知道天的睫毛是不是晚霞，天的眼皮是不是地平线？

姐姐拉亮了灯，接着写她的决裂书。她趴在炕沿上写，弓着后背，脑袋和手中的笔左摇右晃着，看上去思路不畅。黑印度在后屋逗完鸟以后，就搬着字典过来给姐姐当"援兵"，他问："你哪几个字不会写？我帮你查！"

"你又不懂偏旁部首，你会查么？"我不忘了敲打他。

"我不懂那个，可我会拼音！"黑印度理直气壮地说。

"你连平卷舌都分不清楚，你查个屁！"我怒气冲冲地说。

"是啊，我是个豁牙子，说话直漏风，平卷舌能分得清吗！"黑印度在反击我时从来都是击中我的要害的。

我正要哭，姐姐吩咐我去灶房看看火，不要让它灭了，否则热菜时还得重新点火。我快快不快地走向灶房的时候，听见姐姐对黑印度说："你先帮我查查'遗臭万年'的'遗'字怎么写。我在广播里听到过这个词，觉得它很有劲！"

往火炭上横了两根细的劈柴后，我听见黑印度对姐姐说："找到了，找到了，这'遗'字的左边带个'女'字！"我想他一定是把"姨"当作"遗"了。别看我比姐姐矮三个年级，可我识的字比她多。我喜欢翻字典，一次能记住五六个生字，我幸灾乐祸地想，让你相信黑印度吧，把"遗臭万年"写成"姨臭万年"，老师看到后，还不得把腮帮子都笑疼了啊。

灶房没有开灯，但它并不黑暗。它的亮多半是借了里屋的灯光，光从那里溜出来，一直探到灶坑前，似乎这光饿了，想去锅里找些饭来吃。灶房的另一些亮儿，是因为火的缘故。它的光是暖红的，极像妈妈换上的那件衣裳。横在火炭上缓缓燃烧的两块劈柴，看上去就像是两炷香，燃烧得沉静安详，散发出淡淡的木香气。我喜欢这样的火，它不过分热烈，又不过于呆板，是那种轻歌曼舞的火，温情脉脉的火。

我正出神地蹲在灶坑前看火，灶房的门响了，爸爸回来了。他一进来就打了一个响亮的喷嚏，他问我："你妈还没回来？"

"回来了，又走了。"我说，"找你去了。"

"她上哪儿找我去了？"爸爸进了里屋。

211

迟子建花瓣饭

"那谁知道！"黑印度抢着说。

我跟着爸爸进了里屋。我说："妈妈没找着你，回来后换上了红色的衣裳。她说是去找你的，可我看她穿那么漂亮，不像是要去找人的。"

"你懂个屁！"黑印度抢白我说，"她穿得新鲜是要给臭老九看的！"他胆大包天地把"爸爸"一词用"臭老九"代替了。

"可是天都黑了，爸爸能看清她的衣裳么！"我脱下一只鞋，正欲朝黑印度打去，爸爸温和地把我制止住了，他说："你是姐姐，要让着弟弟。"

爸爸皱起了眉头。他走向茶柜，盯着那顶高高的纸帽子问我们："你妈今天又游街去了？"

"去了。"姐姐放下笔，转过身来对父亲说，"是上午去的，下午她就上地里干活去了，她晚上回来时还摘了一篮子菜。"

"游街时没人打她吧？"爸爸问完话，又打了一个喷嚏。

"跟过去一样，没人打她。她戴着高帽子走，好事的人跟着看看。除了杨菲菲往她身上扔了一个臭鸡蛋外，别人谁也没碰妈妈一个手指头。"姐姐说。

"杨菲菲扔臭鸡蛋，还不是因为她把人家得罪了！"黑印度气势汹汹地指着我说。他这次没叫我"二豁子"。

我说："谁让她骂爸爸妈妈了？她骂，我就揍她，我看是骂疼呢，还是挨打疼！工人阶级的后代不都是铁打的吗，还那么不抗揍，一揍就哭，真没劲！"

"女孩子是不应该学会打人的。"爸爸说。

"咱家的男孩只会逗鸟，我就得把自己当男孩子使呀。"我故意刺激黑印度。

黑印度并不在意,他把字典扔在炕沿上,指着饭桌说:"操,我都要饿昏了。"

"那你们就先吃吧。"爸爸说:"我再出去找找她。"

"哼,杨菲菲家的鸡一定是天天刨厕所的蛆吃,不然怎么下出来的是臭蛋!"我嘟囔道。

黑印度首先"嘿嘿"乐了,跟着爸爸也笑了。笑得最矜持的是姐姐,她努着嘴对我说:"你满脑子都是怪念头,快去烧你的火去吧。"

一提起烧火,爸爸似乎想起了什么,他唤我到灶房取只碗来。只见他很不自然地扭了扭身子,似乎怕生人进来似的望了望门口,他的情态很像一个做了坏事的孩子要认错一样拘谨。他让我擎着碗,然后两手左右开弓地从两个裤兜里往出掏黄豆!那豆子金黄而圆润,它们咕噜噜地朝碗里奔跑,初始时我能听见"嘟——嘟——"的清脆回声,待碗底被盖满后,那响声就是簌簌的了。黑印度凑过来,惊讶地看着那只不断有黄豆流入的碗,"哇哇"地叫着。很快,爸爸掏空了裤兜,碗里的黄豆也快平碗了。爸爸拍了拍裤兜,不好意思地笑笑,对我们说:"你们把这碗豆子炒了,当零嘴吃吧。"

黑印度看着豆子的眼睛又黑又亮,就像两颗大的黑豆在瞪着一群小豆子。他说:"你不好好接受工人阶级的再教育,还偷!"

"不是偷。"爸爸虚弱地说,"是落在地上的豆子,我一颗一颗捡起来的。"他不善撒谎,脸红了。

"哼,这黄豆上一点灰都没有,干净得就像新剥出来的,我就不信你是把它们从地上捡起来的!"黑印度咄咄逼人地说。

爸爸的脸更红了,他嗫嚅着说:"工人们心好,听说我有三个孩子，非要我抓点豆子回来给你们吃不可。"

"小偷！"黑印度仍旧坚持他的判断。

我才不管这豆子是怎么来的呢，我喜滋滋地把那碗黄豆捧到灶房，打算把锅里的热水淘干，用这恰到好处的微火来炒黄豆。炒熟的黄豆实在好吃，又香又脆，不过它很难嚼，你在牙上要有点功力才是。

爸爸又出门寻妈妈去了。黑印度溜到灶房，殷勤地帮我淘锅里的水，他说："我看这豆子要赶快炒了吃了，不然别人看见，就会把爸爸当作小偷给抓起来。"

"那咱们就快动手吧。"我终于与黑印度在这件事上达成了一致。

怕看不清豆子身上颜色的变化而把它给炒糊了，黑印度拉亮了灶房的灯。平时我们是不舍得在这里点灯的。爸妈都觉得，一个做饭的地方，有些微的光亮就可以了，所以灶房的灯是低度数的，昏蒙蒙的，就像一只老眼昏花的眼。而且，由于油烟和苍蝇的侵蚀，那上面沾满油垢和蝇屎，使原本不亮的光又大打折扣。黑印度抬头望了一下灯，骂了一句："这半死不活的灯！"然后他朝姐姐申请使用手电筒。手电筒我们称为"电棒"，在家里，它属于贵重物品，不是谁想使就使得了的，因为它耗费电池，而电池就是钱。姐姐掌管着使用它的权利。一般来说，只有走夜路时，而那晚上又没有月亮，姐姐才会派它出马。若是天上有一轮比面饼还要白的月亮，你想使它，姐姐就会气咻咻地指着窗外的月亮说："它就是个现成的大电棒，你不使它，别人也是使，你不就成了傻瓜了么？"

黑印度碰了一鼻子灰回来。他见我已把豆子扔进锅里，就抓起铲子"咣——咣——"地炒了起来。他对我说："一个电棒有个鸡巴毛了不起，等我长大了，成了龙了，我买它一屋子的电棒使！"

我笑了，我们那么快地就达成了统一战线。

姐姐继续写她的决裂书，我和黑印度交替着炒豆子。我们用文火炒，豆子的香味徐徐地飘了出来。有经常徘徊在锅底的，就先熟了，它熟时要"啪——"地响一声，这时它的身子就会出现裂纹，而火的痕迹就像乌云似的、形态不一地出现在它们身上。这种时候，炒豆子的频率就要加快，我累得汗流浃背的，刘海都湿了。只听得豆子的爆裂声越来越密集：啪——啪啪——啪啪啪，就像除夕夜时的爆竹一样响亮。黑印度从锅里抓出几颗豆子，打算着先尝一尝。那豆子烫极了，他跳着脚，可是并未舍得将掌心的豆子扔掉。他忍着烫扔进嘴里一粒，对我说："我看火候行了，现在吃起来软，等凉透了就脆了！"

"我喜欢火大的豆子——香！"我说，"火轻的吃起来没意思。"

"那你就把它们炒煳算了，到时你吃不了，就连鸡都不稀罕吃。"

我只得抓过一只空铁盆，将豆子一铲一铲地撮出来。豆子一出了锅，响声就止息了。它们刚才还吵闹得像群麻雀，如今却安静得像群绵羊。黑印度把豆子端到院子里，想让它尽快凉下来，我则添水刷锅，准备着把饭再温一遍。

妈妈无声无息地回来了。她进来没有和黑印度说话，也没有搭理我，径直进了里屋。我跟了过去。她拿过小板凳，坐在饭桌前，呆呆地望着那碟鲜润明媚的咸菜，似乎它把她给深深得罪了似的。她眼睑处皱纹丛生，满面疲惫，那件已不合体的洋红色衣服穿在她身上，很像一个受气的小媳妇，无精打采的样子。

"爸爸刚才回来了，他见你不在，又出去找了。"姐姐说。

迟
子
建
花
瓣
饭

妈妈抬起了头，她仿佛受了天大的委屈似的，泪眼朦胧。她说："你们知道你爸爸上哪找我去了？他上梁老五家！他以为我和梁老五怎样了，真是冤枉我！我和梁老五交往，还不是因为你爸！他一个校长落得这下场，我怕他想不开走了绝路，见梁老五实在、耿直，我就求梁老五平时劝着点你爸。人家梁老五瞧得起咱家，从关里带回桶香油，也想着给咱分一点！"她声泪俱下地说着，仿佛在痛说革命家史。

我明白了，爸爸是循着咸菜里香油的气息，以为妈妈去梁老五家找他去了。梁老五最近常来我家，他年轻时当过装卸工，他就讲他那时有多么苦。货船一来，他们就得一溜小跑地往船上装货，一天下来，累得头晕眼花，肩膀酸痛得夜里不敢翻身。他一讲这辛苦，爸爸就觉得他当装卸工简直太福气了，工人们都很照顾他，他扛粮食走得慢，就让他少背几趟，见他体力不支时，干脆就让他躺在粮食堆上歇一会。梁老五的老家在关里，他春季探家回来时，把带回的香油分了一小瓶给我家，我们只有拌咸菜时才舍得放一点。我实在不知道香油惹了这么大的麻烦。

"你是不是碰到梁老五的老婆了，她骂了你？"姐姐问。

"是啊，我到菜园去找你爸，以为他去那里找我去了。路过梁老五家，正赶上他老婆出来泼水。她一见我就骂：'以后少让你家老爷们大晚上的上我家找你，你一个特务还想养汉养到我家门口！'她还故意把水泼到我脚下。"妈妈说完，像个受到伤害的小女孩一样，嘤嘤哭个不休。

"养汉"的含义我懂，就是说男女之间"搞破鞋"。我想妈妈就再是特务的话，也不会和梁老五搞到一块。他又矮又胖，面目粗俗，怎能跟英俊的爸爸相比呢！爸爸这个大傻瓜，干吗去他家找妈妈，让妈妈平白无故受这冤屈呢！

"你别去找他了，他不回来活该！我们先吃饭吧。"我对妈妈说。

"一家人不全，吃的什么饭呢？"妈妈平静下来了，她看上去不那么忧戚和脆弱了。

姐姐说："妈你别生爸的气。爸去他家找你，肯定以为你去那里找他去了，他不会往坏处想你的。"

"那梁老五的老婆凭什么那样污蔑我？"妈妈一梗脖子，很天真地问。

"因为她怕你把她的老爷们发展成苏修特务，到时就没人给她挑水吃了。"我说，"再就是你比她长得好看，她看着眼气。"

妈妈含着泪笑了。她笑得很好看。她说："这么说不能怪你爸爸了？"

我和姐姐异口同声地评判说："不怪！"

黑印度捧着铁盆进来了。他嘴里"咯崩咯崩"地嚼着豆子，满嘴流香。而那盆里的豆子被晃得哐啷哐啷地响。我把盆子抢过来，一看只剩下个底儿了，就气得哭了起来。我嫌黑印度太吃独食，他一个人就吞了多半碗的豆子！

"我饿了，不吃豆子行么！"黑印度说。

"这豆子哪里来的？"妈妈问。

"出去找你的人从粮库偷来的！"黑印度说，"要不赶快把它吃光，等着工宣队上门来发现了，他就别想在粮库锻炼了，他到笆篱子看铁丝网去吧！"黑印度说完，去后屋喂他的那笼鸟去了。他一天要喂它们许多遍，每次放上少许的食，他说这样养鸟，鸟才欢实。否则，你一家伙把它们喂饱了，得，它们就懒洋洋地不想动了，更别指望它们唱歌了。

妈妈的心情已然明朗了许多。姐姐又不失时机地告诉她，爸爸很惦念她，向我们打听她上午游街时受没受委屈？这个苏修特务听到这番话后，眼睛里就泛出温柔的亮色了。她看了看墙上的挂钟，嘟囔一句："这么晚了，他别是因为上老梁家遭了白眼，想不开了，我得出去找他。"

姐姐这次主动把电棒拿出来，派给妈妈用。

妈妈消失在夜色中。姐姐望着已经凉透了的饭，嘱咐我不要让柴火烧落架，说不准妈妈一出去就碰见了爸爸呢。

我让姐姐抓点黄豆来吃，她瞟了一眼盆底所剩无几的豆子，只抓了一小把。她轻轻咕哝了一句："这黑印度也真是的。"

炕沿上放着好几个纸团，那是被姐姐揉皱了的决裂书。也许是让爸爸妈妈这没完没了的互相寻找给打扰了的缘故，她写得很不顺畅。

我捧着盆子回到灶房，蹲在灶坑前，将火挑亮，一心一意地吃起了豆子。我的虫牙多，到处是豁子，所以嚼起来很吃力。不过这豆子实在妙极了，越嚼越香，豆子在我嘴里"咯崩"响着，柴火则间或发出"咔——"的一声脆响，似乎在为我的咀嚼而鼓掌加油。渐渐地，我吃累了，觉得两个腮帮子酸痛，心想黑印度就是给我留再多的豆子也没用，谁让我小小年纪的，牙却老气横秋了呢！

我很气馁，又很饥饿，灶膛的火微微熏炙着我，使人昏昏欲睡。正在似睡非睡之时，院子里传来急促的脚步声，爸爸推门而入了！

"你妈还没回来？！"我看不清楚他的脸，只听见他焦急的声音。

"回来了，又找你去了。"我有气无力地说。

"她怎么不知道在家等我？"爸爸抱怨道。

"那你回来了怎不知道在家等她？"我反问。

"她是个女人，我不放心她黑天时一个人在外面，我不去找她行么！"爸爸跟我喊道。

"那她怕你不当校长去当装卸工想不开了，她在家能坐得住凳子么！"我抢白爸爸。

爸爸进了里屋。我想姐姐今晚的决裂书实在跟被人踩过的蚂蚁一样的倒霉，死又死不了，活又活不成。

爸爸问姐姐："你妈没说去哪里啊？"

"没有。"姐姐说，"你不用太担心，我把电棒给她了。"

"她要是上野地遇见了狼，拿着电棒有什么用！"爸爸说。

"怎么不管用？"姐姐说，"狼怕光，用电棒一晃它的眼睛，它就会吓跑的。"

爸爸见窗台上的野花没了，就问它们还没开败，怎么就给扔了？在爱花的问题上，爸爸更像个女人，极具怜惜之情。他清晨起来的惯常动作是，先奔到窗台去闻闻野花的香气。他从粮库回来，骑着自行车走在山路的时候，只要天气好，又碰到了姹紫嫣红的野花，他总要停下车子采上一束。所以他回家的时候，车把上常常别着一束花。镇子里的一些人见了会啐口痰说："臭老九就爱瞎浪漫！"

姐姐简短地把妈妈遭梁老五老婆羞辱的事告诉了爸爸，爸爸更加着急了，他说："我得赶快去找她，她哭完了出去，别再出点什么事。"

爸爸像旋风一样来去匆匆。夜晚伸着一条长舌头，把他又卷入黑暗之中了。黑印度打着口哨从后屋出来，他在经过我身边的时候问："刚才我听见门响，谁回来了？"

迟
子
建
花
瓣
饭

"爸。"我简短地吐出一个字。

"他又走了啊。"黑印度感慨地问。

"哦。"我依然简短地应答着。

"操,我看他们今晚这么找下去,非要找到天亮了不可。"黑印度十分肯定地说:"他们这叫找'相住'了!"

黑印度踢开灶房门,到院子去了。很快,我听见了撒尿的声音,他常把尿撒在鸡架旁,有时尿水淋到鸡食槽子里,鸡都不爱吃食了。我很不喜欢他的某些做派,譬如吃饭时常不使筷子,用手抓;譬如攒住一个屁时,非要等到人多的时候放,臭气熏得人直反胃;譬如他向外开门时,总是用脚踢,而不用手去推,显得不可一世的样子。我想他这种人长大了肯定是个地痞流氓,说不定连个媳妇都找不着呢。

我添了两块小的劈柴,然后回到里屋。姐姐已经不写决裂书了,她坐在炕沿上给黑印度补袜子,他的袜子露脚指头了。那些皱皱巴巴的纸团被弃在墙角,看上去像是几个糯米团子。

黑印度撒完尿后打着呵欠走了进来。他坐在饭桌前,用手抓起几根咸菜,放在嘴里大嚼大咽着。姐姐正要数落他,他接二连三放了一串屁。他说:"这黄豆好吃是好吃,就是爱放屁。"

姐姐责备他说:"谁让你吃那么多了!"

黑印度看来是真的饿了,他望着苞米面粥的神色是那么的羡慕、贪馋,就像猫见着鱼似的。姐姐有些不忍心了,她说:"你要是实在太饿,就让你二姐给你先盛一碗热着喝了。"

"我才不呢!"我激烈地反驳道,"这一盆粥都凝得像皮冻了,给他先盛一碗,等于是挖了个洞,爸爸妈妈回来一看多不高兴呀。再说了,一碗粥怎么热呀!"

黑印度说:"一勺粥我都能热,别说是一碗了!"

　　姐姐见我们又要吵起来，连忙制止说："算了，再等一会儿，全家一块吃吧。"

　　黑印度拍了拍饭桌，耷拉下眼皮默许了。

　　钟摆左摇一下，右摇一下，时间就让它给这么不经意地摇走了。半个小时过去了，姐姐补完了袜子，灶坑的劈柴也奄奄一息了，院子里还没有脚步声响起。一个小时过去了，黑印度开始伏在饭桌一角打盹，我和姐姐有些提心吊胆了，爸爸妈妈是否真的去死了？他们是不是抛下我们不管了？我们的议论被黑印度听到了，他也没心思睡了，他抬起头，用男子汉的口吻安慰我们说："你们不用担心，大人不会说死就死的。"

　　"对，他们不会自绝于党和人民的。"姐姐说。

　　"可他们要是真死了呢？"我忧心忡忡地问。

　　"那我就找他们算账去！"黑印度斩钉截铁地说。

　　"那你还不得也跟着死呀，要不阎王爷能让你见他们吗？"我说。

　　黑印度打了一个寒战，姐姐则瞪了我一眼。

　　我们一旦把事情往坏处想了，就魂不守舍了。黑印度说他们可能选择去小树林上吊，脖子被小绳一勒，命就没了，痛快！我则认为他们会去水泡子溺水而死，因为这是个美丽的小湖泊，它的周围簇拥着绿草和野花。姐姐呢，她想的比较恐怖，认为他们是去公路撞汽车去了。这样思来想去，我们觉得他们已经死了。我先哭了起来，姐姐忍了一会，也跟着落下眼泪。黑印度呢，他一直憋着嘴一动不动，后来也按捺不住地哭了，他很可怜地说："爸爸妈妈要是死了，谁养活我啊。"

　　我们此起彼伏地哭着，把夜给哭深了。我们打算求助邻居帮助寻找尸体。黑印度说要先上小树林，姐姐说要先上公路，我则坚持要先上水泡子。正当我们争执不休的时候，院子里突然响起脚步声，我们三个人几乎同时奔向门口，爸爸妈妈回来了！

他们进了里屋，一身夜露的气息，裤脚都被露水给打湿了。爸爸和颜悦色地提着手电筒，而妈妈则娇羞地抱着一束花。那花紫白红黄都有，有的朵大，有的朵小；有的**盛**开着，有的则还打着骨朵。还有一些，它们已经快谢了。妈妈抱着它经过饭桌的时候，许多花瓣就落进了粥盆里。那苞米面粥是金黄色的，它被那红的黄的粉的白的花瓣一点缀，美艳得就像瓷盘里的一幅风景油画。爸爸妈妈的头上都沾着碧绿的草叶，好像他们在草丛中打过滚。而妈妈那件洋红色的衣裳的后背，却整个地湿透了，洋红色因此成了深红色。

我赶紧去灶房当我的司火女神。柴火已灭了，我又重新点燃，把那盆落着花瓣的饭给重新热了。当我端着粥盆回到里屋时，正赶上妈妈把那束花往一个大罐子里插，她一摇晃那花，好家伙，又有一批花瓣落在饭上，其中就有我喜欢的芍药的微粉的大花瓣，这盆粥真正是香气蓬勃了。

妈妈把花插上，注上水，将它摆在八仙桌子中央。我们全家团聚在桌子旁，吃起了花瓣饭。谁也没舍得把那花瓣挑出来扔了，我们把它们全都吃了。那是我们家吃的最晚最晚的一顿饭，也是最美最美的一顿饭。

黑印度最先吃完，他回后屋去了。我们猜他困极了，去睡了。然而几分钟后，屋子里突然传来鸟鸣声，只见一只只小鸟扑簌簌地飞了进来。我望见黑印度站在门口，双手高举着鸟笼，笼门悠悠开着。

（原载《青年文学》）

林白 推荐

李诗诗爱陈醉

◎ 叶兆言

第 一 章

一

　　陈醉第三次结婚的仪式很隆重，李东妮带着妹妹韩苗苗去参加婚礼。李东妮是陈醉的女儿，当时大学刚毕业，意气风发，很大方地向父亲和继母敬酒。继母张妍还未到三十岁，是中学的外语老师。大家一起举杯表示祝贺，李东妮说："爸，你给我找的后妈这么年轻，我以后怎么称呼。"大家都笑，陈醉红着脸说："叫什么都行，就叫她小张好了。"大家在一旁起哄，说叫小张不好，辈分全乱了，还是叫阿姨好一些。李东妮说："叫什么阿姨，人家喊保姆才这么叫呢！"张妍笑着说："我行不改名，坐不改姓，你就叫我张妍，直呼其名，这最好。"

　　回到家，李东妮的母亲李诗诗追着她问，问新娘子长什么模样，多大年纪，在哪工作。李东妮不耐烦，故意不说给她听。李诗诗拿大女儿没办法，便去问还在上高中的韩苗苗。韩苗苗把自己知道的都说了，李诗诗仍然不满足，继续追问，打破砂锅问到底，一直问到韩苗苗也不高兴。韩苗苗终于赌气回自己房间，她和李东妮住一屋，李东妮正躺在床上翻一本流行刊物，见妹妹进来，便问她：

"苗苗，我爸是不是长得特别神气？"

韩苗苗说："他找的那个女的，年纪太轻了。"

李东妮说："年轻有什么不好？"

韩苗苗一本正经地说："他应该跟妈复婚，妈比他还小一岁。"

"算了吧，我爸现在春风得意，他怎么会再看中妈。你是小孩子，不懂的，妈已经不配他了，我告诉你，女人老了就不值钱。"李东妮突然发现李诗诗就在门中站着，说的话全让她听见了。

吃晚饭时，李诗诗埋怨李东妮不应该带妹妹去参加婚礼。李东妮要去，李诗诗拦不住她，可是韩苗苗与陈醉没任何关系，因此根本没有必要去凑那个热闹。韩苗苗觉得很委屈，说自己去的时候，李诗诗不阻拦，现在人回来了，又要埋怨。李诗诗说，她不怪她，只是在说她姐姐。韩苗苗说："你说她，难过的是我。"李东妮在一旁半天不开口，突然酸溜溜地说："苗苗，你难过什么，有人心里才是真难过呢，只是不好意思说出来。"李诗诗气得把筷子扔了，说你也太会说话，我毕竟是你妈，你就这么说我。

吃过晚饭，李诗诗闷闷不乐地洗碗。李东妮和韩苗苗姐妹意识到气氛有些不寻常，打开电视机准备看电视剧。这一阵正在播放一个很受观众欢迎的连续剧，母女三人到时间必看，李诗诗的活老是干不完，洗好了碗，又大张旗鼓地擦起了灶台。很快就到开播时间，电视里已开始播放广告，韩苗苗大声招呼李诗诗，李诗诗嘴里说着就来，可是一直到连续剧播完，她还在厨房瞎忙。韩苗苗小声对姐姐说："有没有注意到，妈今天有点不对头。"

李东妮说："我早注意到了，她这会心里不知怎么乱呢。"

韩苗苗偷偷进了一趟厨房，跑出来说："不好了，妈在哭。"

姐妹俩于是一起跑进厨房，安慰李诗诗。李诗诗一口否认自己哭了，见抵赖不了，索性堂而皇之流眼泪，先是吸鼻子，小声抽泣，很快就不可收拾，双手捂脸，哇啦哇啦地哭起来。姐妹俩有些慌，从来也没见她这么伤心过，吓得不知所措。韩苗苗自然而然地就跟着哭起来，李东妮感到很不痛快，心里说不出的别扭，忍了一会，对李诗诗说："妈，我知道我今天那话伤着你了，你别难过。不是你配不上我爸，是我爸配不上你。你大人不计小孩错，算我说错了，行不行？"

李诗诗抹着眼泪从厨房里出来，到厕所里不停地擤鼻涕。韩苗苗像小猫似的，贴在她身边一声一声地喊着，李诗诗说："苗苗，妈妈没事。"李东妮一手扶着厕所的门框，说没事你就别哭了，还哭。李诗诗说："哭不哭是我自己的事，你别管，告诉你，也别太得意了。我哭，不是在乎你爸，我是觉得对不起苗苗她爸。苗苗，你爸死了以后，我一直没好好哭过，今天这么哭一场，我心里其实很痛快！"

二

李东妮在陈醉右派改正的时候，才知道自己还有这么一位亲爹。在这之前，她什么也不知道。李诗诗和老韩将这件事情瞒得滴水不漏。李东妮从小就有一个固定看法，她觉得母亲偏爱韩苗苗，因此在父母之间，与老韩的感情要亲近许多。老韩在离这个城市一百多公里之外的铁路上工作，每个月只回来一次，也许因为回来得少，李东妮看见他就很兴奋。

早在李东妮还是一个小姑娘的时候，李诗诗就告诫她上厕所要关门。她总是记不住，记忆中，老韩有好几次在她洗澡的时候，无意中闯进来，每次都是很慌张，冒冒失失一头进来，然后诚惶诚恐赶快退出去。李东妮觉得十分有意思，她天生不是个害羞的小姑娘，直到自己已经发育成大姑娘，还是记不住洗澡的时候把门锁上。

老韩每次回家，都会给李东妮带些小玩意，一个小风筝，自制的小钥匙环，一串糖葫芦。她印象中，只要是老韩对她好，李诗诗就不太高兴。在姐妹俩的争吵中，李诗诗总是不分是非地站在妹妹一边，有一次，韩苗苗将李东妮的钢笔尖摔断了，李东妮照妹妹的脸门上就是一巴掌，韩苗苗因此大哭大闹，结果李诗诗狠狠地揍了李东妮一顿。这是李东妮一生中最厉害的挨揍，几乎在母女之间造成不共戴天的仇恨。

李诗诗处处护着妹妹韩苗苗，人一旦有了偏心，想控制都控制不住。李东妮因此很有些悲伤。还有一次，她因为老韩在家有人撑腰，和韩苗苗发生争执，不肯善罢甘休。李诗诗追着要打李东妮，她便往老韩身边跑。老韩说，多少要讲个道理，东妮又没有什么大错，你凭什么打她。李诗诗不依不饶，李东妮便在老韩的身边转圈子。老韩终于火了，说要是再这么闹，你打她一下，我也打你一下，索性大家不讲理。李诗诗不为老韩的威胁所动，一把拉住李东妮，对她后背上拍了一下。其实根本就没有弄痛，李东妮趁机大哭，老韩的声音也因此恶毒起来，他捋了一下袖子，说：

"你个女人是不是神经有毛病？"

李诗诗说："就是有毛病，我的女儿，为什么不能打，我打的是我女儿？"

"什么你女儿你女儿！"

李东妮仗着有老韩帮自己，突然喊了一声："神经病！"

然后李诗诗和老韩就相互动手，李东妮已记不住具体的细节，只听见很清脆的一声，在空气中回响着，那是老韩扇李诗诗耳光的声音。两个人真打了起来，李东妮开始感到害怕，她悄悄回到自己房间，坐在床沿上小声抽泣。外面越闹越厉害，什么东西打碎了，接着又是一样东西被扔在了地上。闹了很长时间，外面的声音大，李东妮的哭声也大，终于没声音了，李东妮悄悄地去厕所，她已经有些憋不住了，从厕所出来，她小心翼翼摸索着，害怕踩着扔在地上的东西，伏在李诗诗房门上偷听动静。老韩还在恶声恶气地诅咒，李东妮听不清他在说什么，但是知道是些很不好的词汇。

三

突然从天上掉下来一个亲生父亲，李东妮感到十分意外，那时候她正准备考大学，而老韩也因为解决多年的夫妻分居，刚从外地调回来。她感到的第一个不习惯，是单独面对老韩时的尴尬，多少年来，他一直是她最亲近的人，现在却让她感到从未有过的尴尬。即使已将厕所的门锁上了，她仍然感到不自在，因为觉得插插销的声音，意味着不信任，这种不信任本身就是对老韩的伤害。同样感到别扭的是老韩，这个男人给李东妮的父爱，一点也不比别人的父亲逊色，当他知道李诗诗已经把真相告诉李东妮以后，许多天里都闷闷不乐。老韩属于那种话不多的男人，他想做出若无其事的样子，但是表现得十分拙劣，很不自然。

老韩从外地调回来的第二年，在一个公共汽车站候车，被一辆失控的小汽车撞死了。当时车站的人很少，小汽车高速行驶，为了避让迎面的来车，竟然冲到了安全岛上。司机想刹车，却鬼使神差误踩了油门，结果两位正在等车的乘客撞飞出去一大截，其中一位多处骨折，老韩送进医院不久就咽了气。

突发事件又一次恢复了原有的家庭秩序，自从李东妮有记忆以后，这个家庭始终是三个人生活，一个女人和两个女孩子，老韩的回来永远只是个插曲。一切仿佛事先就注定的，如果不是陈醉的出现，老韩或许不会心不在焉，心不在焉是一件很可怕的事情，他即使躲过这次车祸，可能也会遇到下一次灾难。老韩死后，李东妮一直觉得有些内疚，希望从母亲那里多知道一些关于他的事情，但是李诗诗每次都说不下去。李东妮对这一点始终想不明白，他们毕竟夫妻了那么多年，怎么会什么都不知道，她怀疑母亲是故意隐瞒什么。

有一次，李诗诗禁不住女儿的追问，终于坦白，说："有什么好隐瞒的，你又不是不知道，这么多年来，老韩和我，根本就没话好说，他是个哑巴，每次回来就住两个晚上；做两夜夫妻，除了对那事感兴趣，你反正也大了，告诉你也没关系，他还能做什么？你问我关于他的事，我又问谁？"

李东妮发现李诗诗和老韩的关系一直不是太融洽。多少年来，她们家和老韩的亲戚没有任何来往，结果老韩遇车祸，想通知亲戚都没办法。老韩成了一个来无影去无踪的神秘人物，说来就来，说走就走。或许只是为了不让小女儿韩苗苗心里难过，李诗诗不止一次表示，在老韩和陈醉这两个男人之间，她更喜欢老韩，但是这种表态根本没有说服力。在提到老韩的时候，李诗诗没有任何情绪，仿佛在说一个与自己毫无关系的人。李东妮很伤感地发现，母亲对老韩的意外逝世，伤心程度甚至还不及自己的一半，韩苗苗也不是太在乎，她只是对死亡感到恐惧，不敢一个人待在房间里。

李东妮注意到，李诗诗只要一提到自己的生父陈醉，眼睛立刻就会炯炯发亮。

四

李东妮在大学三年级的时候，和陈醉一起回过一趟老家，她从未见面的奶奶死了。因为记忆中没有奶奶的印象，这趟回老家有些怪怪的。首先是和生父陈醉在一起，虽然有着血缘关系，可是李东妮总觉得他更像个陌生男人。想象中，作为父亲的陈醉为弥补未尽的抚养义务，应该讨好李东妮，但是根本没有，他对自己的亲生女儿大大咧咧，并不怎么太在乎。其次，虽然是回老家奔丧，却没有一点悲伤的气氛，用当地人的话来说，奶奶已八十多岁，这把年纪过世，便应该算作喜事。陈醉在老家待了三天，每天起码喝两次酒。

三天过得很快，那是一次隆重热闹的葬礼，李东妮见到了太多的亲戚，有陈醉的亲兄弟，还有堂兄弟，他们有的长得太像了，彼此分都分不清楚。大多数时候都在喝酒，喝一种土造的米酒。这酒十年后经过一家外国公司投资经营，成为一种品牌酒出现在各大超市上，卖得十分红火，价格上涨了几十倍。李东妮不明白为什么一天到晚要喝，这一带的农村其实很贫穷，穷丝毫不妨碍喝酒。当地农民喝酒不要什么菜，满山遍野都是一些小竹子，春天来了，村民挖了很多竹笋，用刀剖开，洒点盐，拌点青豆，腌一腌，再晒干，然后一年四季靠此下酒。

年纪大的成天喝酒，年轻人成天喝酒，男人喝得醉醺醺，女人也不甘示弱，甚至半大不小的孩子都跟着起哄。空气中弥漫着一种酒味，在酒文化的熏染中，父老乡亲一个个很幽默，李东妮只听见他们在笑，不太明白他们说什么。说话的听话的总是在笑，陈醉不得不一再为女儿翻译当地的土话，为了让那些说话的人高兴，李东妮不管自己有没有弄明白，干脆先笑了再说。奶奶下葬以后，陈醉带李东妮去她的外婆家。外婆家也在这个村子上，陈醉的家在村子的西头，李东妮的外婆家在东头。到了地方，陈醉指着那一片快要倒塌的老房子说：

"这就是你外婆家。"

李东妮兴致勃勃地看着那栋老房子，白墙黑瓦上留着岁月的痕迹，她希望陈醉能说些什么，但是他一声不吭，仿佛是局外人。有几个乡下人远远地看着他们，其中一个走过来与陈醉打招呼，然后就站在那与陈醉说话。李诗诗的外公也姓陈，曾是这里最有名望的人物。李诗诗从不对女儿叙述自己的故事，李东妮偶尔知道一些细节，然而都无关紧要，就像不经意看到的电视连续剧上某些小片断，不仅无头无尾，而且还互相冲突矛盾。对于自己亲生父母的事情，李东妮知道的实在太少，现在，既然陈醉已把她带这来了，李东妮很想知道一些他和她母亲的事情。终于那个乡下人也离开了，她希望陈醉能说些什么。

陈醉很有些感伤，说这是个漫长的故事，要慢慢说。李东妮等着他的话，可是好半天没有下文。陈醉欲言又止，结果李东妮忍不住生气，说：

"搭什么架子，要说就说，不说拉倒。"

陈醉吃惊女儿会用这样的口吻与自己说话。

李东妮的情绪变得很坏，她悻悻地说："我可能对你们的事情已经不感兴趣了，用不着再吊我的胃口。有一天，我妈突然对我说，你有一个亲爹。又有一天，你又对我说，你奶奶死了。我不知道接下来还会怎么样，反正对于我来说，我什么都不知道，有太多的空白，你们想怎么填充都可以，怎么说都行，我怎么都得相信。"

陈醉感叹地问："你妈说过我什么？"

"什么也没说，她都懒得提起你！"

第 二 章

一

陈醉小时候是个地道的乡下孩子，是李诗诗为他打开了通往外面世界的窗户，人的生命中，有些窗户一旦打开，永远也不会再关上。50 年代初期，与母亲一起回乡探亲的李诗诗，给乡村少年陈醉留下了刻骨铭心的印象。那时候他还叫陈根宝，陈醉是读师范生时的笔名，在一封给校长的公开信中，他第一次用这个后来大出风头的名字落款。陈醉两字一度赫然见诸于当地的报纸，先是作为大鸣大放的英雄，接着便是臭名昭著的右派。在60年代初期，陈醉曾经想恢复使用本名，负责签户口的一位民警冷笑说，你还应该用这个名字，这名字好，人家一看到它，就知道你是个反党反社会主义的右派。

李诗诗是一个城市里长大的姑娘，随母亲回乡的那一年是十四岁，在乡下只住了一个星期。新年里，孩子们在麦田里放风筝，李诗诗站在田埂上看。陈醉呆头呆脑地站在她身边，一句话也不说。其他的孩子疯疯癫癫跑过来奔过去，惟有陈醉当时的表情最滑稽，他的眼神发直，目不转睛地看着李诗诗，即使她正对着他看，也没有任何反应。

多少年以后，陈醉向女儿描述自己的爱情故事，他告诉李东妮，恰恰是从这个时候开始，他爱上了她母亲。但是，与其说毅然爱上了李诗诗，还不如说他朦朦胧胧爱上了那个属于她的城市。在此之前，城市对于陈醉是一个空洞的概念，是乡亲们口头流传的一个个故事，城市太远，远得看不见摸不着。是李诗诗第一次把活生生具体的城市展现在陈醉面前，在回乡的这一个星期里，全村的孩子每天都聚在了李诗诗外公家门口大呼小叫，像一群调皮的猴子似地等待李诗诗出来散发糖果。这种布施每天只有一次，一旦完成，孩子们便呼啸而去，到第二天才会再来。惟一的例外是陈醉，他手上攥着一粒糖果，形迹可疑地在李诗诗外公家门前来回乱窜。有一天，按捺不住好奇心的李诗诗把陈醉喊过去问话，那时候，她比他差不多要高出一个头，他只能仰着脸和她说话。

李诗诗说："你这个小孩，拿了糖为什么不走？"
陈醉不说话。

李诗诗说："好吧，我再给你一颗糖果。"

李诗诗又给了陈醉一颗糖果，他接过糖果，仍然不肯走开。

李诗诗说，我早就发现了，你这人真好玩，老是盯着我看，你为什么老是盯着我看。

陈醉仍然不说话，仍然目不转睛。

李诗诗笑了，说，你不会是哑巴吧？喂，小哑巴，为什么老是盯着我，说话呀。

二

三年以后，陈醉由他父亲带着，冒冒失失地出现在李诗诗家。大家都觉得很意外，陈醉的父亲红着脸说："这孩子一定要到城里来，成天就是这个心思，说是要到省城读书。我们是乡下人，怎么能供得起他读书呢？"李诗诗的母亲有些为难，她看着这对不怎么明白事理的父子，叹气说："想来城里读书当然是好事，不过，这种事，也不是想来就来。"

"要不我老骂他，我说你个小兔崽子的，乡下人就不是人。乡下人不种粮食，城里人还不饿死？还有，是乡下人的命，是这命就得认。"陈醉的父亲一肚子的不满，全被勾了出来，儿子的认死理早就把他气糊涂了，"我骂他，骂，真是骂，也没少揍他。他妈老护着，老护着他，还说，'骂有什么用，打也没用，你带他去趟城里，该怎么就怎么，真不行了，小孩自然会死了心'。死心，这小兔崽子缺心眼，打死他也死不了这个心。"

陈醉父子在李诗诗家借住下来，说好只住一夜，李诗诗母亲为他们买了两张返程票，再给了五块钱路上用。陈醉始终一声不吭，李诗诗逗他说话，说他长高了，人也长得蛮精神，干吗跟哑巴似的。陈醉还是和三年前一样不吭声，惟一的区别是不再瞪着大眼睛看着李诗诗。突然，李诗诗发现他的眼眶里全是泪水，那是非常绝望和悲伤的眼泪；她心头不由地震动了一下。吃晚饭时，李诗诗对母亲说："妈，你考考他，看看他的水平究竟怎么样？"李诗诗母亲是中学的老师，问了陈醉几个问题，都答对了。母女俩感到有些意外，饭后取了李诗诗做过的习题让他做，不一会全做了出来，十几道题只做错一题。

李诗诗惊讶地说："妈，他比我还低两级呢？"

陈醉的出色表现让李诗诗母亲改了主意，她觉得这么聪明的小孩，留在农村实在可惜，便让陈醉父亲先回去。她告诉他郊区的一所师范专科学校正在招生，如果陈醉考上的话，可以到那所学校去读书。陈醉的父亲抱怨说，就是考上了也读不起呀，乡下人哪有闲钱供孩子在城里读书。李诗诗母亲说，这不成什么问题，师范学校管饭钱的，只要他能考上就好办。陈醉父亲走了以后，李诗诗的母亲开始有些后悔，既担心陈醉能不能考上，又担心真考上了，以后他的父母会不时上门打扰。乡下人想问题总是自说自话，他们从不为别人着想，只要认识，就会拿你的家当旅馆。李诗诗的父亲是一个机关的副处长，他最不喜欢有人突然找上门来。

到了考试那一天，李诗诗的母亲学校有事，让女儿陪他去考场。考场很远，李诗诗与陈醉一起坐公共汽车到终点站，又要了一部三轮车。从考场出来，陈醉完全蔫了，他十分痛苦地坐在校园门口的田埂上，反反复复只说一句话："我该死！"李诗诗问他是不是考得不好，他也不正面回答，除了说"我该死"，还是"我该死"！回家以后，李诗诗母女都觉得他不会有什么希望，陈醉自己更是万念俱灰，成天坐在角落里发呆。李诗诗母亲有些不耐烦，让他把考试情况说一下，他结结巴巴地说着，说什么什么错了，还有什么什么也错了，反正考得一塌糊涂。说完了，竟然主动提出来要回乡下，他已经没有信心等待发榜通知。

结果又是李诗诗送他去车站。一路没话，李诗诗想安慰他，不知道说什么好。终于检票进了站，李诗诗对他挥挥手，他像什么也没看见一样，默默地挤上列车，消失在人群里。

一个星期以后，陈醉的录取通知竟然寄到了李诗诗家里。

三

陈醉在师范学校很快成了高材生。李诗诗母亲有个老同学在那当老师，几年后到李诗诗家做客，谈起陈醉，老同学把他好一番夸奖。李诗诗母女听了很高兴，也很意外，因为在过去的几年里，陈醉和李诗诗家没有任何接触。老同学说了许多，她描述了一个对李诗诗母女来说，完全是陌生的一个陈醉。与昔日的那个乡下孩子相比，现在的这个陈醉才华出众，善于在公共场所演讲，已经在报纸上发表文章，有很多女孩子追求。

李诗诗终于按捺不住好奇心，决定去拜访就快毕业的陈醉。她自己高中早已毕业，没考上大学，招工进入一家军工厂当检验员。那是 1957 年的春天，李诗诗突然出现在陈醉面前，陈醉有些意外，但是很快镇定下来，十分大方地带李诗诗参观了学校，还把自己的女朋友介绍给李诗诗。陈醉的女朋友是一个军人的女儿，随身带着一个军用书包，她警惕地打量着李诗诗，提出了一个又一个旁敲侧击的问题。当她听说李诗诗和陈醉好几年没见过面，脸上绷紧的表情开始有些放松。

接下来，大家一起在食堂里吃饭。李诗诗问陈醉这些年为什么不上她家去玩，陈醉说他一直想去的，可是因为忙，也就耽误了。说着，有些不好意思，脸顿时就红了起来，他说自己一有空就会去。时间过得真快，一晃都已经几年了，他确实很想去看看李诗诗的母亲。陈醉似乎已变了一个人，他很会说话，很会讨女孩子喜欢。吃完饭就是告辞，陈醉要送她，他女朋友酸溜溜地说：

"我还有课呢，你们有什么话，慢慢聊。"

李诗诗和陈醉两个人的时候，又恢复了当年无话可说的状态。

李诗诗说："你女朋友很傲气。"

陈醉笑而不答，李诗诗又说："你现在也很傲气。"

"怎么会呢。"陈醉有些局促不安。

"你就是有点傲气了。"

"你这么说，我还真不好意思，怎么敢在你面前傲气。"

回去的路上，李诗诗心头有一种说不出的滋味。她觉得陈醉现在的确长得很神气，很帅，难怪女孩子会喜欢他。她不喜欢那个背军用书包的女孩子，想到自己在背后嫉妒陈醉的女朋友，李诗诗脸上便一阵阵地发红，一阵阵地燥热。当年真不应该小看了他，李诗诗想起当年刚见面的情景，想起他手攥糖果目不转睛的模样，想起当年他从师范学校考试出来时的痛苦表情，想起他父亲骂他一口一个小兔崽子。她想起了很多，在以后的几天里，只要是一个人，她就会情不自禁地想起陈醉，想起与陈醉有关的一切。陈醉像一团驱逐不开的雾团，总是在李诗诗周围绕来绕去。

两年以后，李诗诗和陈醉结了婚，整个蜜月里，她都在怀疑自己是不是在和那位背军用书包的女孩子赌气。陈醉在那次见面不久，很快被打成了右派，这在当时是很重的罪名，为很多正派的年轻人所不齿。然而，成了右派的陈醉并不像大家想象的那么潦倒，事实是，李诗诗和那个背军用书包的女孩展开了激烈的争夺战，两人都喜欢陈醉，都觉得抢一个右派分子有些伤自尊，又谁都不愿意放弃。李诗诗成了最后的胜利者，新婚之夜，李诗诗要陈醉坦白，他和背军用书包的女孩之间，究竟到了哪一步。陈醉说，什么哪一步，我们那点事，你都知道的。李诗诗说，你们的事，我怎么可能都知道。陈醉问她究竟想知道什么，李诗诗话里有话地说，你明知道我想知道什么。陈醉说，我又不是你肚里的蛔虫，怎么会知道你想知道什么。李诗诗说你装糊涂，陈醉说我凭什么装糊涂。

陈醉终于不再绕弯子，说："我和她之间真要有什么，她能饶得了我！"

李诗诗一怔，脸红了，说："你这话什么意思？"

四

李诗诗从来不赞成那种后来成为流行的观点，这就是自己当年嫁给陈醉，是因为出于同情，是因为他落了难。同情会让爱的质量打上折扣，让爱背上沉重的包袱，在爱情力量的驱使下，陈醉是不是右派已无关紧要，同情和怜悯也不起任何作用。爱情简单而且明了，不管怎么说，在第一个回合中，李诗诗是情场上的胜利者。李诗诗爱陈醉，她在竞争中得到了陈醉。李东妮出世的时候，是李诗诗一生中最幸福的年头。那时候，陈醉结束了劳动改造，分配到离李诗诗工厂不远的一家小学当教师。幸福的生活往往无法用笔墨来描述，刚刚开了一个头，就变成了永恒的回忆，因为短暂，所以永恒。在李东妮牙牙学语之际，陈醉突然提出来要和李诗诗离婚，离婚的理由是陈醉又和那位背军用书包的女孩好上了。女孩和一位军人结了婚，现在，她提出一定要和陈醉在一起，否则就告陈醉破坏军婚。

破坏军婚曾是一个非常了不得的罪名，如果罪名成立，陈醉将立刻被逮捕法办，加上他本来就是个右派，罪上加罪，后果将不堪设想。李诗诗几乎没有任何犹豫，就答应了陈醉的请求，她不愿意他刚从劳改的地方回来，又再一次被送去坐牢。他已经在政治上犯了大错误，现在又在生活问题上捅了这么大一个纰漏，她惟一能做的，就是牺牲自己来保护陈醉。当时的离婚并不容易，好在李诗诗是和一个右派离婚，稍稍有些曲折，婚也就离了。

李诗诗真正感到痛苦，是她后来发现陈醉欺骗了她。那个背军用书包的女孩根本就没有出现，也没有什么军婚，缠着陈醉不放的是小学的音乐老师。李诗诗做梦也不会想到自己竟然栽在一个梳长辫子的小丫头手里，她的姿色并不出众，有两颗小小的虎牙，只是用一个小小的计谋，就把李诗诗彻底击溃。李诗诗不明白陈醉中了什么邪，她觉得自己输得不明不白。原有的崇高感已不复存在，离婚一度让她感到痛不欲生，然而这种痛苦因为包含着一种伟大的牺牲，李诗诗总觉得心灵深处有一种力量在支撑着。现在，李诗诗突然发现支撑大厦的柱子，原来是一个很虚幻的东西，它从来就没有存在过。

在内心深处，李诗诗无数遍的设想过，如果有机会与陈醉单独相见，她一定要问个明白。她想弄明白他为什么要编这么个故事欺骗自己，为什么，在难以遏制的愤怒情绪唆使下，她给陈醉写了一封言辞激烈的信，在信中，她威胁陈醉，说自己将去他所在的学校大闹，要让他和那个音乐老师身败名裂。这封信是个火山的爆发口，李诗诗所有的委屈，所有的哀怨，所有的愤恨，都获得了一次充分的释放。能量既然已经释放，当陈醉诚惶诚恐跑来认罪的时候，李诗诗发现她已经不是那么仇恨陈醉了。

在这次匆匆地会见中，陈醉又一次陷入沉默不语。与李诗诗相对，他总是一声不吭。李诗诗没有流泪，一个人的时候，已经流了太多的眼泪，她反反复复地只是重复一句话：

"你为什么要骗我！"

结果没完没了流眼泪的是陈醉，他像一个知道做错事的孩子，一边流眼泪，一边抽泣。他是来认错的，但是自始至终，竟然不肯说一句认错的话。

李诗诗气愤地说："你有什么可伤心的，流泪的应该是我，可是我已经没眼泪可流。"

眼前的一切，显得有些不真实，好像梦境一样。李诗诗陷入在深深的麻木之中，她想不明白陈醉为什么只是哭，只会哭。思想的机器已停止转动，她不知道自己采取什么样的对策才好。陈醉继续哭着，临了哭得实在不好意思，抽咽着说，他今天来这，就是为了大哭一场，为了痛痛快快洒一次热泪。这句话让李诗诗很动情，心口一阵阵颤抖，于是立刻就原谅了他。她想他什么都不说，自然有什么都不说的道理。她宁愿他什么也不说，也不希望他再编了谎言来哄骗自己。陈醉已经流了足够的眼泪，这泪水已经足以打动李诗诗。李诗诗突然很冲动地将陈醉搂在怀里，抚摸着他的头发，他的眼睛，他的鼻子，他的耳朵根。她发现自己是那么不甘心失去他，一想到他现在已经是别人的丈夫，便忍不住心痛欲绝，柔肠寸断。在离婚后的这一年里，李诗诗的心灵深处一直在流血，那是一种永远清晰的痛楚，是永远弥合不了的伤口。她想自己永远也不可能原谅这个男人的负心，永远不会，但是事实上，她不仅已经原谅了他，而且一点也不恨他。

如果那天陈醉留下来，后来的许多事情就不会发生。

如果那天陈醉留下来，李诗诗的一生就完全是另外一个模样。

第 三 章

一

陈醉又一次跑来找李诗诗，已是几年以后，是文化大革命最激烈的年头。那时候，李诗诗已和老韩结婚，肚子里正怀着韩苗苗。有一天半夜里，李诗诗被急促的敲门声惊醒，她打开门，陈醉像个幽灵似地闯了进来。李诗诗被他吓了一大跳，失声叫道："天哪，怎么会是你？"陈醉不让李诗诗开灯，在黑暗中，他一阵阵哆嗦，像风中的小树一样摇摆着，然后发出一种大祸临头的声音。他说自己现在全完蛋了，世界的末日已经来临，再也活不下去了。李诗诗让他别紧张，有什么话慢慢说。

陈醉说："小梁她把我给揭发了，这下我可活不了了！"

李诗诗不知道小梁是谁，好在很快弄明白小梁就是与他结婚的那位音乐老师。夫妻之间相互揭发，在文化大革命中，算不了什么大事，但是小梁揭发的内容，却有可能置陈醉于死地。陈醉第一条罪状，是说毛主席他老人家和江青生活作风都有问题，理由是毛有杨开慧，江有一个在上海滩拍电影的男人，这个男人还没死，正躲在香港。陈醉的第二条罪状，是说林副主席喜欢拍毛主席的马屁，对老人家是理解的要执行，不理解的也要执行，毛主席的话还有不理解的，说明水平要比毛差很多。这两条恶毒攻击在当时都是很严重的罪行，打成现行反革命毫无疑问。第三条是流氓罪，说他偷看女生上厕所。

陈醉一条一条地向李诗诗解释，对于前两条罪行，李诗诗也觉得严重，叹气说，你这是没事找事，为什么要瞎说八道，杨开慧大家都知道的，人家是革命烈士，江青同志在毛主席前面怎么可能会有男人，这种事想也能想明白。还有，说林副主席就更没道理，听毛主席他老人家的话，怎么能叫拍马屁，况且他的水平，当然不如毛主席，这么说怎么能算是错。陈醉跺脚说，这两条罪状非要了我的小命不可，你想想看，夫妻之间枕头边的话，她非要揭发出去，而且还添油加醋，根本就不是我的原话。我本来没什么恶意，她那么一说，就成了恶毒攻击。

但是李诗诗还关心的是第三条，她想听他解释怎么偷看女生上厕所。陈醉觉得这一条也难交代清楚，因为他是右派，所以文化大革命一来，他不但被打倒，而且立刻被罚去打扫厕所。学校的那些女学生很调皮，总是想方设法捉弄陈醉，陈醉在外面问有没有人，她们躲在里面一个个都不作声，陈醉真进去了，她们便从隔档里一下子蹦出来，吓他一大跳，等到他慌不择路往外跑，她们便追在他后面大喊，骂他是臭流氓，偷看女生上厕所。李诗诗觉得这算不了什么，陈醉苦着脸说自己还没有把话说完，问题的关键还在后面。

那天，陈醉又走进女厕所打扫，扫到一半，突然发现蹲坑上蹲着一个女生，正瞪大了眼睛十分惊恐地看着他。陈醉感到很意外，他打算扭头就走，可是忍不住又看了女生一眼。那女生显然是属于那种胆子太小的女孩，被吓傻了，木桩似地蹲在那一动不动。陈醉已经习惯了学生的虐待，在学校里，很多孩子都以捉弄他为快事，现在，竟然有个女孩子会在他的面前感到恐惧，他不由地产生了一种异样的感觉，奇怪那女生为什么不像受了惊吓的兔子一样，拎起裤子夺门而逃。回家之后，陈醉把这事说给音乐老师听，音乐老师把他大骂一顿，说他不要脸，是不怀好意。

李诗诗问："那女生多大？"

"五年级。"

"你怎么知道？"

"我过去教过她的，"两人不知不觉中，已经坐了下来，仍然没有开灯，陈醉比一开始平静了许多，"小梁她老问我看到了什么，她老问，问急了我就瞎说了一通。"

"你瞎说什么？"

"我说什么都看到了。"

李诗诗似乎有些明白那位音乐老师为什么要把陈醉大骂一顿。

陈醉带委屈地说："其实我什么也没看到，我无论怎么解释，小梁她就是不肯相信。"

二

天亮以后，李诗诗送陈醉去自首。陈醉吻了吻熟睡中的李东妮，眼睛红红的，想说什么，没说出来。李诗诗心里很难过，恨自己竟然帮不上什么忙，这以后很长时间，她都感到内疚，感到对不起陈醉。陈醉因为无路可走，才想到跑她这来避难，可是来了以后却发现，事实上李诗诗已根本不可能收留他。现行反革命是个很严重的罪行，畏罪潜逃罪加一等，无论陈醉有多大的能耐，都不可能逃出人民战争的汪洋大海。况且李诗诗已经再一次结婚，她现在是别人的妻子，肚里正怀着另一个男人的孩子，感情和理智尖锐地冲突着，李诗诗真想什么都不要顾忌，捂着脸在大街上痛哭一场。

他们走得很慢，越是接近学校，陈醉的脸色越沉重。已经到了学校门口，大门还没开，传达室的老头刚起来。陈醉让李诗诗离他而去，她摇摇头，说一定要把他交到造反派手上才放心。陈醉于是像个小孩一样，站在校门口小声地哭开了，一边哭，一边抹鼻涕。李诗诗身上没有带手绢，便撩起衣服的下襟，帮他擦脸，心口像刀割似的难过。她不知道如何安慰他才对，有些话她犹豫再三，临了还是没有敢说出来。虽然她后来很后悔，无数遍的自责，但是她知道即使再给自己一次机会，这话也仍然说不出口。如果他们还是名义上的夫妻多好，她愿意陪着他一起吃苦，一起遭罪，无论他被发配到什么地方，她将追随他到天涯海角。如果陈醉能够主动提出来，他需要她，能检讨自己的过去的负心，他来找她，不仅是单纯的避难，不仅仅是来寻找安慰，而且还能告诉她，他还爱她。陈醉只要还说一声他还爱她，说他一直在思念她和女儿李东妮，情况就会完全不一样。他已经失去过一次机会，这一次机会很快又将失去。

让李诗诗感到难堪的，是陈醉只会以泪相对，为什么他一个大男人，除了哭，就是一声不吭，要不，就是没完没了地埋怨自己的老婆小梁，说她不该出卖自己，说她的揭发与事实大有出入。三三两两的学生开始来上课了，接着又有老师过来，陈醉低着头，好像是怕别人认出他来。李诗诗陪着陈醉进了校门，在逐渐热闹起来的校园里走了一圈，完全是没有目的地瞎走。声讨陈醉的大标语，墨迹未干，随处可见，陈醉的名字写得东倒西歪，用红墨水打上了叉，其中最触目惊心的一条标语是："现行反革命分子陈醉不投降，就叫他灭亡！"学生越来越多，叽叽喳喳地闹着，喊着，东奔西跑，他们毕竟还是孩子，根本顾不上在意陈醉。到处都是乱哄哄的，李诗诗忍不住了，问陈醉应该去什么地方。陈醉也不知道应该去什么地方，他很悲哀地看着那些大标语，回过头来，可怜巴巴地看着李诗诗，说自己犯了这么大的错误，小梁绝不会再饶过他。李诗诗没想到此时此刻，陈醉最担心的竟然是音乐老师会不要他，心里很失落，便接着他的话说：

"你好好地改造思想，小梁会原谅你的，坦白从宽，抗拒从严，你要听党的话。"

终于，迎面过来了好几个造反派模样的人，其中一个人看上去年纪已经不小，他是学校造反派组织的小头目之一，是学校的水电工，恶狠狠地瞪着陈醉，问他跑哪去了，害得他们到处找他。

三

音乐老师小梁并没有要和陈醉离婚的意思，恰恰相反，在后来的岁月里，一直要闹离婚的是陈醉。经过一段黯然销魂的日子，饱受运动洗礼的陈醉从危机中走出来，重新获得了教学机会，逐渐成为所在小学的业务骨干。到文化大革命后期，人们对右派已经不当回事，一所中学把他借调过去，很快发现他是个多面手，学校的每一门课都能教。他是地道的万金油，教什么都全心全意，教什么课都让同行相形见绌。1975 年，复出的邓小平搞整顿，陈醉成了这所中学最出色的老师，竟然被提为教务处副主任。1977 年恢复高考，各种补习班如火如荼，陈醉又成为本市最有名望的猜题高手，他所辅导的班级，高考录取率居全市第一。

陈醉又一次离婚是在 1976 年，他终于和小梁分了手。为了不离婚，他的第二位妻子委曲求全，默认他对她的一次又一次不忠。据说陈醉先是和小梁的姐姐有些不清不白，他们之间的情书不止一次落在小梁手里，以后又与一位回城的女知青纠缠到了一起，她为他堕过胎。为了达到离婚的目的，陈醉开始变得很堕落，在男女关系上越来越有恃无恐，小梁手上掌握的一大堆证据足以把他送进监狱，但是想到自己已经背叛过一次陈醉，实在不忍心再害他，她仁至义尽，最后只能与陈醉好了好散，在离婚书上签字画押。

80 年代中期，李诗诗与小梁见过一次面，这是她们的第一次见面，小梁仍然还是小梁，或许是教音乐的缘故，已经四十多岁，打扮得却非常年轻，天还不热，已经穿了质地不厚的连衣裙。最让李诗诗感到意外的，是她戴着一副淡淡的墨镜，在当时被称为"盲公"镜，是从福建沿海走私进来的，一度很时髦。她们一见如故，谈了很久，主要是小梁在说。小梁对陈醉显然旧情未忘，虽然已经离了婚，说的都是他不对的一些事情，但是始终带着一种宽宏大量。

"男人不坏，女人不爱，女人和男人不一样，女人没记性。男人记不住该记的事，女人呢，又忘不了该忘的事。"小梁颇有感叹地说，"女人的那点记性，全用来记自己的过错，用来记那些对不住男人的地方，所以女人最倒霉，总是内疚。"

这时候，陈醉正得意忘形于第三次婚姻中。谈到共同的前夫，李诗诗和小梁一样，有着无限的感叹，只不过她不愿意把这些感情流露出来。她不知道自己是否应该完全相信小梁的话，小梁已经为当年揭发陈醉付出了代价，事过多年，她仍然为这件事情受着煎熬。女人总是比男人更容易感到内疚，李诗诗觉得小梁这人其实很不错，她想不太明白陈醉为何一定要和她离婚，既然小梁可以一次次地原谅他的背叛，为什么陈醉非要抓住她的揭发不放。在结束这次谈话的时候，小梁红着眼睛说：

"男人的心肠都像石头一样，你就是把它焐热了，没多少时间，还是冷的。"

四

李诗诗的第二次婚姻，从一开始就不是很圆满，老韩是个话不多的男人。他们做了十几年的夫妻，说过的话，如果把重复的句式排除掉，可能超过不了一百句。李诗诗喜欢男人对她说些什么，然而无论是前面的陈醉，还是后面的老韩，与别人都还有话可说，偏偏对李诗诗是没有嘴的葫芦，什么话都闷在肚里，抢上三棍子也打不出一个闷屁来。

老韩一个月才回来一次，到日子，他回来了，又到日子，便走了。他是个很壮实的人，肩膀极宽，像一头牛，脑袋大而头脑简单，喜欢闷头做事。他最活跃的时候，是上床关了灯以后，然而无论他怎么有精神，仍然一声不吭。每一次做爱都是一场无声的战斗，老韩默默地耕耘，在这方面好像有用不完的劲。每月一次的探亲，仿佛只为了关灯后的那一段时间。

有时也会遇上不顺心的日子，正好李诗诗身上来了，或者她刚和他吵过架，老韩于是只能在黑暗中叹气，辗转反侧翻来覆去。第二天天亮，他会脸色发青，睡不着，又不肯爬起来，好像刚生了一场大病。在这样的日子里，老韩也会戏剧化地找些事做，譬如找把菜刀，把门前新长出来的那株泡桐树砍了。秋天来了，泡桐树宽大的叶子遮住了南面的阳光。要不就是把家里的某些东西拿出去卖，旧的废纸，女儿用过的课本，各式各样的玻璃瓶，暂时不要穿的旧衣服，老韩对卖东西有着特殊的兴趣，心情不好的时候，他就用拳头抵着下巴，琢磨家里是不是还有什么东西可以拿出去卖。

惟一能让李诗诗记得他好的地方，是他们有一次吵过架，明显的是老韩不对，他不知道如何缓和，便上大街买了一桶石灰，用报纸给自己做了个帽子戴上，忙活了整整一天，把家中里里外外粉刷了一遍。这是一次特殊形式的认错和道歉，那种焕然一新的感觉，让李诗诗开心了好几天，这是她和老韩结婚以后，第一次真正感到家的温馨。她喜欢空气中弥漫着的石灰水味，喜欢那明亮耀眼的白颜色，这个家大多数时候，都是李诗诗带着两个女儿过日子，分居生活永远是灰色的。老韩从来就不知道关心李诗诗，也从来不用语言道歉，他或许根本就没有明白过，这次不同寻常的粉刷行动，对于李诗诗来说，产生了多么大的一个震动。

更多的时候，李诗诗还是在思念陈醉。这是一种挥之不去的思念，或许是因为不能忘情，李诗诗根本不在乎老韩对她怎么样。她对老韩从来就没有过高的要求，既然李诗诗不打算独身一辈子，迟早也是嫁个人。她想象不出自己应该嫁个什么样的男人，第一次和老韩见面以后，介绍人问李诗诗印象怎么样，她怔住了，不知说什么好。

"肯定比你前面那个右派强，"介绍人看她还有些犹豫，语重心长地说，"我跟你说，老韩虽然在外地工作，可是人家是铁路上的，回来方便得很，又不要花车票钱，而且也不在乎你结过婚，还有一个拖油瓶的女儿！"

第 四 章

一

老韩刚出车祸的那些日子，李诗诗最着急的，是自己做不出悲伤的模样。她为此感到十分恐惧，首先觉得对不起老韩，不管怎么说，毕竟是十多年的夫妻。她为自己不能在火葬场失声痛哭感到羞愧，为了能够营造出一些气氛，她努力回想一些可以让她伤感的事情，想象老韩生前的种种好处，想象自己应该内疚的事情，然而悲哀根本就不存在，就像用竹篮去打水，花了好大的力气，拎起来只剩下一点点感伤的水珠子，又好像用浸湿的木去点火，心里再急也没什么用，划了一盒火柴还是着不了。她不得不对着老韩的遗体假装落泪，她意识到两个女儿正在监视着自己的一举一动，为了不让她们看出破绽，她用手帕使劲揉眼睛，眼眶越揉越涩，最后只好放弃。

回到家里，面对那些来探视的人，李诗诗发现自己简直是在受罪。有时候，不能很好地表现出悲哀，也是一件很不幸的遭遇。

大家反反复复地让她节哀顺变，问她对赔偿有些什么样的要求，让她利用这个机会赶快提出来。李诗诗的脑袋一片混乱，她不仅在表演悲哀方面是个拙劣的演员，对如何索赔也无动于衷。人死了无法复生，什么样的赔偿都无济于事，李诗诗绝不会利用这样的机会敲诈一笔赔款。对于肇事的司机以及司机所在的单位来说，遇上李诗诗这样的死者家属实在幸运，他们一个劲地对她说好话，甚至用高风亮节这种词汇来表扬她。

李诗诗渴望能让她一个人静静地待着。她现在不需要任何安慰，只想独自一个人。如果说她真有什么不痛快的话，那便是礼节性的安慰太多了。大家都觉得她和老韩分居那么多年，好不容易才调到一起，幸福的日子刚刚开始，却遇上了这样的飞来横祸。很多来探视的人，甚至表现得比李诗诗更悲伤，结果人们越是想安慰李诗诗，越让她感到不安，越让她感到无地自容。最后，过多的探视终于惹恼了李诗诗，她不得不以装病来谢绝这类打扰，让韩苗苗守在门口挡驾，谁来了都不接见。她不吃不喝，也不去医院，因为在医院里去看望她的人会更多，还不如索性躺在床上蒙头大睡。

一个人独处的好处，可以肆无忌惮地胡思乱想。让李诗诗感到自责的，是她在这应该悲伤的日子里，总是情不自禁地想起陈醉。她设想着陈醉如果来看望自己，可能会出现的一些画面，这些画面就像小说中的细节，一遍遍地在她的脑海里闪过。老韩活着的时候，李诗诗也常常为陈醉想入非非，她觉得这是一种感情的不忠实，是法定婚姻之外的情感走私。她并不爱老韩，在这一生中，除了陈醉，她谁也不爱，可是老韩既然是她的丈夫，她就不应该对陈醉念念不忘，她既然是老韩的妻子，脑子里就不应该再有别的男人。

现在，老韩已经不复存在，她想自己为什么不可以理直气壮地爱陈醉。

现在，老韩已经不复存在，她想自己可以全心全意地爱陈醉。

二

对于陈醉，李诗诗非常懊悔自己失去的几次机会。不止一次，他近在眼前，一伸手就可以抓住，但是一不留神，便让他逃之夭夭溜之大吉。好男人是水中的鱼，你分明已经抓住它了，可是一撒手，它就又游出去，再也不会回来。好男人是天上飞的鸟，是飘在空中断了线的风筝，是刮风下雨时稍纵即逝的闪电，是苦恼人脸上的笑，是海市蜃楼，是水中月，是镜中花，是刚出炉的烧饼，是扔出去打狗的肉包子。

在老韩遇难的第一百天，李诗诗决定不顾别人笑话，毅然带着小女儿韩苗苗去见陈醉。这是个非常大胆的行动，李诗诗决定主动出击，自我把握机会。她准备好的借口，是希望陈醉能够辅导韩苗苗的功课，那时候的陈醉刚刚右派平反，因为对付高考很有一套，已经成为一个非常出风头的人物。校园里叽叽喳喳，人声鼎沸，李诗诗和韩苗苗找到了陈醉所在的办公室，坐在那里，忐忑不安地等待着他的出现。一位年轻女老师自告奋勇找陈醉去了，可是好半天没有消息，终于上课的铃声响起来，乱哄哄的学校一下子变得出奇的安静。

李诗诗按捺不住失望，脸上掠过出师不利的阴影，觉得自己恐怕要等到下课。好在外面传来了人声，陈醉还没进入教室，李诗诗便先听见了他的声音。虽然很多年没有听见这声音，但是李诗诗在第一时间里，已经敏锐地捕获到了这种讯息。接下来的情形便难以用文字描述，陈醉像梦里一样突然出现在李诗诗面前，他大大咧咧地进了办公室，好像一下子并没有认出来她们是谁。一切都显得不那么真实，李诗诗觉得浑身酥软，有些把持不住自己，如果不是手扶着办公桌，很可能会一下子跌坐在地上。在这节骨眼上，出什么样的洋相都可能，一股暖流全身上下到处乱窜，她的心跳加速，嘭咚嘭咚，仿佛一台全速运转的发动机，开足了马力在高速公路上狂奔。她不得不屏住呼吸，好像只有这样，才能防止自己过于激动的心脏从喉咙口跳出来。

转眼已经过去了十多年，这十多年里他们从来没有见过面，然而李诗诗的印象中，自己几乎没有一天不在思念他。陈醉看上去比以前胖一些，脸色很好，头上略有些谢顶。他有些意外地看着李诗诗，脸上带着经过岁月沧桑的微笑，半天不说话。李诗诗一时也不知说什么好，怔在那里，手心里湿漉漉的全是汗珠。离开学校回去的路上，李诗诗全然记不住自己刚刚说过些什么，说什么已经不重要，只记得陈醉和她握了手，握着她汗湿的手，轻轻地摇了摇。李诗诗后悔不是一个人去见陈醉，那样的话，情况或许会完全不一样。女人痴起来真是没有底，李诗诗心慌意乱，又一下子回到了少女时代，回到了当年陪他一起去师范学校应考，一起从考场出来，绝望的陈醉坐在田埂边上发呆，反反复复地说自己"该死"。

一路上，李诗诗脸上都带着甜蜜意味的傻笑，走在她身边的韩苗苗感到疑惑不解。她只知道母亲要为自己找一位好老师，但是在陈醉面前，李诗诗谈得更多的却是她的姐姐李东妮。韩苗苗为此感到很不高兴，李诗诗一个劲地夸奖李东妮，为了说姐姐李东妮好，她甚至不惜一遍遍反复说妹妹韩苗苗怎么不好。上了公共汽车以后，如果不是韩苗苗提醒，李诗诗连车票都忘了买。韩苗苗一肚子不痛快，她偷眼看李诗诗，对她说话恶声恶气，偏偏李诗诗这时候全无感觉。沉浸在回忆幸福中的李诗诗，丝毫没有在意女儿的小动作。汽车快到站了，韩苗苗赌气地一个人往车门口走，站在车门前，回过头来，发现李诗诗还怔在那里发呆。

一个星期以后，陈醉礼节性地拜访了李诗诗。这是次不同寻常的拜访，由于李东妮不在，李诗诗拿出她的照片给陈醉看。陈醉看着女儿的照片，眼圈有些发红，他颇有感慨地告诉李诗诗，说自己所以后来会再次离婚，很重要的一个原因，就是希望自己还能有个小孩。他说自己非常喜欢小孩，尤其是小女孩，一想到他几乎没怎么和李东妮一起生活过，心里就特别难受。他很郑重地向李诗诗许诺，既然在对李东妮的教育上，没有尽应尽的义务，现在便该是弥补过错的时候了，他将尽最大的努力，让韩苗苗考上大学。

由于韩苗苗这一年才初二，考大学还有很多年，因此那一阵，谈论她如何高考，只不过是一个大家见面的幌子。想到是为了韩苗苗才和陈醉见面，李诗诗觉得老韩就算地下有知，也会原谅自己。接下来的一段时间，陈醉成了李诗诗家的座上客，他常过来吃顿便饭，甚至还请李诗诗看了一场电影。让李诗诗感到震惊的，是原来什么菜都不会做的陈醉，在过去落难的日子里，竟然学会做一手好菜。有一天他亲自下厨露了一手，竟然将鸡蛋做出螃蟹肉一样的味道，李东妮和韩苗苗吃得津津有味，对陈醉的手艺赞不绝口，吃了还想吃，尤其是韩苗苗，动不动就问叔叔什么时候会再来，她对陈醉比李东妮还亲，好像她才是他的亲生女儿一样。

那时候，冬天在家里洗澡还是个问题，母女三人总是结伴去李诗诗工厂的浴室。李东妮在本地上大学，到周六晚上才回来，女浴室常常人满为患，有一次她们等到最后才洗，姐妹俩先洗，洗好了，在换衣间里穿衣服，穿得差不多，李诗诗一边擦身上的水珠，一边向她们走过去。李东妮看着李诗诗赤裸的身体，笑着对韩苗苗说：

"妈的体形还不错，都快比我好了。"

李诗诗没听清李东妮说什么，她知道两个女儿常在背后议论她，便问她们为什么要笑。

韩苗苗突然冒冒失失问了一句："妈，你什么时候和陈醉叔叔再结婚？"

这话直来直去，李诗诗不知如何回答才好，虽然是在自己女儿面前，她仍然觉得很不好意思。换衣间里人已走空了，李诗诗还是担心这话会被别人听见。李东妮没有说什么，她只是不怀好意地暗笑，这种笑让李诗诗身体内部有种异样感觉，有一种不安分的冲动，她于是很慌忙地穿衣服，越是慌忙，越是穿不好，将棉毛衫穿反了，不得不脱下来重穿。韩苗苗固执地问她为什么不回答，李诗诗红着脸说，你瞎说什么，又说我为什么要回答。韩苗苗于是又拿同样的话题问李东妮，李东妮有些傲气地说，这种事我都不急，你着什么急。

回家以后，李诗诗希望两个女儿继续谈谈她和陈醉的事，可是她们的兴奋点早就转移了。自从老韩逝世，韩苗苗因为害怕，都是和李诗诗睡，李东妮从学校回来，她就又睡回自己的房间，和李东妮聊天，这姐妹俩有没完没了的悄悄话要说。

叶兆言 李诗诗爱陈醉

李东妮考上大学以后，韩苗苗对她多了一分崇拜，最喜欢听她说大学里的事情。李诗诗走进女儿房间，两个女儿就不说话，因为她们这会要说的话，根本就不想让母亲听见。李诗诗觉得无聊，便决定到外面去洗衣服。李东妮说，都这么晚了，洗什么衣服，干吗不能早点睡觉。李诗诗叹气说，今天明天都是洗，你们又不会帮我洗的。韩苗苗打了一个哈欠，撵李诗诗走，说你爱洗不洗，快走吧，人家话还没说完呢。

三个人换下来一大堆衣服，李诗诗毫无困意，在搓衣板上擦洗衣服。女儿房间里的窃窃私语夹杂着笑声，她想听听她们说什么，但是听不清楚。渐渐地声音低了下来，若有若无，最后一片寂静，两个人显然已经入眠。等衣服洗好，已经是深更半夜，李诗诗仍然一点睡意都没有。她灌了一个热水袋，有些失落地走进自己房间。夜深人静，房间里很冷，虽然有热水袋，钻进被窝时，还是感到一阵阵寒意。也许手在冷水里浸得太久的缘故，她的手像冰一样，因此被窝里做的第一件事，就是赶快将自己的手焐热，等手逐渐热起来了，再用热手去暖和身体的别的部位。热水袋被放到了脚底下，只有这样，才能让缩成一团的脚伸出去。

抚摸着自己急需温暖的躯体，李诗诗不禁想起李东妮在换衣间说过的话。她很少想到过自己的体形，与胖的人相比，她不胖，与瘦的人相比，她又不瘦。与同龄人相比，她的乳房很丰满，结实得就像怀孕期的女人，个子适中，脖子有些长，腰也很好看，细细圆圆的，仍然保持着活力和弹性。或许是刚洗过澡的缘故，她的皮肤摸上去非常光滑，摸上去有一种异样的感觉。早在还是做少女的时候，李诗诗就听毕业于金陵女子大学的母亲说过，说她有一副很不错的身材。那些特定的年代里，美丽的身材显得无关紧要，人们穿差不多的衣服，冬天厚厚的棉袄，永远是那种单调的颜色，很长一段时间里，无论上班下班，李诗诗都是一身工作服。她所在的军工厂有个副厂长喜欢摄影，这家伙出身于延安抗大，厂里搞什么庆祝活动，他便拿着苏联照相机忙着拍照。据说他私下里曾说过，那个叫李诗诗的女绘图员很上照，这些话在后来的运动中，一度成为副厂长不安心工作，迷恋西方生活方式的罪证。他为李诗诗拍过一张工作照，大约是因为满意，把它放大了，放在厂门口的橱窗中展览了很长时间。在这个不眠之夜，李诗诗浮想联翩，多少年从来也没想过的事情，无数的陈芝麻烂谷子都复活了，像小鱼似的一条条游进她的脑海。韩苗苗突然搬过去与姐姐睡觉，反倒让她感到有些不习惯，李诗诗这些年来，屡屡因为突然的不习惯造成失眠。先是老韩从外地调回来，多年的夫妻分居，让她感到一种新的不适应，老韩睡着了会磨牙，年轻的时候并不是这样，四十过后，从天亮前磨上那么一两个小时，很快发展到整夜不歇。尖利的磨牙声老让她有一种老鼠正啃家具的错觉，好不容易习惯了这种声音，老韩又出了车祸，结果没有磨牙声的烦恼竟然一样严重。这以后，进入新一轮循环的打扰是女儿韩苗苗的鼾声，李诗诗奇怪一个十四岁的小女孩，怎么会有那么大的动静。

三

　　李诗诗比陈醉小两岁，可是感觉中，一直更像是大姐姐。她心头挥不去他小时候的模样，傻傻地站在田埂上，以一个乡下孩子的倔劲，目不转睛地盯着自己。李诗诗爱陈醉，从某种意义上来说，仿佛是姐姐爱弟弟，她总是忍不住要关心他，呵护他。一段时间里，事态的发展正像大家所希望的那样，一步步朝着复婚的方向发展。李诗诗和陈醉虽然都没有明确地谈过，但是谁都觉得这将不是什么问题。

陈醉甚至还在李诗诗家住过几夜，当然是睡在另外的一间小房间里。这样的不眠之夜多少有些激动人心，如果陈醉在白天对她做过什么暗示，或者在韩苗苗睡着之后，到她这边来坐一会，向她发出邀请，李诗诗会毫不犹豫地跟他去隔壁的房间。他们本来就做过夫妻，迈过这一道台阶并不是太困难。熟睡的韩苗苗即使打雷也不能把她吵醒，他们可以肆无忌惮地寻欢作乐，把失去了多年的幸福重新寻找回来。鸳梦重温是一件很奇妙的事情，李诗诗一想到那些即将到来的美好，忍不住一阵阵打颤。

但是水到并没有渠成，偏偏最后的关头，出了一些不大不小的差错。他们之间就像两条挨得很近的平行线，远远地看过去，已经联在一起了，走近了才发现原来的那些距离一点都没有改变。李诗诗永远也不明白造成差错的原因是什么。陈醉上门的次数开始明显减少，李诗诗不止一次借机去找他，发现他对学校的事情已经不感兴趣。下海经商的热潮正在社会上兴起来，陈醉突然不顾一切地辞去了公职，迫不及待投身其中。他在市区繁华地段与人合开了一家服装店，一次次去南方的沿海城市进货，那段时间，他和普通小商小贩没有任何区别，开口闭口都是谈怎么赚钱。陈醉的生意一度十分红火，这个城市中热爱时髦的女人全中了邪，争先恐后地光顾他的商店。

关于陈醉如何风流的故事，逐渐传到李诗诗的耳朵里。在一开始，她还不太相信这些流言，很快也就确信不疑。每次去陈醉的服装店，她都能发现陈醉与不同的女人打得火热，有一次，只是远远地看见他和一个漂亮女人在说话，凭着女人的直觉，李诗诗立刻意识到他们之间的关系非同一般。让李诗诗感到不快的，是陈醉并不在乎她窥破了他的秘密，恰恰相反，在做介绍的时候，他的举止十分轻浮，好像有意要表现他和那个女人的亲密。那个女人的眼光极不友好，她仗着自己更年轻更漂亮，非常不礼貌地白了李诗诗一眼。

这以后，有关陈醉的故事，全是道听途说，有些传闻很离谱。他其实根本不是个善于做生意的人，太多的精力都花在了女人身上，因此生意越是火爆，离破产的日子就越近。据说服装店的财政大权自始至终都掌握在一个神秘女人身上，这人是一个高级干部子女，她不便过于在前台张扬，因此只是让陈醉挂名做做样子。陈醉不过是这个名噪一时的服装店的傀儡，他有职无权，也没有太多的钱。终于传来了他要结婚的消息，对象当然不是李诗诗，也不是他的后台女老板。神采飞扬的陈醉送来一张印得极度考究的结婚请帖，让李诗诗务必带着两个女儿前去捧场。李诗诗的脸色当时就很难看，然而陈醉一点都不尴尬，理所当然地沉浸在即将做新郎的喜悦之中。

陈醉结婚给李诗诗带来惨烈的疼痛，仿佛心头被人生生地割了一刀，又好像有人将她的肚肠一截截地扯了出来，然后用剪刀一阵乱铰。她根本没办法控制住自己的情绪，越是想在两个女儿面前做出若无其事，举动也就越是过分。两个女儿对她不加掩饰的荒唐行为假装没看见，她们想自己既然帮不上什么忙，最好的办法就是不闻不问。她们有自己的事情要做，李东妮大学毕业刚去新单位不久，韩苗苗要准备学校的考试。有一天，吃过晚饭，韩苗苗注意到电视上的一条当地新闻，大声招呼正在洗碗的母亲。陈醉的辉煌事业到了尽头，他经营的那家服装店因为欠款，正被法院勒令查封，电视上出现了陈醉的一个镜头，垂头丧气的样子，然后是一组债主们的控诉。李诗诗不动声色地看着，看到最后忍不住笑了，冷冷地说了一句：

"活该！"

韩苗苗吃惊她用了这样的语气。

李诗诗接下来的一句话，更恶毒，她诅咒道：

"这种没良心的家伙，不会有什么好下场！"

四

这以后，仿佛被李诗诗的诅咒不幸言中，陈醉开始不停地走下坡路。原有的那家服装店倒闭了，他又开始做电器生意。合伙人是他新婚妻子拐了弯的台湾远亲，这位台湾远亲的年龄与陈醉不相上下，其貌不扬，却很会讨女人喜欢，不是送鲜花，就是带着去上馆子。陈醉不久便发现年轻漂亮的老婆张妍已成了人家的情人，一开始还躲着他，到后来索性大大方方，明火执仗。陈醉闹了几次，管不住张妍，自己也跟着放浪形骸，砸锅卖铁，彻底不学好。他本来就有几个旧相好，于是能续的都重新续上，又发展了几个新户头。陈醉不吃张妍的醋，张妍却吃他的醋，两人闹着要离婚，总是闹，闹一阵，好一阵，又闹。

陈醉最大的一次出洋相，是嫖娼被捉。不是在现场抓到的，是妓女交代问题，顺藤摸瓜，把他咬了出来。正赶上严打，电视台大张旗鼓做新闻报道，虽然经过技术处理，但是大家立刻都知道那是谁。好事不出门，这种丑闻照例是要传出千里，陈醉从此声名狼藉，都拿他当笑话讲。张妍有了这样的把柄，更加铁了心要离婚，说什么都没商量。陈醉再次跌入人生最潦倒的阶段，他实际上已经和张妍分居了，偏偏死活也不肯在离婚协议上签字。

有一阵，甚至连居住的地方都没有，落实政策分给陈醉一套房子，被张妍强占着，她开出的条件是不离婚，就绝不让出原本属于他的房子。陈醉根本就不是这个女人的对手，他因为不想离婚，因此惟一的招数就是躲着张妍。他像流浪汉一样到处鬼混，到处碰壁，有一天，他甚至装着什么也没发生一样，若无其事地来找李诗诗。李诗诗对他十分冷淡，弄得他很下不了台，狼狈不堪。这是李诗诗有史以来第一次对他不客气，她无论如何也接受不了他表现出来的无动于衷，不喜欢他装腔作势地演戏。嫖娼事件不仅中断了陈醉和其他女人的关系，也使他的经济状况出现了一些问题，结果陈醉竟然堕落到厚着脸皮去找女儿李东妮借钱。

最初听说问女儿借钱的时候，李诗诗产生的强烈反感，并不低于听说他嫖娼。她显得非常愤怒，陈醉作为父亲对女儿从来没尽过抚养义务，现在却还能厚着脸皮借女儿的钱，实在太过太不像话。为此她大骂女儿，顺带着连同陈醉一起臭骂。李东妮先是不理睬她，后来忍不住了，让她别借题发挥，说借的是我的钱，你着什么急。难得的是女儿十分宽容，陈醉出风头的时候，李东妮并不想沾他的什么光，父亲落难了，她变得很有同情心，毕竟他们是父女。借题发挥四个字说得李诗诗哑口无言，仿佛正在运转工作的机器，一下子让人切断了电源，她怔在那不知所措，呆呆地看着女儿。李东妮揣摩着她的心事，突然十分认真地问她，如果陈醉真离婚了，再来找她，求她原谅，她会怎么样。

李诗诗毫不犹豫地说："我会让他滚蛋！"

李东妮看母亲态度这么坚决，不往下再说。

259

李诗诗意犹未尽地说："如今他外面的女人断光了，倒又想到我了？"

李东妮说："我不过随便说说，你生那么大的气干什么！"

第 五 章

李东妮很吃惊陈醉后来会真的来找李诗诗。秋天里的一个黄昏，陈醉右手拎着一大包中药，左手抱着个煨药的小砂锅，大大咧咧跑上门来。他完全像个病人，再也见不到当年的容光焕发，脸色发黑，一边说话，一边大口地喘着粗气。陈醉找的堂皇借口是现在居无定所，而要吃中药就得找个地方煨药，因此忽发奇想地想到了李诗诗。当然吃不准李诗诗会不会收留，他故意做出很随意的样子，说："你看能不能在这借住几天，就几天，我得好好地吃一阵中药。"李诗诗吃惊得说不出话来，陈醉不等她做出明确回答，便一本正经地介绍他的胃，如何不好，有什么样的症状，如何通过熟人，花了多大的面子，找了一位什么样的名中医，然后又由那老中医做出诊断，说必须吃什么什么的中药，要吃多少多少时间。

陈醉的这次表演其实很拙劣，毕竟不是什么事也没发生，表面上的谈笑风生，掩盖不了内在的心虚，越是想若无其事，越是有些不自然。也许对前一次的冷遇记忆犹新，陈醉站在门口一句接一句说着，根本就不给李诗诗插话的机会，他害怕她一开口就撵自己走。李诗诗一直在很认真地听他说话，想听明白他究竟在说些什么，但是始终不能明白，最后干脆也不想再弄明白。陈醉自说自话，说得自己都不好意思了，他终于停下来，瞪着一双企盼的眼睛，等待李诗诗的表态。这简直就像是历史的重演，李诗诗不说话，神色黯然地看着他，她不在乎他说什么，只是奇怪他为什么要喋喋不休，为什么要说那么一大堆废话。

李诗诗感到自己又一次受到了伤害，因为此时的陈醉至少应该表现出一点悔意，说几句请求原谅的话，哪怕虚伪的假客套也行。他这种故意不当回事的装腔作势难免令人生厌，李诗诗想痛痛快快发一次火，把陈醉狠狠地教训一通，然而同情心却又一次占了上风，她仿佛听见心底里有一个声音在对自己说："跟这样没心没肺的人计较，根本不值得。"她知道他这时候虚弱得很，他已经孤立无援走投无路，犯不着再踹上他一脚，李诗诗又一次心软了，不想在陈醉需要帮助的时候撵他走。

陈醉在李诗诗家住了下来。男人有时候就得脸皮厚，男人不坏，女人不爱。刚住下来那几天，大家相安无事，一起喝茶，聊过去的事情，他们之间有着太多的空白要填补。李诗诗等待陈醉对自己说一些道歉的话，但是在这方面，他却是十分的吝啬，一句安慰的话也不肯说出口。陈醉告诉李诗诗，张妍压根就是毫无根据地瞎吃醋，他说自己早就开始阳痿了，自从和张妍结婚后，他从来就没有表现出色过。起初只是力不从心，胡乱地买药吃，后来便干脆成了一个废人。李诗诗听着，不吭声，陈醉又说张妍怎么样怎么样。李诗诗很随便地说了一句，意思是张妍还年轻，年轻人对有些事当然会很在乎。陈醉意犹未尽，继续说张妍的坏话，李诗诗很不自在，还是在小时候，母亲就告诫过她，提醒她要注意那种在一个女人面前说另一个女人坏话的男人，这种男人十有八九都不是好东西。

这时候，韩苗苗也上大学了。她考上的是大专，走读，每天晚上仍然要回来住。陈醉现在反客为主，占据了李诗诗的卧房，害得母女俩天天挤一个房间里睡觉。李东妮单位里有宿舍，而韩苗苗转眼成了大姑娘，非常在意自己的私人空间，她对母亲突然搬到自己的房间来住很有意见。李诗诗为了不让女儿生疑，晚上总是很早地就到她房间里睡觉；这种撇清对女儿的学习和生活都有非常大的影响。那位尚未与陈醉离婚的张妍却找上门来，为陈醉住在这里兴师问罪。这是一次既热闹又荒唐的谈话，张妍指手画脚气急败坏，她的意思很简单，不在乎陈醉干什么狗屁勾当，但是惟一的要求，是他必须立刻签字离婚，在没正式离婚之前，他并不享有想干什么就干什么的权利。李诗诗笨嘴笨舌地想解释什么，张妍挥挥手打断了她："好了，你少说话，千万别让这家伙觉得我们还在抢他，就为这种男人，不值得。"李诗诗被她的气势汹汹弄得很尴尬很狼狈，只能一遍遍地强调自己的清白。年轻气盛的张妍才不管他们是否清白，她告诉陈醉，自己来这里的目的，只是希望他赶快在离婚协议上签字。

陈醉有些赖皮地说："我就是不签字，你又拿我怎么样？"

张妍说："你怎么这么没志气？"

陈醉说："说对了，我还就是没志气。"

张妍气鼓鼓地走了。李诗诗觉得她这么来一闹，自己在女儿面前非常没面子。韩苗苗希望母亲能对陈醉下逐客令，他是一个不受欢迎的人，早走早好。李诗诗精心为陈醉设计的光环，在韩苗苗的心目中早已不复存在。然而陈醉若无其事，根本就没有告辞的意思，既然住在这的一切感觉都不错，经历了一段漂流不定的岁月，陈醉很满意现在这种养尊处优的日子。李诗诗在他身上看到了许多自己本来很陌生的东西，他既是当年的那个让她怦然心动的陈醉，又好像已经不是，仿佛被时间老人随手置换成一个毫不相干的男人。考虑到他们过去在一起生活的日子本来就不多，李诗诗发现重新认识陈醉，并不是一件愉快的事情。陈醉自以为得计地说张妍要离，我还就是不离，就跟她闹别扭，就这么耗她，看她怎么办。李诗诗心里隐隐有些不痛快，想说你既然舍不得离婚，为什么要住到这来，但是这话说不出口，她现在的处境尴尬，显得又笨又蠢又丢人。

陈醉把近年来遭遇的种种不顺利，都归结到食欲不振上面，他颇有感触地对李诗诗说，当年做服装生意的时候，曾听人说过日本女人找男人，最喜欢找那些胃口好的男人，为什么，因为食欲有时候就等于性欲，胃口好的人，干那种事也厉害。陈醉希望能在李诗诗家把自己的胃口调养好，一个多月下来，炉子上药罐整天洋溢着药味，他的胃口却没什么本质改变，稍好一些，立刻更坏。最后替他看病的老中医也失去了信心，搭着陈醉紊乱的脉息，看着他越来越发黑的脸色，建议他赶快去看西医，拍个片子，检查一下有没有什么肿瘤之类的东西。于是由李诗诗陪着去当地一家最大的医院，拍片的结果是有个阴影，必须立刻手术，陈醉的情绪因此十分低落，很担心地对李诗诗说：

"我爹没活过五十，我爷爷也是，我的日子怕是也不多了。"

化验报告出来前，一种难以名状的不祥预感萦绕在李诗诗心头。这毕竟是一个让她刻骨铭心爱过的男人。她偷偷地去老韩的墓地上哭了一场，因为连续几天，她都梦到已经死去的老韩，梦中的老韩身强力壮，表现出了极度的妒意，对文弱的陈醉大打出手，陈醉在他的袭击下抱头鼠窜，跪地求饶。在过去的岁月里，陈醉对于李诗诗来说，更多的是一种虚幻，如今原本虚幻的东西正变得越来越实在，不祥的预感也越来越强烈。李诗诗希望老韩的在天之灵能够原谅陈醉，希望陈醉能够幸运地躲过这一劫。一段时间里，李诗诗变得疑神疑鬼，死亡的阴影像雾气一样弥漫在空气中，直到陈醉平安地从手术台上下来，她仍然心惊肉跳。

或许李诗诗的虔诚感动了上苍，陈醉的病情总算没有继续恶化，他在地狱的边缘绕了一圈，又平安潇洒地重返人间。首先是恶性肿瘤的排除，这一点，不仅出乎主刀大夫的意外，也让李诗诗和张妍这两个女人感到意外。大家都做好了最坏的打算，仿佛已经看到了糟糕的结局，事态的发展却突然走向光明，出现了戏剧性的转折。李诗诗心中的一块大石头安然落地，陈醉的胃虽然切除了四分之三，他的身体迅速恢复；恢复速度之快状态之理想，就连医生也说不清是为什么。奇迹说发生就发生了。在李诗诗细心的照料下，病歪歪的陈醉竟然像重新焕发新春的枯树，脸上又一次出现了健康的红润，他的眼神又一次开始清晰发亮。

陈醉继续客居在李诗诗家，和手术前相比，现在似乎更有理由赖在这里不走了。他的身份十分暧昧，渐渐地，居然也变得不老实起来，大白天的，对李诗诗动手动脚，做些年轻人才有的亲热举动。最荒唐的是，陈醉从来没断过和张妍的联系，他常常给她打电话，有时候偷偷摸摸，有时候干脆公开。手术过后的休养期间，张妍来看他，他当着李诗诗的面，对张妍有说有笑，戏称自己都是快入土的人，她还闹什么离婚。张妍似乎也有些回心转意，一个劲地表扬李诗诗，夸奖她对陈醉无微不至的照料，笑着说陈醉你这个忘恩负义的东西，根本不配人家对你这么好。李诗诗对这些半真半假的插科打诨，明显的不太适应，她不知道陈醉脑子里都是些什么样的念头，更不知道他对未来有什么样的打算。陈醉只是一味的油滑，李诗诗相信只要张妍真肯让步，他便会毫不犹豫地又回到她身边。

　　李诗诗最不适应的是陈醉的调情，就好像是蹩脚电视中的镜头，他变得越来越油腔滑调。在张妍面前，陈醉一点骨气都没有，背后却动不动就说要和她离婚。这种口是心非的话说多了，李诗诗不仅不为所动，而且开始有点反感。陈醉说，我这一辈子交往的女人，就你对我是真好。多少年来，李诗诗一直在等着这样一句话，可是，真听到了这句话的时候，一切已经改变了味道。李诗诗木然地回应说，大家都这把年纪了，用不到老拿这样的话来哄人。陈醉说，怎么能说我是哄人呢。李诗诗说，我看我们也就是有缘没分，过去的事情，还是不提的好。陈醉并不想重温过去，李诗诗让别说，他也就趁机真的不说。

　　陈醉丧失的自信逐渐恢复，有一天，终于纠缠着李诗诗，假戏真做，迫使李诗诗就范。然而他忙了半天，什么也做不成，于是坐在床沿上唉声叹气，自嘲说："现在该相信说的都是真话了，这就叫有心无力，还以为爱能够唤醒什么，可是奇迹没有发生，奇迹再也不会发生。"这是李诗诗第一次听陈醉讲到爱这个词，此时此刻，这个词从他嘴里说出来，竟是那样的滑稽和虚伪，充满了游戏色彩。李诗诗不愿意沮丧中的陈醉下不了台，她永远也狠不了这个心。"我们已经老了，无所谓的。"她奇怪自己竟然还能这样安慰他，在事后的很多天里，李诗诗始终有一种说不出的惆怅。现实中的陈醉和虚幻中的陈醉根本就是两个不相干的人，李诗诗一生中为了陈醉，已经历太多的失望，现在，巨大的失望中又增添些别的难以捉摸的东西。

　　李诗诗不由地想到，如果陈醉一病不起，她就此真的就失去他了，情况又会怎么样。或许会更好，很多东西只有在失去的时候，才会感到珍贵。她将在弥漫着爱的气氛中，没完没了地追忆自己与他的感情生活。李诗诗为自己的这些想法感到恐惧，爱陈醉毕竟是她一生中感到最实在的一件事情。多少年来，李诗诗一直为自己几次失去陈醉懊恼不已，痛不欲生，现在，她突然发现那些造成痛苦的东西，远比想象中的幸福更持久，更值得去品尝。如果你真爱一个人，最好的办法就是失去他，因为只有失去的才是最美好的。现在，一生追求的幸福似乎就在身边，伸出手去仿佛就能抚摸到，李诗诗突然有些找不到北。她突然失去了生活的目标，像一个断了线的风筝，不知要飘向何方。

湿漉漉的雨季提前来临了。李诗诗决定和陈醉谈一次话，并没有想好要谈什么，只是充满了一种开诚布公敞开心扉的冲动。她知道自己这一次真的是有话要说，有许多话要说。连绵不断的细雨像雾一样，滋润着初春的大地，陈醉正站在窗前，悠然自得地欣赏着外面的风景，远处，长长的柳条随风飘拂。现在，陈醉背对着李诗诗，丝毫也没有觉察到什么异常，他意识到她已经走到自己的身边，缓缓地回过头来，脸上依然带着让李诗诗熟悉和心动的微笑。

"这春雨真好，"陈醉随口说着，他看到李诗诗脸上茫然的眼泪，感到非常震惊，"你怎么了？"

（原载《作家》）

林建法 韩少功 推 荐

有爱无爱都铭心刻骨

◎方方

一

　　一只鸟从头上飞过。瑶琴看鸟时，突然看到一团白色从阳光上落下来，正好落在新容刚做过的头发上。瑶琴"呀"了一声，这声音像一根刺，把绷得紧紧的会场扎了一下。会场有一点骚动，像是鼓胀着的气球在放气。瑶琴吓得赶紧捂住了嘴。正在台上念名字的厂长停顿了一下，眼光落在瑶琴身上，然后他读出了瑶琴的名字。瑶琴呆了。好多人都回头看瑶琴。瑶琴无论如何也没有想到这次的下岗会轮到她的头上。

　　瑶琴觉得自己长得标致，厂里领导每回见到她都朝她笑。和她一起的新容总会在她的胳膊上揪一把说，看看看，领导又冲你笑了。瑶琴也觉得领导正是冲她笑的。美丽的脸谁都愿意看，瑶琴想，她这张脸在领导眼里可不就是一道风景？所以她觉得自己肯定不会下岗，她一点思想准备也没有做。可是这天宣布下岗，她偏偏听到了自己的名字。非但她，全厂人都听到了她的名字。瑶琴一时间觉得自己的身体被根大木棒打缩了，又被一把利刀劈开了，人倒了下去，地上正好又满是尖刺。一种说不出来的痛把她包围了起来。

早就做好了下岗准备的新容却没有下岗。瑶琴不禁回头看新容，新容因为兴奋，脸上红扑扑的。原来觉得她一点也不好看的瑶琴突然觉得她漂亮起来。于是她明白了自己下岗的原因：新容现在是风景了，而她这道风景已经老旧。原以为领导是冲她笑的，其实，他们的笑容是为了新容。瑶琴悲哀了起来，同时心里有了些愤怒。以往她是颇喜欢厂里那几个领导的，现在，这种喜欢全都成了仇恨。瑶琴想，你们年年看我，把我看老了，就像扔抹布一样把我扔了？

瑶琴回到家里，忍不住呜呜地大哭了一场。哭得连晚饭都没有吃。她不知道自己怎么办才好。屋里很安静，没有别的人，哭得再凶也只有自己听。电话铃响了，瑶琴抹着眼泪接听电话。线那头的人没说话，就先哭了起来。瑶琴听出是新容。瑶琴心想，你有什么好哭的？新容仿佛听到了瑶琴心想的话，便哽咽着说：瑶琴，你一定会说我有什么好哭的，可是……我就是想哭。我没办法。我以为是我下岗的。我也没有去找人……我已经想好了自己下岗算了的……瑶琴没听完，就把电话挂了。挂完电话，瑶琴不哭了，她想，新容现在一定哭得更厉害了。瑶琴有点想把电话再拨回去。她手抬了抬，最后还是放了下来。

屋里依然很静。静得似乎能听到空气的蠕动。如水的月光落在窗台上。瑶琴呆坐了一会儿，便找出了杨景国的照片。她上个月才把杨景国的照片全部收藏起来。因为上个月她让杨景国的照片陪她过三十八岁生日。她对着照片独自饮酒，饮着饮着，就落了泪。泪眼朦胧中，突然觉得照片里的杨景国死死地盯着她，凶凶的，一副对她很不满意的样子。这是杨景国从来没有过的表情，她很惶恐，不知道自己做错了什么。晚上，她搂着杨景国的照片睡觉，杨景国便从一片水雾里走出来。杨景国站在河的那一边对她说，他在那边很不快乐。不快乐的原因就是他答应过让瑶琴一辈子生活得幸福，可是他没有做到。他在那边的衣服一直都是湿漉漉的，从来都没有机会干过。瑶琴的眼泪已经流了十年，每一滴都落在了他的身上。他请瑶琴让他能够穿一件干爽的衣服。瑶琴听着杨景国的话，又哭了起来。瑶琴哭时，果然看到雨点在河那边直直地落在杨景国的头上。杨景国的衣服已经潮湿得紧贴在了身上。杨景国说你看你看。你笑笑好不好，给我一点阳光。然后他就往回走。他走时，雨滴也跟着他。瑶琴呆了，然后她就醒了。醒后看到杨景国的照片上满是水渍。从这天起，瑶琴便收起了杨景国的所有照片。她想她得让杨景国穿一身干爽的衣服。她得给杨景国一些阳光。她得快乐。

可是，现在她却下岗了。下岗意味着什么？意味着她从此没有了收入，意味着她被她工作了二十多年的集体遗弃了，意味着工厂不要她了，意味着她从此是一个没有用处的人了。瑶琴想想就窝心，眼泪又忍不住一串一串地往下掉。瑶琴一边抹泪一边对杨景国说：对不起，又让你的衣服湿了。对不起，我马上就揩干。

杨景国与瑶琴的爱情故事，在他们工作的机械厂里像是一个很著名的传说。每一个新到厂里来的人，总能在第一时间里听到这个故事。故事多是这样的开头：十几年前……

十几年前，杨景国刚从大学分来第一天，他端着碗去食堂吃饭。因为不识路，便随意地找人询问。恰巧就问到了瑶琴头上。当然也可能是瑶琴漂亮醒目的缘故。瑶琴那时候有一个男朋友叫张三勇。张三勇人生最怕的事情就是怕漂亮的瑶琴被别的男人勾跑掉。突然见瑶琴在跟一个戴眼镜的斯文男人说话，气不打一处来，问也没问一声，上去就给了杨景国一拳。可怜杨景国来厂里后还没有认识一个人，就先认识了一个拳。杨景国的眼角当时就青了，碎掉的玻璃片几乎弄瞎了一只眼，眼镜无疑也废掉了。瑶琴气得要死，立刻就跟张三勇吵了一架。然后出于责任，她再三向杨景国道歉，带着他去了医院不说，还赔了他一副眼镜。以后每回见了杨景国，瑶琴总还有负疚感。杨景国是技术员，常下车间，瑶琴一见他来，就上前替他帮忙。结果这一来二去的，瑶琴就跟杨景国好了。厂里人笑死张三勇，说他一个醋拳把女朋友打进了别人怀中。

杨景国家在乡下，父母日出夜回，从来也没怎么管过他。他觉得自己这一生是自己长大的。是跟着自家屋里的门坎一起长大的，是跟着村边的一棵树一起长大的，是跟着村头老独户陈老倌养的一头牛一起长大的。后来他读了大学，因为穷，加上自卑，从来也不敢跟女孩子交往。他的日子过得粗粗糙糙。他总觉得无论他死了或是他活着，全世界都没有一个人介意。他来来去去总是很孤单。结果张三勇的一个拳头使他获得瑶琴的格外关照。这关照并不多，但一下子就彻底温暖了他的心。于是他爱上了瑶琴。像杨景国这样从来没有爱过的人，一爱起来就不可收拾。直恨不得瑶琴就长在他的眼珠里。张三勇为此又给过他几拳，眼镜碎了好几副，但这些都阻挡不了杨景国从内心深处迸发出来的爱情。瑶琴跟张三勇本来不在一个小组做事，日子处长了，便走到了一起。两人过去都没谈过恋爱，也不知道爱情是什么。以为就是年龄相当，容貌上过得去，然后去街道扯个证，弄个房间一起过日子。这就算是爱情一场了。可是杨景国的出现，突然就让瑶琴的心里生出另一种渴望。她不知道那是一种什么渴望。她只知道每当杨景国专注而痴呆地凝望她时，她就会特别激动。就心跳得不能自制。就想倒在杨景国的怀里向他倾诉什么。有一天，她跟张三勇吵了架，她决定跟他分手了。这天晚上还下着雨，杨景国来找她。杨景国在她家门口等了好几个小时，浑身淋得湿湿的。瑶琴怀着委屈跑回家，突然她就看到了落汤鸡似的杨景国。瑶琴的心一下子就激荡开了。两人没有说话就先拥在了一起。瑶琴想哭，可她料不到的是，她还没来得及哭，杨景国倒先哭了起来。两人哭了许久，便觉得从此他们再也不想分开。面对这样顽强的爱情，张三勇也没有办法，只好悻悻退出。

瑶琴跟杨景国的恋爱是一场真正的恋爱。是好多女人都向往的那种恋爱。他们每天都约会，傍晚就牵着手去江边闲逛，一直逛到夜深才回家。中午则不顾大家的观望，同坐在食堂的长凳上吃饭，像电视剧里的男女主角一样，把自己碗里的饭菜喂进对方嘴里。瑶琴不吃肥肉，杨景国就把所有的肥肉咬下来自己吃，而把所有的瘦肉都给瑶琴。瑶琴喜欢吃青菜叶不喜欢吃青菜梗，杨景国就会把所有的青菜叶都拨给瑶琴而把瑶琴碗里的菜梗全撸到他的碗里。每次吃饭时，杨景国都忙忙碌碌地做着这些。有几次瑶琴看着他这么执著地做这种碎事。眼泪只想往外淌。瑶琴想跟着这样的男人她这一生有多么幸福呀。怎么这么好的运气叫她给碰上了。这么想过后，瑶琴对杨景国就更加温柔体贴。过年了，杨景国往常总是回老家看父母，有了瑶琴后，他连老家也不想回。瑶琴过意不去，催他回家，可是杨景国却说他舍不得离开瑶琴。说他一天见不到瑶琴心里就慌。就不知道怎么办才好。就觉得天地都是灰的。一番话说得瑶琴泪水涟涟，也就没有让他回家。瑶琴把杨景国的话转述给班组的姊妹们听时，大家也都泪水涟涟起来。都说如果能有一个人能对自己说出这样的话来，真是死也值了。只有张三勇说，这样的话也是一个男人说的吗？瑶琴没理张三勇，倒是班组的姊妹们群起而攻张三勇，说为什么男人就不能说这样的话？说这样的话令女人感到幸福为什么就说不得？说出这样的话难道就丢了男人的身份吗？

有杨景国和没杨景国的人生真是太不一样了。瑶琴跟杨景国恋爱的那几年，越长越漂亮，厂里人都惊说，想不到最养女人容颜的东西竟是男人的爱情。在厂里，杨景国没有因为技术好水平高以及搞什么革新而出名，倒是他一往情深地成天要粘着瑶琴以致名声大振。全厂人差不多都认识他。有一回厂里工会组织五一节晚会，主持人为了搞笑，出了个测验，要女工们选出厂里最受人欢迎的男人。没等他说完话，女工们就在台下一起喊了起来："杨景国……"厂里的副书记是个女的，她也跟着喊杨景国的名字。让全厂的男人大跌眼镜。跌完后纷纷骂杨景国，说他搞坏了厂里的风气，破坏了厂里许多家庭的安定团结。瑶琴曾问杨景国介不介意男人们的笑骂，杨景国笑了笑，只说他们不懂。会爱女人是一种幸福。

杨景国一直想早点结婚，可是房子排队一时还轮不着他们，所以他们就一直恋爱。曾经在杨景国的集体宿舍里，趁同舍的人去看球赛，两人偷吃过几次禁果。有一次瑶琴没注意，怀了孕。杨景国悄悄带她到乡下去做了一次人工流产。那次以后，杨景国便尽可能克制自己。杨景国说，琴儿琴儿，我不能再伤你了。我只想要快点结婚。三年八个月的恋爱过去了，他们终于分到了房子。那天下班后，他们去看房子。这是个春天的黄昏，还下着小雨。瑶琴打着伞坐在杨景国的自行车后。一辆卡车疯一样冲过来。瑶琴没有看到。她只听到杨景国急叫了一声琴儿快跳呀！瑶琴不知什么事，通地就跳下车来。她还没站稳，就见汽车从自己身边擦过。杨景国和自行车都被撞到了路边。同时被撞倒的还有另一个女人。杨景国的头磕在路边的一块石头上，鲜血满面。他溅在地上的血跟那个女人的混在了一起。瑶琴尖叫着跑过去。她哭着抱起了杨景国。瑶琴的哭声撕心裂肺。杨景国睁开眼睛，笑了笑，对瑶琴说，你别哭呵你笑笑。瑶琴呜咽着勉强咧了咧嘴。杨景国说那我就放心了。然后就再也没有说话。这是杨景国留给瑶琴的最后的声音。瑶琴痛不欲生，几次都想跑到那块石头上撞死自己，然后去寻找杨景国。但因为新容盯得特别紧，每次发现瑶琴有所动静，就拼着命叫喊着让人扯住。多扯了几次，便又把瑶琴生的愿望扯回了心里。瑶琴后来就不想死了。她想杨景国一定是不愿意她死的。厂里怜惜瑶琴，虽然房子紧张得不得了，但还是没有把分给杨景国和瑶琴结婚的房子收回去。于是瑶琴就一直住在这个房间里。好多年了，一个人恍惚地过着。

瑶琴的眼泪已经干了。她用毛巾拭着杨景国的相片。镜框很明亮，杨景国在里面笑着。瑶琴用食指抚了一下他的嘴，然后用杨景国的羊毛衫把它包起，重新放回箱子里。瑶琴想，天已经凉了，再不能让杨景国的衣服湿着。

瑶琴把相片放好后，她又有些不安，心想或许杨景国的衣服已经被她打湿了。于是便走进卫生间，用洁面乳把自己的脸细细洗了一遍，然后抹上淡妆。瑶琴对着镜子笑了笑，她知道她这是笑给杨景国看的。而且杨景国一定看得到。笑过后，瑶琴觉得河那边有阳光喷薄而出，照耀在杨景国的身上。

可是，瑶琴却下岗了。

二

瑶琴的妈妈原是小学老师。老早就退休了。早退休的人虽然早些日子享福，可是工资却比晚退休的人要少好多。瑶琴的爸爸长年在地质队工作。回来后，闲不住，就开了一爿书店。刚开始时，书店生意并不好。饱一顿饥一顿地勉强维持个温饱。瑶琴的妈加入后，就在店头一侧加了个偏屋，对外出租影碟。附近有所中专学校。学生们常来这里租碟，生意慢慢就好了起来。瑶琴的妈妈便又把偏屋的碟架挪到了书店里，把偏屋隔成三个鸡笼大的小间。里面放上电视机和影碟机。每小间刚够坐两个人。用蓝花布幔隔断了外面的视线。这样，店里除了影碟可以出租外，这里还增加了看碟的包间。这一招，尤其受学生们欢迎。几乎每天晚上，都有成双成对的学生过来包间看碟。生意一下就火了起来。白天也有人过来包间看碟片。看一张碟十块钱。不贵。就因为不贵，来的人才多。人换了机子却不歇，几年下来，VCD的机子都看坏了两台。

瑶琴很少回家。回去后看着年轻人搂着腰进她家的店里，她的眼睛就发酸。她想杨景国是最会搂人的了。杨景国用手臂搂着她逛街时，根本不用动嘴，她从腰上就知道他想要去哪里。她随着他手臂的感觉行动。杨景国想些什么会从他的手指一直传达到她的心里。这一切，前来看碟的男男女女们你们懂吗？

瑶琴下岗的第二天给她的母亲打了一个电话。母亲说你回来吧，厂里不需要你，可家里需要你。瑶琴被母亲的话温暖了一下。

瑶琴带着母亲的温暖在回家前先去了东郊松山上杨景国的墓

地。因为心里头有一股温暖，所以这一回她没有哭。她像平素一样，把杨景国墓前的杂草清理了一下，将带上山的一把花插在水泥做的花瓶里。然后就蹲在杨景国墓前轻轻地问杨景国：我该怎么办？问完后，她没听到杨景国的回答，只有风声呜呜的。天凉了，瑶琴心知她不能哭。

瑶琴的妈力主瑶琴到店里来帮忙。瑶琴坚决不肯。瑶琴没说原因。她知道她可以做任何事情，却不可能留在家里看这个小店。有一回，瑶琴去书店取东西，随便走到偏屋，信手撩开了一张布幔，看到两个年轻人正拥在一起，一边吻着一边看碟。瑶琴看呆了，心里头抖得像被狂风吹着一样。杨景国当年拥抱她的感觉猛然一下又将她裹住。结果她什么东西都没拿，跑回家去哭了一场。

十年都过去了。时间是很长很长的。长得瑶琴已经三十八岁，眼见得就是进四十岁的人。皱纹也业已从她的心里一点点爬上了她的额。可是在瑶琴心里，更长更长的是她和景国在一起的四年多时间。那所有的一切都密密集集地潜伏在她内心皱折中。

瑶琴拒绝在店里做。瑶琴的爸觉出了瑶琴的心事，便对瑶琴的妈说，就别为难她了，让孩子自己想做什么就做什么吧。说完，瑶琴的爸又说，找个男人成家吧。景国肯定愿意你早些有个家。你总得靠着个人生活吧？要不，你这样过，你以为景国会安心？

瑶琴默不作声。这些话，她爸以前也说过，她不愿意听。现在她听进去了。她知道，这件事迟早得来。既然下岗了，那就来吧。

瑶琴的妈见瑶琴的神色，知道她心里已经开了一条缝。因为十年来，只要有人劝瑶琴再找一个男人，瑶琴都会立即板下面孔，堆一脸恨色地骂人。就好像对方是来抢走她丈夫似的。有过这样几回，便没人再敢开口。瑶琴的妈知道，一个人的心一旦开了点小缝，就能有清新的风挤进去。可能只是几丝丝，但也足能吹干心里面的霉斑，让霉斑的周围长出绿色来。瑶琴的妈在杨景国死去的这十年里，就这天才长长地舒了一口气。

从父母家回去，瑶琴的心一下子就平静了。这种平静，当然不是一种安宁愉快的平静，更有一些像是心如止水，就此罢休的平静。瑶琴第二天就去厂里办完所有的下岗手续。本来她想去厂长办公室道一声别，走到门口，见到厂长正和书记谈笑风生地议论什么出国的事，他们的笑声朗朗，令瑶琴心下一阵索然。她便又退了回去。瑶琴转到车间交出她的工具箱。车间主任要她跟班组的人打声招呼，她耳边突然响起厂长和书记的笑，于是她的心又一阵索然，瑶琴说算了吧。瑶琴说完就自顾自地走了。她在这里干了二十年的活儿，走时却没有跟任何人道别一声。她心里很茫然，目光也很茫然。茫然得仿佛自己的周围是一片海，海面上升腾着雾气。车间里机器的响声和工友们遥望她的目光都溶在了这茫然一派雾气之中。

实际上班组的工友都看到了瑶琴，他们想叫她，可瑶琴的神情吓住了他们。他们眼睁睁地看着瑶琴走出车间。瑶琴的脚步显得那么无力，背影的晃动透出深深的疲惫和哀怨。于是落在那背影上的目光都含有几分怅然和无奈。瑶琴就在这样的目光下隐没了。

瑶琴回到家，三天没出门。她用这三天的时间，把屋里的家具重新摆布了一遍。她也不知道自己为什么要做这些。她只是因为自己不做点什么就会闷死和愁死。第四天家里的事都干完了，瑶琴就不知道自己应该再干什么了。她便躺在床上。她觉得屋里没有活动的东西，空气都仿佛凝固着，把她和房间凝固成一个整体。

瑶琴想，就这么躺着吧。什么都不去想，连杨景国也不想了。

三

傍晚的时候，瑶琴的妈敲开了瑶琴的门。瑶琴懒懒地从床上爬起来。头发凌乱，面带倦容。瑶琴的妈惊叫着说，我的天我的闺女，你这是怎么回事？瑶琴说没什么事，我就是睡得好累。瑶琴的妈说那就起来休息休息吧。

瑶琴的妈喝了一杯水，看着瑶琴梳头洗脸，换上了衣服，方说五中的校长是她的老朋友，也退休了。今天过生日，邀了他们几个退休的校长聚会吃饭，讲了一些闲话。五中的校长说起他学校有个化学老师，姓陈，人品特别好。老婆瘫在床上九年多，他一直尽心照顾。电视台都报道过他的事迹。半年前，她老婆死了，大家都在张罗着帮他找对象。五中的校长说这样的男人，心善，在而今是太难得了。瑶琴的妈当时就说，像她家的瑶琴，忠诚又痴情，爱一个人就爱到底，也是难得的。旁的校长们就都说，要是把瑶琴介绍给陈老师，真可以说是绝配。这一说，大家都觉得合适。瑶琴的妈说，那个陈老师没有孩子。刚满四十二岁，大你四岁，年龄也相当。五中的校长吃完饭，回去就找了他。陈老师觉得瑶琴的条件很合适，表示愿意见面。现在就看瑶琴的了。

瑶琴的心怦怦地跳了起来。虽说心里已经开了缝，可来真格的时，眼里又满是杨景国的影子在晃。那影子不管不顾地挤压着她，顺着她的毛孔往她身体内直钻。瞬间就进入她的心里，把那里所有的空间全部占满。就连那条打开的缝，也再次被堵了起来。瑶琴说，妈，算了吧，我不想找人。瑶琴的妈急了，说上回不是想通了吗？你这年龄也不好找人了。人家陈老师也是大学毕业生，一表人才。没准就是老天安排他来替代景国的呢？

瑶琴坐在椅上不出声。她觉得这个人各方面条件是还不错，比以往人们向她推出的都要强，可是她心里还是抗拒着。瑶琴说我没有准备，我不想。他有过老婆。他伺候她近十年没有怨言。他一定很爱她。我不想插进去。我不可能找这样的人。他不可能替代景国。瑶琴有些语无伦次。

瑶琴的妈不悦了，嘀嘀咕咕地指责着瑶琴。说得激动时还站起来。瑶琴听不清她说些什么。她自顾自地在心里对站在那里的杨景国说，你想让我去跟那个男人吗？

瑶琴妈说了半天，见瑶琴神情恍惚，终于不嘀咕了。她长叹一口气说，我白忙了一场，还以为这个人你肯定会同意哩。我想景国是车祸死的，他的老婆也是因为车祸受的伤，你们俩肯定会心息相通的。

瑶琴怔了怔，说，他的老婆也是车祸？瑶琴的妈说，是呀，车祸过后就瘫痪了，光会吃喝屙。不能动也不会说话。你说，他受的是什么罪？比你还苦。他真是应该找个好人，舒服地过过日子呀。

瑶琴想起杨景国车祸时的场面。同时也想起摔在杨景国身边的那个女人。还想起了在她搂着杨景国痛哭的时候，一个男人抱着那女人惨烈地嚎着。瑶琴想到那残酷的场面，就轻声对她妈说了一句，好吧，那就见一面吧。

见面的地点是五中校长安排的。是在一个酒吧。酒吧的名字叫作"雕刻时光"。五中的校长说年轻人都喜欢泡吧，那里面有情调。瑶琴的妈说他们两个已经不年轻了。五中的校长说，让他们谈恋爱，就是要他们再年轻一回。瑶琴的妈觉得五中的校长说得对。

瑶琴穿了一身连衣裙，裙子外套了一件白色的羊绒外套。瑶琴虽然不是特别情愿这次的见面，可她还是精心地打扮了自己。瑶琴没有化妆，但她在见面前去美容店洗了面。洗面时，修了眉毛和指甲。所以，瑶琴虽然素面朝天，可是看上去仍然显得光彩照人。

瑶琴随着母亲的身后走进"雕刻时光"。五中的校长和她身边的那个男人都情不自禁地站了起来。瑶琴看着酒吧的名字一直在想，时光是可以雕刻的么？如果可以雕刻，那又是用什么来雕刻呢？是用我们自己有起伏有曲折的人生吗？想着时，就听到五中的校长惊叹道，想不到瑶琴这么年轻呀，看上去好像三十岁还不到哩。又听到瑶琴的妈说，是呀，我家瑶琴从小就长得漂亮，从来就不显年龄。

五中的校长和瑶琴的妈寒暄了几句后，就说他们不习惯酒吧，要到马路对面去喝茶，叫瑶琴和陈老师自己在这里聊。说着也不等瑶琴和那个陈老师同意，就自顾自地走了。

酒吧里正放着伤感的音乐。酒吧有时候就是让人来伤感的。伤感一阵后，喧嚣的心就会静一阵子。瑶琴被酒吧的音乐包围着。音乐渗进瑶琴的心里，就像海水渗进有裂缝的船舱里一样，一点一点地上升。一曲未必了，瑶琴就被这伤感呛着了鼻子。倦意也由此而起，越来越浓。她坐了下来，低着头，不看坐在她对面的陈老师，也不说话，脸上的表情恹恹的，所有的不情愿都摆在了上面。瑶琴始终都没有看清对面的这位陈老师是什么样的。

她的印象里只留有他跟五中校长和瑶琴的妈说话的声音。那声音很细，细得像是用完了的牙膏被人硬挤着。这是和杨景国完全不同的声音。杨景国的声音浑厚而温柔。一开口，就会让瑶琴激动。杨景国的卡拉oK唱得好极了。而对面的这个陌生的陈老师却是那样细声细气，听起来就不舒服。瑶琴多想了一会儿，就觉得乏味透了，可是她又不知道应该用怎样的方式离开这里。于是就这么干坐着。

对面的细声音终于先开了口。他说我叫陈福民。瑶琴微微地点了一下头。他又说，我不知道你这么年轻漂亮。如果我先知道这个，我就不会有勇气来见面了。瑶琴勉强地笑了笑。他又说，如果你觉得我不理想，也没关系。如果你现在就想离开，那就离开。我不会介意的。这样的事是需要缘分的。强求对谁都不好。

瑶琴突然就觉得这个细细的声音不是她想象中的那么讨厌。她抬起了头，望着他笑了一笑说，谢谢你。然后她就站起来，离开了坐位。走了几步，瑶琴觉得自己似乎太没礼貌，便又回过头来，朝他示意了一下。瑶琴再转身时，脑子里恍惚就有了这个人的印象。他的面色很苍白，人很瘦，头发长长的。他的眼睛很大，里面装满着惊愕。瑶琴想，哦，这个人叫陈福民。

瑶琴走出了酒吧，长吐了一口气。街上的阳光很明亮。街景也很艳丽。广告的小旗子在风中哗啦啦地响着。来来往往的男女们脸上都挂着笑。还有人隔着街高声说话。精品店里的音乐从花招各式的门中窜出，一派嘹亮地唱着，把一条街都唱通了。

世界真的是好灿烂。瑶琴站在路边想过马路。流水一样的车，一辆接着一辆。瑶琴无法通过。就站在那里看车，也看整个的街景。看着看着，瑶琴就觉出了自己的孤独。孤独很深，深在骨头里。那里面空空荡荡，叫喊一声就会有回音。回音会撞击得骨头疼。这疼楚瞬间就能辐射到全身。

　　瑶琴觉得自己好累呵，她情不自禁地倚在路边的电线杆上。有人对她说话，你还好吧。声音细细的。瑶琴听出这是陈福民。瑶琴说，我没事，我要过马路搭车。陈福民说，我也是。瑶琴就没话讲了。她只是望着马路上一辆接着一辆的车，眼睛一眨也不眨。她的脖子有些僵。陈福民说，这里的车总是很多，前面有座天桥，从那里走安全些。瑶琴望了他一眼。陈福民说，我带你走过去。

　　瑶琴不知不觉地就跟着他一起走了。天桥就在前面十几米远的地方。两人一路无语，上了天桥，陈福民才说，我要是骑自行车走近路，几分钟就到了。可是，自从出过车祸后，我就再也不敢骑车了。瑶琴心里格登了一下说，我也是。陈福民说，所以还是小心一点好。有天桥的地方就尽量过天桥，不要为了抢时间去横穿马路。时间是抢不完的。瑶琴说，是呀，我也是这样想了的。

　　对面有几个孩子冲跑过来，瑶琴让了一下，肩头不觉碰着了陈福民的胳膊。一股男人的气息扑到瑶琴脸上。瑶琴已经好久没有这么近距离地跟一个男人在一起走路或是说话了。她心里不觉跳动得有些厉害。

　　下了桥，瑶琴的车站先到。陈福民说，能不能留个电话给我？瑶琴犹豫了一下，还是点了头。瑶琴想送牛奶的送饮用水的送煤气的都有她的电话，给他一个又算什么。瑶琴在陈福民掏出的笔记本上写下了自己的电话号码。等瑶琴写完，陈福民在一页空白纸上也写下了一个他的电话。陈福民撕下那张纸，递给瑶琴，说，这是我的电话。瑶琴并不想要他的电话，可是他已经递了上来，也不好意思推掉，就只好接了过来。瑶琴看到上面不光有办公室和家里的电话，就连手机号码也写在了上面。

　　瑶琴的车哐哐当当地过来了，瑶琴客气地同陈福民说了声再见，就上了车。陈福民一直站在车站望着瑶琴的车开走。车上的瑶琴见他呆站在那里的样子，突然觉得好熟悉好温暖。瑶琴想，他站在车站的姿式怎么这么像杨景国呢？

晚上洗澡时，瑶琴摸了一下裙子的口袋。她摸出了那张写着电话号码的纸条。脑子里浮出陈福民站在车站的样子和他细细的声音。瑶琴笑了笑，把纸条一揉，扔进了马桶里。纸团在马桶里漂浮着，瑶琴按了下马桶的按钮，哗的一下，就把它冲没了。瑶琴想，到此结束。

四

瑶琴的妈第二天把瑶琴叫到了家里，一边给她盛排骨汤一面痛骂了她一顿。瑶琴的爸也长嘘短叹的。他们都认为是瑶琴的命不好，找到一个好男人，结果他死了。现在又遇上一个好男人，却又把他放过去了。瑶琴的爸说，这个陈老师比杨景国更合适做丈夫哩。对家庭那么负责，对老婆那么好，到哪里去找，到哪里去找呀。瑶琴不作声，随他们去说。

新闻播完了。瑶琴的妈要看电视连续剧。电视里正热播《情深深雨蒙蒙》。瑶琴的妈每回看时手上都捏着条手绢。里面的人一掉泪，她的眼泪就跟着唏哩哗啦往下流。看时还说，要是年轻几十岁，一定要去谈一场惊心动魄死去活来的恋爱。说得瑶琴的爸只朝她翻白眼，牢骚她退休退成了弱智。

瑶琴从来不看爱情片。对她妈那番发自肺腑的话也觉得可笑。瑶琴想这样的爱情故事，她和杨景国已经演过了。惊心了，却也散了魄。死去了，却没有活过来。还有什么好演的。

做个看客倒也罢了，可真轮到自己，那会是有意思的事么？痛都痛不过来。有了这份痛，她这辈子再也不想要爱情这东西。

不要爱情的瑶琴在母亲看爱情剧时，便悄然离去。

瑶琴走到家门口时，天已经黑透。街上的灯光落在她门栋前的空地上。月色也溶在其中，有点亮亮的感觉。门栋前有一个小小的花坛。红色的月季花正开着。有人坐在花坛边。只一个人，加上一粒火星。吐出的烟雾在他的脸面游动着。烟雾后的那个人因了这一粒火星就显得有些孤寂。瑶琴从他的面前走了过去。那个人站了起来，细细地问了一声，是瑶琴吗？

瑶琴听出这是陈福民的声音。她有些讶异，心也突突地起来。陈福民见瑶琴的神色，有些不好意思。陈福民说他是从老校长那里要了她的住址。他不知道为什么，就是想见见瑶琴。虽然他只见过瑶琴一面，可是心里总是有一种亲近感。跟别人一直没这种感觉。陈福民说着又解释，前一阵老有人给他介绍对象，他心里总是别别扭扭的。可这回，瑶琴没有给他任何别扭的感觉，反而让他感到激动。他不知道这份激动为何而来，他就是想再见见瑶琴。瑶琴一直没有说话，而陈福民则一直说着。

宿舍里有人从他们身边走过。都是一个厂里的人。都知道瑶琴的故事。见瑶琴跟一个男人谈着什么，忍不住就会多看几眼。瑶琴架不住这些眼光，就打断了陈福民的话。瑶琴说，上我家去吧。

陈福民立即闭上了嘴，跟在瑶琴的身后，进了瑶琴的家门。

陈福民一进瑶琴的家，眼睛就亮了。亮过后，又黯然起来。瑶琴因为一个人生活，家境也不错。客厅里布置得漂漂亮亮，门窗桌椅都一尘不染。陈福民想，如果能生活在这样的环境中，该是多么舒服呵。想着，他在瑶琴的示意下坐在沙发上时，情不自禁地叹了一口气。

瑶琴说，为什么叹气呢？我家里不好吗？陈福民说怎么会？我叹气是想到我那里。跟你这儿比，一个是天堂，一个是地狱。瑶琴说，太夸张了吧。陈福民说，这么说好像是夸张了一点。换一个说法吧。你这里是花园，我那里是个垃圾站。瑶琴说，还是夸张。你们知识分子最喜欢夸张。陈福民说你不信？哪天你去看看就晓得了。瑶琴没作声，心道我上你那儿看什么看。

两人一时无话。瑶琴只好打开电视。电视里正播着《同一首歌》的演唱会。老牌的歌星张行正唱着一支老歌。走过春天，走过自己。陈福民听了就跟着张行的旋律吹起了口哨。他的口哨吹得很好，委委婉婉的。张行把他的那支歌唱得很热闹，满场都是声音。可是坐在瑶琴沙发上的陈福民却将那支歌吹得好是单调，单调得充满忧伤。瑶琴静静地听他吹，倒没有听电视里的张行唱。瑶琴想，我怎么啦？我竟然留他在家里坐？还听他吹口哨？

一直到这支歌完，瑶琴才说，想不到你还有这一手。陈福民说，我就只有这一手。而且这支歌吹得最好，刚好给了我一个机会亮出来了。瑶琴笑了笑，说，这么巧。陈福民说，是呀，有时候这世上经常会有些事巧得令人不敢相信。瑶琴说，是吗？反正我没遇到过。陈福民笑了，说其实我也没有遇到过，书上喜欢这么说，我就照着它的说。瑶琴说，我读的书很少。所以就当了工人。陈福民说，其实读多了书和读少了书也没什么差别，就看自己怎么过。瑶琴说，怎么会没差别，如果我上了大学，我就不会下岗。陈福民说，我读了大学，也没有下岗，可我的日子不也是过得一团糟？所以我说怎么过全在自己。文化其实决定不了什么。瑶琴觉得他的话没什么道理，可是却想不出有道理的话来驳他。杨景国一直对瑶琴说，一个人读不读大学是完全不同的。像他这样的农村孩子，只有上大学才能彻底改变自己的命运。瑶琴刚想把杨景国的话说出来，可是一转念，她又想他改变了命运又怎么样呢？人却死掉了。如果还在乡下，却肯定还活着。瑶琴想完后，觉得这也不太对。如果在乡下那样活着，什么世面也没有见过，岂不是跟没活过一样？还不如早死了好。所以还是要改变命运。这么颠来倒去的想了几遭，瑶琴自己就有些糊涂了，不知道究竟是上大学改变命运好还是不改变命运好。

陈福民见瑶琴在那里呆想，神情也有些恍惚，以为瑶琴不高兴了。他想自己的行为可能有些过分。事情得慢慢来，不能让瑶琴一开始就烦他，一下子走得太近反而不好。想过后，陈福民便站起了身，有些愧疚地说，不好意思，这么唐突地跑到你这里来。其实我就是太寂寞了，想找一个人说说话。跟别人说不到一起去，可是见了你，总觉得有一种亲近感，也许是你我的命运太相同了的缘故吧。陈福民说着便往大门走去。

瑶琴也站了起来。瑶琴觉得陈福民虽然还是那副细嗓子，可是话说得却十分诚恳，心里有些感动，也有些温暖。瑶琴想自己其实也是很寂寞很想找个人说说话的。陈福民也还不讨厌。何况他的口哨吹得那么好听。家里有了这样的声音，一下子就有了情调。

瑶琴跟在陈福民身后，送他到门口。她没有留他多坐一会儿的意思。陈福民正欲开门，突然又转过身来，说，我给你打电话，你不会嫌烦吧？瑶琴是紧跟在陈福民身后的，当他转过身来时，两人一下子变成了面对面，而且很近，瑶琴已经感觉到了他的鼻息。这鼻息散发着一股浓烈的男人气息，瑶琴有些晕。她几乎没有听清陈福民说了些什么。

陈福民也没有料到自己转过身来会这样近距离地面对瑶琴。女人身体的芬芳一下子袭击了他。他激动得不能自制,情不自禁地一把就拥住了瑶琴。瑶琴慌乱地挣扎了几下。可是她很快就陶醉在这拥抱中。瑶琴全身心都软了下来。她把头埋在了陈福民胸前。陈福民欣喜若狂。他把瑶琴搂得紧紧的。他的手不停地抚摸着她的头和肩。他的脸颊紧贴着瑶琴的脸颊。他浑身都颤抖着。瑶琴也是一样。两个人也不知道拥抱了多久。陈福民终于寻找到了瑶琴的嘴唇。瑶琴的唇像炭一样通红而滚烫。陈福民一触到它,全身就燃烧了起来。

瑶琴在那一刻明白了一个问题。她可能不再需要爱情,可是她还需要别的东西。那东西一直潜伏在她的身体里。不是由她控制的。那就是她的情欲。这头野兽关押了十年,潜伏了十年,现在它要发威了。瑶琴想,由你去吧。让你自由吧。

陈福民离开瑶琴家时已是夜里十二点了。陈福民明天有课,他必须赶回去学校。陈福民说,我还能再来吗?瑶琴反问了他一句,你说?陈福民明白了瑶琴的意思。

五

这天是阴天。天色暗暗的,看上去要下雨了。瑶琴想起昨天和陈福民在床上的事,心里好内疚,又好委屈。于是尽管天气不好,她还是早早地上了东郊的松山。这天不是上坟的时日,但瑶琴还是带了花。走到山下,瑶琴又在小店里买了一把香。香点着时,天开始下起了小雨。瑶琴有伞,她担心那几柱燃着的香会被雨水浇湿,便蹲下身子,撑着伞护着它们。青烟在伞下萦绕着。

雨水把瑶琴的背上全都打湿了。

一直到燃着的香全都成了灰，瑶琴才说，景国，我好寂寞。他叫陈福民。你觉得我跟他来往行吗？你要有话，就托个梦给我。我全听你的。

瑶琴还没到家就开始连连地打喷嚏。回到家里，她赶紧给自己煮了碗姜汤。瑶琴知道她现在是生不起病的。医院很黑，即使是小病，到了医院也至少得花上半个月的工资。她不想把她的钱都变成医生们的奖金。喝过姜汤，瑶琴就盖着被子躺在了床上。虽然只是小憩，但她却做了梦。瑶琴梦见杨景国在一团水雾中冲着她笑。他的笑容十分灿烂。瑶琴很高兴，大声地叫着他。结果就醒了。瑶琴想，这么说杨景国是很赞成她跟陈福民在一起了？

雨到了傍晚，下得更大了。雨点子砸在窗子上，更有一种空寂。瑶琴躺在床上，懒得起来。反正起来也是一个人，躺着也是一个人。整个下午没有动，也不会觉得太饿。不如就这样躺着吧。床上的瑶琴，毫无睡意，可也不想起来，便睁着眼睛四下里看。窗外的亮色渐次地灰了下去。在灰得近于黑色时，瞬间又增加了一层亮，那是带点橘红色的光亮。瑶琴知道，这是路灯开了。

这时候竟然有人敲响了她家的门。瑶琴有些惊异。因为她的家门在路灯亮过之后许多年里都无人敲响。瑶琴说，谁呀。外面的声音说，是我。声音是细细的，瑶琴听出了那是陈福民。瑶琴犹豫了一下，想说已经睡下了，可忽然间又想起杨景国灿烂的笑容，就说，稍等一下。瑶琴以极快的速度从柜子里抽出她的一件大 V 领的羊毛衫。她把羊毛衫空穿在身上。又跑到卫生间将头发随意地挽成了一个发髻，前面的头发短了

方方
有爱无爱都铭心刻骨

一点，挽不进去，落在了鬓前，倒也另有一番味道。洗脸化妆已经来不及了，她便只用湿毛巾将脸润了一下，抹了点保湿的油。这时她才去开门。

陈福民一只手拎了一堆菜，一只手拿着一把伞。他进了门先放伞，放好伞方说，不好意思，又是突然袭击。我看今天下雨，觉得你一定不会出门。又想你如果不出门，吃什么呢？这一想，就跑来了。瑶琴说，其实我出了门的。陈福民看了看手上的菜说，看来我猜错了。瑶琴说，也不算太错。我出了门，可是没有买菜。陈福民高兴起来，说太好了。瑶琴说但是我已经睡觉了。陈福民就有些诧异了，说怎么现在就睡呢？瑶琴说我常常吃过中饭就睡觉，一直睡到第二天。陈福民说，这样的睡法还头一回听说。不晓得这是富人的睡法还是穷人的睡法。瑶琴说，是闲人的睡法。陈福民说，不管是什么人的睡法，总归一般人享受不到。瑶琴还想说什么。陈福民阻止了她。陈福民说，还有，不管是什么样的享受，总归也没有吃饭。瑶琴这时笑了，说的确没有。陈福民说，这又给了我露一手的机会。陈福民说话间便进到厨房。他把菜拿到案板上，对瑶琴说，你去看看电视吧。一小时内，就有饭吃了。

瑶琴默然几秒钟，听从了他的话。瑶琴打开了电视，脱了鞋，两腿一曲，蜷坐在了沙发上。陈福民从厨房里扭头看了看她，然后说，对了，这样最好。这是我最向往的一种家庭景致。世界上什么最美？就是生活中这种随意和安宁最美。这种美丽中有一种温暖和平静。这是我最欣赏的境界。瑶琴对陈福民的话有些感动，但她没说什么。

陈福民的厨艺十分不错。他一下就弄出了三菜一汤。荤素和色彩搭配得都很好。味道也很对瑶琴的味口。陈福民说怎么样？

喜欢吃吗？瑶琴说很好呀。好久没有吃到这样的家常菜了。你怎么练出的这一手？陈福民脸上暗了一下，但还是朗朗地说了。陈福民说，十年了嘛。一个博士也读出来了。瑶琴看到了他在瞬间的暗色。瑶琴说，你过得很苦？陈福民笑笑说，也没什么。深刻地苦过一场后，对舒服的生活就会有更深切的幸福感。而且会将所有的日常生活当成一种享受。瑶琴说是吗？我体会不到这些。

吃过饭，陈福民抢着把碗洗了。瑶琴觉得他忙完这一切后，又会像昨天一样坐下来说话，或是趁机跟她亲热一番。瑶琴一预测到这一点，莫名地就生出排斥感。她看着陈福民揎着手，心里编排着如何拒绝陈福民。瑶琴想，你这么做，不就是想要这个么？

陈福民关上厨房的灯后，走到客厅里，却没有坐下。他脸上露出一点愧疚，说，瑶琴，我得马上赶回家。今天学生测验的卷子，我得连夜改出来。明天得发下去。我明天再来，好不好？我做的菜好像满对你的口味，明天还是我来给你做晚餐，好不好？

陈福民的话完全在瑶琴的预测之外。瑶琴想好的话一句都没有用。临时又想不起别的，瑶琴只好说，好吧。明天你别带菜，我买回来。陈福民说，那也好。这我就可以早点来。陈福民说着就开门出去。瑶琴依然跟在他的身后。这回他在开门时没有转身。他一直走到了门外，才回身对门内的瑶琴一笑，说，瑶琴，做个好梦。然后就下楼。然后就消失在楼道拐弯处。然后就连脚步的声音都没有了。

瑶琴一直依在门口，看着人影消失，听着脚步远去。她心里有一点点怅然。

六

　　瑶琴就这样与陈福民开始了恋爱。

　　陈福民几乎每天都到瑶琴那里去。他们的生活很单调。瑶琴负责买菜，陈福民去了就下厨。吃饭时，陈福民喜欢喝点啤酒。瑶琴每回就为他备上几瓶。饭后洗碗开始是陈福民，但交往久了，瑶琴不好意思，抢着自己洗碗。抢了一回后，碗就由瑶琴洗了。然后他们坐在一起看电视。陈福民喜欢看体育节目，瑶琴也就随着他看。瑶琴对电视节目要求不高，她只要里面有人说话有人在动着，就行了。这也是她一个人生活时养成的毛病。电视是看不完的，所以，常常陈福民看不多久就眼巴巴地望着瑶琴。瑶琴明白他的意思，他想要上床了。瑶琴自己也想。于是两人就上床。到了十点半，陈福民须得爬起来，他要赶末班车回学校。因为瑶琴的家离陈福民的学校太远，陈福民担心早上赶不及会迟到。陈福民说当教师的迟到，就跟工厂出事故是一样的。瑶琴知道出事故的后果，所以，也不敢留他过长夜。就是星期六，陈福民也得赶回去。陈福民教的是毕业班。毕业班就意味着没有休息时间，无论老师还是学生。

　　有几回天气凉爽舒服，陈福民想要拉瑶琴一起到江边散步，瑶琴却不愿意，说是怕熟人看到。陈福民说迟早不都会让人看到的？瑶琴说能迟就迟一点。陈福民对这件事多少有些不悦。陈福民说，你是不是觉得我有些拿不出手？瑶琴笑笑道，哪里呀。瑶琴不肯出门，陈福民也没有办法。陈福民觉得在这一点上他没法理解瑶琴。陈福民想人生应该有一点情调，要不回忆起来都没什么趣味。

有一天陈福民开会，打电话说不能到瑶琴家。瑶琴不知怎么听罢竟是觉得心头一松。这天她没做晚饭，只是削了个苹果，喝了一杯酸奶。无油无盐的晚餐曾经让她心烦意乱，这一刻吃起来竟是有了一种怀旧的感觉。其实从陈福民第一天拎着菜走进她家开始，满打满算也不足三个月。

没有人打扰的黄昏，竟是另有味道。瑶琴想这是给我的杨景国留的呀。想着她便套了双休闲鞋，独自踱到了江边。瑶琴想真的是好久没来这里走走了。江边有一块石头，以前瑶琴和杨景国每回散步到这里，杨景国总是说别把自己走得太累，坐一会儿。说时还把自己的手绢垫在石头上，让瑶琴好坐。

现在瑶琴也走到了这里，她刚想坐下，可是突然发现没有手绢。这块石头上没有杨景国的手绢又怎么能坐呢？十年过去了，石头的样子一点也没有变，可是杨景国和他的手绢却永远不会再出现了。瑶琴想想就又伤感起来。

天上的星星疏疏朗朗的。江水和夜色一起无声地向下流着。沿江的小路经过修整，变得整洁干净起来。路边种了花。花在路灯下开放着，色泽与阳光下不同，从某一个角度看上去，还有一点点诡谲。瑶琴想起陈福民想要与她出来散步的话。瑶琴想，我怎么会跟你到这里来散步呢？这是我和杨景国的路哩。我带你来走了，杨景国怎么办？亏你想得出来。瑶琴想时，心里竟是有些忿忿的。

回到家，瑶琴便睡了。睡前她以为她会有梦的，结果却没有。在梦里瑶琴有些怅惘。瑶琴站在水雾弥漫的河边，大声说，你怎么不来呢？

陈福民放暑假了。拖着瑶琴一起到庐山玩了一趟。陈福民去过庐山，他本来想去黄山的，可是瑶琴却不肯去黄山。黄山是她和杨景国一起去过的地方。瑶琴想去张家界。但陈福民不肯去。陈福民没说原因，瑶琴也没问。因为瑶琴想陈福民多半是跟她老婆一起去过那里。最后他们决定去庐山。瑶琴和陈福民住在一幢老别墅中。服务员告诉他们这幢老别墅以前是汪精卫的。陈福民私下便笑道，怎么住进了汉奸的家里呢？

庐山是一个最方便谈恋爱的地方。山谷到了晚上，静静的，只听得到流水和风声。陈福民胆子很大，拖着瑶琴从东谷到西谷地乱窜。陈福民喜欢看山谷里老别墅老式的回廊和方格窗。山里树多，蚊虫也多。陈福民不喜欢在有蚊虫的地方多站，可是他又特别想在露天下热吻瑶琴。所以，常常都是走到了一座桥上，或是在马路明亮的灯下，陈福民会突然袭击，一把抱住瑶琴，不管不顾地就吻起来。陈福民满身都是热情，但瑶琴却不。瑶琴觉得自己已经过了有热情的时代。瑶琴心如止水地过了十年。她想要让心激荡起来不是一件很容易的事。瑶琴甚至不明白陈福民的这份热情从何而来。瑶琴想，难道他没有死过老婆么？如果死过，他怎么还能这样快乐？他在快乐时就不会想到死去的爱人？他心里难道一点阴影都没有？瑶琴的疑问有许多。她总想问问，但始终没有问。她把想的这些压在心里。压得多了，便渐渐地浓缩起来，浓缩久了，有了些硬度。不知不觉间，就成了石头一样的东西。陈福民天天抚摸着瑶琴，却从来也没有抚摸到压在瑶琴心头上的这块石头。

住在老旧的房子里，瑶琴有时会夜半醒来。醒来后就睡不着，听着山谷里婉转而来的水声和风声，感受着耳边陈福民的气息，瑶琴蓦然间就会有两行清泪流淌出来。她知道这是为什么。因为睡在她身边的这个人，每天搂着她吻她抚摸她的这个人，夜夜把鼻息吹得她满脸的这个人，并不是她最想要的。而她想要的人却永远不会再出现了。一切都是命中注定。她在有点潮湿的床上辗转反侧，全身难以安宁。她已经没有力气与这个注定的命运抗争了。杨景国今生今世都不会再来。她想不认命也是不行的。只是，瑶琴想，认命竟也不是件轻松的事呵。

从庐山回来，陈福民也闲下了。他索性就住在了瑶琴家里。瑶琴的妈看不惯他们就这样住在一起。瑶琴的父亲也觉得没道德的事是年轻人做的，你们两个快中年人了，怎么也这样没规没矩？于是瑶琴的妈和瑶琴的爸联合起来，坚决要求瑶琴和陈福民去打结婚证。陈福民说我无所谓，就看瑶琴的意思。瑶琴却犹豫。瑶琴不知道自己在犹豫些什么。她觉得按理是应该打结婚证了，可是每一想到真的要这样，她的心就又抖得厉害。结婚证本来是她和杨景国一起去打的，怎么能轻易地变成这个叫陈福民的人呢？

瑶琴的妈和瑶琴的爸好言好语说过后，见瑶琴不听，便有些不悦。说是你们不要脸，我们做你爹妈的人还要脸哩。话说得有些难听。瑶琴也不高兴了。瑶琴的妈就说，如果你不想听更难听的话，你就赶紧把结婚证拿了。拿了证，合了法，你什么时候办酒席我们都不管。

瑶琴问陈福民，你到底怎么想？陈福民说，我真的无所谓。我完全尊重你的意见。你我两人，有了爱情，也不在乎什么证不证的。瑶琴说，我们两个有爱情么？陈福民反问了一句：难道你觉得没有吗？瑶琴没有作声。瑶琴想，我要是跟你有爱情，那我的杨景国往哪放？陈福民见她没有回答，又说，没有爱情，你又留我在你这里干什么？

瑶琴眼睛望着窗外，还是没有回答。瑶琴想，我不需要爱情。我留你，是我需要一个伴。我需要人帮忙。要不，我要你？我有杨景国就足够了。陈福民得不到回答，满脸不快，说，也可能你不需要爱情，但是我需要。说完就走了。瑶琴听到他关门的声音，又听到他脚步咯咯地下楼。

门声和脚步声都生着气。这生气的音响让瑶琴一夜没有睡着。

第二天瑶琴便又去了东郊的松山上。杨景国的墓还是老样子。与许多别人的混在一起，并不很孤独。瑶琴默然地蹲下来，望着墓上那些熟悉得不能再熟悉的字，和周边熟悉得不能再熟悉的草木，心里说，你说呢？我要不要去拿？瑶琴的腿蹲酸了，她站起来，满山排列齐整的墓碑和小路上疯长的青草都在眼皮底下，瑶琴长吐了一口气，细细地把杨景国的墓边杂草清理了一遍。心想，就这样吧。

七

瑶琴和陈福民决定国庆节前就办证。然后利用国庆的长假度蜜月。瑶琴的妈一听这消息，脸上立即就开了花似地笑起来。虽然女儿大了，可毕竟女儿是初嫁。而且经历了这么多年的孤独和痛苦，也算是有了一个归宿。她必须好好办一场酒席。酒席钱本该由陈福民出的，陈福民说如果要重新装过房子，再添上些新家具，他再也拿不出那么多钱来。瑶琴的妈也就挥挥手表示算了。这钱由她自己来出。

九月开学了。陈福民开始上高一的课。跟高三的时候比，要轻松很多。陈福民当作好消息一样告诉瑶琴，说他起码在星期五和星期六的晚上，可以跟瑶琴在一起。瑶琴却并无惊喜感，只表示随他的便。

开学第一天，天色已经很晚了，陈福民却没有来。瑶琴在等的时候，把菜洗好了，陈福民还没有回。瑶琴只好又煮上了饭，饭也熟了，陈福民依然未到。瑶琴有些饿，可是她不想自己炒菜。因为陈福民做的菜比她做得好吃，再加上她刚洗过头，她担心炒菜的油烟会熏了头发。瑶琴耐下性子，闷坐在沙发上。

天已经黑透了，有人敲门。瑶琴想你总算来了。瑶琴冲到门口，猛然拉开门，刚想牢骚一句，可是门口站着的人却让她发了呆。这是新容。

瑶琴呆了一会儿，方说，怎么是你。新容说，怎么不是我？你在等别人？是不是张三勇？瑶琴怔了怔说，张三勇？张三勇怎么会来找我？新容哦了一声。瑶琴说你找我有事？新容说，是呀，你让我到屋里说吧。瑶琴一百个不情愿地让新容进屋坐下，她浑身不安，生怕陈福民回来会叫新容撞见。

新容说，好久不见了，我怕你不高兴，我不敢来。瑶琴说，我有什么不高兴？下岗了，不上班了，也不用累，在家养着，一样过日子。新容说，你别这么说嘛。瑶琴说，你不是说你这回肯定会下岗的吗？新容说，原先是有我的，可我妈……她有一天突然发现我表舅跟厂长以前是同学，就托了表舅……当然，也送了些钱……。瑶琴说，原来是这样呵。瑶琴的话里就多了一点鄙夷。新容说，瑶琴，你别这样，你知道我爸瘫在床上，这也是没办法呀。我告诉你是因为你是我的好朋友呀。新容露着一脸可怜巴巴的神情，瑶琴心软了，暗道是呀，我是新容的好朋友呢。杨景国刚死的时候，新容一直陪着她，照顾她，为她流的眼泪也不老少了。她下岗了，新容没下，她怎么能对新容不满意呢。这么想过，瑶琴的脸色展开了。瑶琴说，是我太小气了，新容你别，怪我。新容脸上浮出了笑意，新容说，我怎么会怪你呢，我怎么会怪你呢？

瑶琴面对着新容，心里终于回到了以前两人相对而坐的状态。瑶琴扯了扯新容的裙子说，你这条裙子真不错，难得现在你会买东西了。新容说是呀，大家都说好看哩。你晓得我是怎么买的吗？有一天我在街上跟张三勇碰到了，就站在精品店门口说话。说着说着，张三勇指着模特身上的裙子说，这种颜色和款式的裙子瑶琴最喜欢了。我当时身上没钱，第二天就跑去买了。张三勇说得真没错哩。瑶琴听新容喋喋的声音，恍然忆起她最初的男朋友张三勇。瑶琴说，张三勇现在过得怎么样？他的小孩已经上学了吧。新容说上小学二年级了。不过，他现在已经……离了。瑶琴有些惊异，说是吗？新容说，小孩子判给了女方。那女人真不是东西。下岗后，开了个小店，就跟隔壁一家开店的人好上了。张三勇最怕当乌龟，结果还是当了个乌龟。气得他砸了两个店，打趴了那个男人。一个月就办下了离婚。瑶琴"呵"了一声。她脑子里立即浮出张三勇砸店打人时的姿式。心想，他还是老样子呀。

新容望着瑶琴，仿佛在等她说点什么。瑶琴却没有说。新容脸上显示出一点点失望。新容说，你一点都不想晓得他现在怎么在过？瑶琴说，我晓不晓得又有什么关系。新容说，可张三勇还是很关心你呀。瑶琴说，他关不关心我也没有什么用。新容说，张三勇他想来看你。新容说完有点像做亏心事一样，小心地望了望瑶琴，慌忙将自己的目光避开。瑶琴有几分讶异。瑶琴说，你今天突然来，就是来看看我吗？新容低下了头。新容说，是张三勇。他天天求我来找你，他想跟你重新好。不知道你可不可以。

一幅被瑶琴复制过很多次很多次的画面立即展示在瑶琴的眼前：张三勇的拳头打在杨景国的脸上，杨景国的眼镜碎了，眼角青了，血在脸上流出一道道的痕迹。瑶琴说，不可以，根本就不可以。他不想想他把景国打成了什么样子。瑶琴的声音有些激动，就仿佛张三勇拳头昨天才打在杨景国脸上。

新容不作声了。她抬起头，把瑶琴的屋里环视了一遍，然后说。这里都变了，就你一点没变。可惜。瑶琴说，你说，可惜？新容说，你还想着杨景国？瑶琴用一种惊讶无比的语气说，难道我会不想吗？

新容站起来告辞。新容边朝房门走去边说，张三勇说如果你还在想着杨景国，就得赶紧到医院去看病。新容说完开门出去了。瑶琴没站起来，她似乎连新容的背影都没看清，就听见新容的关门声了。瑶琴想，看病？他们在背后怎么议论我？

瑶琴坐在沙发上呆想了半天，想得自己有点恹恹的。肚子也饿了，可陈福民还没有来。饭虽然早已煮好，可菜还没有炒。瑶琴吃趣全无，单单只想填饱肚子，她便泡了一碗方便面。

面还没吃完，瑶琴接到陈福民电话。陈福民的声音有些疙疙瘩瘩的不畅，像是一个没钱还债的人跟债主说情告饶似的。陈福民说他开学初比较忙，又说有几个学生让人烦，还说学校近期的会也比较多。最后方说可能会有一阵子不到瑶琴这边来了。瑶琴初听有点诧异，后又觉得这是很正常不过的事，便也没说什么。只是提醒他，抽个时间，在学校开好证明，两个人一起去把结婚证领下，免得到时来不及。陈福民答应了。答应后又笑说，你怎么现在比我还急了？其实晚几个月又有什么关系呢？瑶琴放下电话想，这话是什么意思？

八

瑶琴的妈天天唠叨瑶琴，要她好好筹备一下婚事。说是人生就这一回，要好好活过。该经历的事都得经历，否则活一场有什么劲？瑶琴说那有的人杀人放火吸毒嫖妓坐牢杀头，是不是每个人也都去经历一回？瑶琴的妈气得跌坐在床边，一时无话可说。

夜晚无人，屋里跟以前一样静了。瑶琴也在想结婚的事。瑶琴想，好无趣呵。虽然说陈福民这个人也还过得去，可是瑶琴就是无法让自己有兴致。但是，瑶琴想，妈妈说人生就这一回，要好好活过。可一个人的活过，哪里只是活在自己的命里？有多少部分已经放进了别人的命中？活在别人命中的那一部分如果不按别人的愿望来活，不好好地配合别人，别人的命也就活不好了。所以自己怎么个活法其实是由不得自己的。所以自己在为自己活的时候还要为别人活。所以每一个人的命都是由许多人的命组合而成，就像是一个股份公司，自己只不过是个大股东罢了。

这样想过，瑶琴就有了些轻松。她想这个婚她也不是单单为自己结，她是为她的股份公司而结。她的妈是她的股东，她的爸也是她的股东。陈福民是她的股东，新容也是她的股东。所有认识和关注她的人，都跟这个股份公司相关。既然如此，她这个董事长就得把公司的事做好才对。

第二天，瑶琴就上了街。她要为她的新家重新添置一些东西。她买了新的毛毯，新的床单被套，也为自己买了几件结婚时应该穿的新衣。

瑶琴大包小包地拎着一堆东西上了公共汽车。车未到站，她便有些尿急，憋尿也憋得浑身难受。下了车，她连奔带跑地赶回家，打开门，拖鞋都没换，就冲进了卫生间。小便时，她突然觉得下身有痛感。这感觉令她很不舒服。出了厕所后，这不舒服便一直纠缠着她。瑶琴想，难道怀孕是这样的感觉吗？想过又想，自己都这样的年龄了，未必那么容易就怀孕？瑶琴心里有些忐忑。

晚上，陈福民打电话来，说过几句闲话后，瑶琴把自己这种不舒服的感觉告诉了他。陈福民那边无声了。瑶琴有些奇怪，说，你怎么不说话？陈福民半天才说，你最好明天去看看医生。瑶琴说，你觉得会得病？会是什么病？陈福民说，看看医生总归要好一些，心里也安全一些嘛。瑶琴说，那怎么说得出口？要看什么科呢？妇科？陈福民又停了半天才说，可能应该看外科，要不看泌尿科？瑶琴说，我一个人不想去。陈福民说，还是去吧，万一真是什么病，变严重了多不好？明天我有课，不能陪你。要不，我肯定陪你一起去。瑶琴想了想，说，好吧，我明天去。

放下电话，瑶琴觉得陈福民有些怪异。说话语气和其间的几次沉默都不像是他陈福民。瑶琴的心咚咚地跳了起来。瑶琴想，可别千万一到我要结婚就冒出一点事来呀。

次日一早，瑶琴便到医院了。不去不打紧，一去得知诊断结果她都懵了。医生用一种十分肯定的语气对她说她得的是性病。医生的语气和望着她的目光都满含轻蔑。一个前来找医生开药的女护士且说且笑，是下岗的吧？又说，现在有个民谣，说是下岗女工不流泪，挺胸走进夜总会，陪吃陪喝还陪睡……原先我还觉得真丢我们女人的脸，可是见得多了，也觉得没什么。瑶琴当场就一口气闷着了自己，半天喘不出来。瑶琴再三解释说这绝对不可能。那些乱七八糟的场所，她这辈子从来都没有去过。医生的眼光变平和了，淡淡地说了一句，回家问问你丈夫吧，男人多半喜欢寻花问柳。

瑶琴的脑袋"嗡"了一下，她觉得她已经知道了问题所在。

瑶琴把电话打到了陈福民的办公室。这是瑶琴自认识陈福民以来第一次先给陈福民打电话。瑶琴甚至找不到这个电话号码。问了114又绕了好几个弯子，才找到陈福民。瑶琴第一句话就是：请你告诉我，我为什么会得性病。陈福民在电话那头一直不说话。瑶琴吼叫了起来。她的声音暴躁而尖锐，有如利刺一样，扎得陈福民半边脸都是痛的。陈福民把话筒拿到距耳朵半尺的地方。听到瑶琴那边叫得累了，陈福民说，你先回家，我下午过来。他说完，像扔火炭似地扔下了电话。

下午陈福民请了假，他进瑶琴的家时，瑶琴蜷缩着腿窝在沙发上。她的神情呆呆的，但似乎并没有哭过。陈福民试图坐在她的身边，瑶琴像避瘟疫一样躲了一下，陈福民只好换到一边。陈福民拿出一个信封，里面装着两千块钱。陈福民说，这钱算我付你的医药费，赶紧打针去。其实一千块钱就够了，另外一千是补偿你的。瑶琴紧盯着他，说什么意思？陈福民说我也没有想到。这病是我传给你的。瑶琴说你既然跟我在一起了，为什么还在外面胡搞？

陈福民闷了半天，才说，不是你说的那样。我不是那种人。我老婆病了九年多，活着跟死人差不多。我的日子再难过，可我是有老婆的人，我就从来没有想过到外面去拈花惹草。后来，我老婆死了。我的同学为了让我轻松一下，带我去桑拿，要我把身上的病气都蒸掉。我是头一回去那种地方。有个小姐替我按摩。她穿得很少，又勾引。我就失控了。当然，她要是不勾引我，像我这样经历的人，可能也会失控。

　　瑶琴说，就这么简单？陈福民说当然也不光是这些。那个小姐叫青枝。是个乡下女孩。我有些喜欢她了。其实也不一定就是喜欢，只是因为青枝是我近十年来第一个肌肤相亲过的女人，所以，我后来又去找过她。瑶琴说，认识了我以后，也去找过她？陈福民说，当然没有。因为我发现她把她的病传染了给了我，所以我就再没有找她。我一直在治病，认识你时，已经治好了。瑶琴说，治好了？治好了怎么会传染给我？陈福民说，这中间青枝来找过我。她说她不想做了，可是老板不答应，派人盯着她。她偷跑了出来。她没地方去，希望能在我这儿呆一夜，她哥哥第二天就来接她。我答应了。因为……因为……我不知道有几分喜欢她，还是可怜她。我不知道自己当时是怎么想的。这天晚上，我们又一起过了夜。她说她的病治好了，我大意了。结果，开学前，我又发现……。瑶琴说，不用说了，你滚吧。我从来都没有认识过你。

　　陈福民怔了怔，没有动。瑶琴说，你不服气？陈福民说，不是，是不甘心。我们就这样完了？瑶琴说，你还想怎么样？你未必想我去登报申明？陈福民说，我以为你会理解。瑶琴说，我当然理解，可我理解了却不见得就会接受。陈福民说，我不想分手，我爱你。瑶琴说，你说这三个字让我觉得三条蛆从你嘴里爬出来。陈福民说，别说得这么毒。你找到我这样条件的，也不是那么容易。这样的事，以后绝不会再有了。你原谅我一次好不好？瑶琴说，你还不走，你再不走，小心我叫人了。陈福民说，别小孩子气了，你孤单单的一个人，哪里叫得到人来？

　　瑶琴立即对着沙发一侧的墙壁叫了起来，杨景国！杨景国！你还不出来？你出来呀！替我把这个人赶出去。你站在那里发什么呆？还不动手赶人？你连我的话都不听了？瑶琴的叫声怪异诡谲，令陈福民毛骨悚然。他赶紧站了起来，急速地跑到门边。陈福民连连说道，我走，我走。陈福民的动作紧张慌乱，仿佛真是被一个叫杨景国的人追赶着。

这天的夜晚月色从窗外落在屋里的地上，和往日一样的淡然柔和。瑶琴在沙发蜷了一夜。瑶琴觉得，在沙发一侧的墙壁上，杨景国始终站在那里看着她。

九

平静如同枯井的日子，再次回来。瑶琴从中午一直睡到第二天早上的次数越来越多。瑶琴的妈骂过她好多回。瑶琴的爸也长叹过好多回。五中的校长也跑了几趟，想要做做调解。只是在他们面前的瑶琴，像一块木头一样。瑶琴的妈急得后来只会说一句话，你在想些什么呢？你想些什么呢？瑶琴想，我其实什么都没想哩。

转眼又到了杨景国的祭日。这天居然又下起了雨。瑶琴先上了山，她为杨景国点着了香，又放了几碟水果。瑶琴依然为燃着的香火打着伞，冉冉升起的烟扑在瑶琴的脸上。瑶琴没有流泪。瑶琴想，有老天爷在替她流泪哩。

下山后，时间还早。瑶琴无事。她信步走到了当年的出事地点。路边的石头还在，只是血迹一点也没有了。瑶琴在石头边也点了一炷香。她想，等香燃完后，她应该去劳务市场看看。她如果决定自己一个人生活下去，她就应该去找一份工作。一份能让她自己养活自己的工作。

便是在瑶琴想着这些时，一个细细的声音，一个带着惊讶和疑问的声音响在了她的耳边。瑶琴？你是瑶琴？瑶琴扬起伞，她看到了陈福民。瑶琴说，你想干什么？陈福民看到那炷业已快要燃烧完了的香，惊道，那个……那个……当场死亡的男人……，就是……杨景国？瑶琴望着陈福民，没有说话。她突然意识到了什么。陈福民说，摔在这里的，就是我的老婆呵，她满身都是血呵。他说着指了指石头的另一边。

　　绵绵的细雨。晃动的街景。汽车声。杨景国的叫声。被撞飞的自行车。翻在马路中间的雨伞。四溅着血迹的石头。倒在地上的男人和女人。脑浆。以及路人的尖叫和惊天的嚎哭。一一涌出，宛然就在眼前。那是他们一生中多么伤痛的时刻。那个时刻怎样沉重地击碎了他们的生活。那种击碎也改变了许多人的命运。瑶琴突然失声痛哭了起来。曾经有过的痛彻心肺的感觉像绳索一样一圈一圈地勒紧着她。陈福民见瑶琴哭得无法自制，上前搂住了瑶琴。起先他还忍着自己，忍了一会儿，忍不下去了。十年的痛苦像要呕吐似地翻涌着。他也哭了起来。泪水浸入瑶琴的头发，又流到了瑶琴的面颊上，和瑶琴的眼泪混在了一起。

　　路过的人都回头看他们。路过的人都窃窃私语着。路过的人也有掩嘴而笑的。路过的人看不到鲜血的过去。路过的人永远都不会懂得别人的伤心之事。只因为他们是路过，而瑶琴和陈福民却是在那里有过定格。他们一生的最痛就是从那里开始。

　　回去时，陈福民和瑶琴一起搭的车。他们在同一地方下车，然后预备各自转车回家。下车时，陈福民和瑶琴几乎同时看到了那家"雕刻时光"酒吧。陈福民想起第一次见到瑶琴的情景。瑶琴也想起了在那间酒吧里响起的细细的声音。陈福民说，要不，进去坐一会儿？瑶琴没有反对。陈福民便朝那里走去。瑶琴犹疑了一下，跟了过去。

伤感的音乐依然在酒吧的空中响着。细雨一样，湿透了瑶琴。陈福民给自己要了一杯酒，给瑶琴要了一杯橙汁。陈福民呷了一口酒，方说，你看，我们两个是不是太有缘分了？瑶琴想了想，觉得他说的是，便点了一下头。陈福民说，真想不到呵。我当时怎么一点你的印象都没有？瑶琴也说，是呀。我也只听到你在哭，一点不记得你的样子。

他们一直都没有提过彼此曾经有过的灾难。因为他们都怕往事引起再度摧残。现在那块石头让他们把泪流在了一起。他们两个人的心近了。望着对方的脸，知道自己的感受只有对方知道。自己不是一个人在这个世上痛着。于是心里都生出别一样的温暖。他们好平静。于是他们开始细细地回忆起当时的情景。瑶琴说杨景国怎么断的气，后来他们怎么办的丧事。杨家的人怎么吵闹着非要埋在老家，而她又是怎么拼死拼活地把骨灰留在了这里。陈福民则说他是怎么拦下过路车送老婆进医院，又怎样在医院的走廊里度过的几天几夜，光抽烟不吃饭，一天抽了好几盒烟，以致他老婆被抢救活后他闻到香烟就要作呕。

一杯酒喝完了，又要了一扎。一杯橙汁喝完了，也又要了一扎。

瑶琴叹道，生命好脆弱呵，就那一下，只几分钟，一个活鲜鲜的人就没了。那么不堪一击。而杨景国这个人平常结实得不得了，从来就没有见他生过病。

陈福民却苦笑了笑说，我倒是觉得生命好有韧性。人都已经废掉了，不会说话不会思考不会行动，却坚持着往下活。这九年的时间里，你猜让我感受最深的事是什么？就是人之所以成为世界万物的统治者实在是太有道理了。因为人的生命太顽强了。

瑶琴用不敢相信的目光望着他。瑶琴想，脆弱而不堪一击的是杨景国吗？坚韧而顽强要活着的是他的妻子吗？

瑶琴轻叹道，说起来你比我强多了，你好歹伺候了她九年，把你所有的爱都付出去了。可是我呢？他根本就不顾我的感受，自顾自地这么走了。天天粘在一起的人，突然间就永远消失。那种痛苦你无法体会。

陈福民听到瑶琴的话，脸上露出异样的神情。瑶琴想问你怎么了。没等瑶琴开口，陈福民说，爱？你以为我后来还有爱？我不怕对你暴露我的真实想法。我到后来除了恨没有别的。我在道义上尽我的责任，可我的内心已经被仇恨塞得满满的。我几乎没有任何自己的生活。我每天凌晨起床，为她揩洗身体，然后清洗被她弄脏的床单和衣物，然后喂她牛奶，安排她吃药。来不及做完这一切，我就得去上课。途中在街边随便买点早餐打发自己。中午赶回来，像早上一样的程序旋转一遍，最后再坐下来吃自己从食堂里买回的饭菜。冬天的时候，饭菜早就冰凉，我连再去热一下的力气和时间都没有。晚上的事情更多。我每天都像台机器一样疯狂转动。所有的工资都变成了医药费，沉重的债务压得我喘不过气。家徒四壁，屋里永远散发着一股病人特有的臭气。我请不起保姆，她家里也没有人愿意帮助。偶然过来看看，看完就走，走前还说，只要人活着就好。对于他们活着是好，对于我呢？九年半呀，每一天的日子都如同一根钢针，天天都扎我刺我，我早已觉得自己遍体鳞伤。我夜夜诅咒她为什么还不死。为什么要这样折磨我。好几次我都想把她掐死。因为她再不死，我也撑不下去了。你说，我过着这样生活，我还能对她有爱吗？我比你强吗？你只是在怀念中心痛而已，而我呢？从精神到肉体，无一处不痛。这样的痛苦你才是无法体会的。幸亏她还有点良心，死了。否则，今天你根本无法认识我，因为，我多半已经先她而死了。

陈福民的声音激烈而急促。他拿着酒杯的手，一直抖着。瑶琴从来就没有见他这样过。心里不由生出怜惜。瑶琴想，他是好可怜呵。

瑶琴伸出了自己的手，将陈福民的手紧紧地握着。在她温热的手掌中，陈福民慢慢平静。他的手不再抖动。他享受着瑶琴的手温。

陈福民说，你知道吗，我多想好好地过日子。多想有一个我喜欢的女人，一个不给我带来负担的女人，就像你一样，安安静静地陪着我，让我浑身轻松地过好每一天。所以，我希望我们两个再重新开始，行不行？我一直没办法忘掉你，我好想重新来过，行不行？

那是一定的。为了他们共同的嚎哭和泪水，为了他们共同的灾难和痛苦，为了他们共同有过的漫长而孤独的十年，那是一定的。瑶琴想。

瑶琴说，今天在我那儿吃晚饭吧。还是我买菜，还是你下厨。

＋

瑶琴和陈福民又走到了一起。他们所拥有的同一场灾难突然使他们的生活多出了激情。瑶琴想，就把留给杨景国的位置换上陈福民吧。

秋天过去了，冬天又来了。

陈福民每天都到瑶琴这边来。因为下课晚，路又远，陈福民到家时天多半都黑了。做菜的事也慢慢地归了瑶琴。陈福民吃过饭，一边剔牙一边看电视，高兴的时候便会说这样才是人过的日子呀。到了晚上十点半，陈福民还是得赶回他自己住所。他要改作业以及备课。有时候，会有几个同事见他的灯亮了，便奔他这里打麻将。都说他这里最自由，身心都可以无拘无束。这些人全都忘了他受难的时候。陈福民他也跟着打打，打到夜里两三点，送走了人，他再睡觉。一觉可以睡到七点半起床。八点半上班，从从容容。比起他的从前，陈福民觉得这样的日子真是再好不过了。

陈福民每月十号发工资，但他从来也没有拿给瑶琴。陈福民觉得瑶琴虽然下了岗，可她的家境颇好，犯不着要他那几个钱。瑶琴也不能说什么，因为他们还没有结婚。可是每天买菜的钱都是瑶琴的。瑶琴没有工作，下岗给的一点生活费当然不够两个人吃。瑶琴开始动用自己的积蓄。瑶琴的妈知道了这事，骂瑶琴说你疯了，找男人是要他来养你，你怎么还贴他呢？你得找他要呀。瑶琴有些窝囊，说他没那个自觉性拿钱出来，我未必硬要？瑶琴的妈有些忿然不平，不小心就说，真不如杨景国。杨景国跟你谈恋爱没几天，就把工资全都交给你了。说得瑶琴鼻子一酸，心道，你才知道？谁能比得上景国呢？但瑶琴嘴上却这样对她的妈说，你们都要我忘了杨景国，可是你为什么还要提他呢？瑶琴的妈自知自己失言，赶紧拍打了一下自己的嘴巴。

瑶琴的妈有个学生开了家图书超市。瑶琴的妈不顾自己曾是校长的身份，亲自登门央求，希望学生能安排一下瑶琴。学生年少时见过瑶琴，也听过瑶琴的故事，曾经为瑶琴的痴情热泪盈眶。一听校长介绍的人是瑶琴，立即把他已经聘用好的人开除了一个，然后录用了瑶琴。

这样瑶琴又成了早出晚归的上班一族。

陈福民说，干嘛还要上这个班呢？你又不是钱不够用。瑶琴说，你以为我那点生活费可以过日子？陈福民说，你有爹妈呀，他们挣下的钱不给你又留着干什么？瑶琴说，你这话说得好笑，我有手有脚，凭什么找我爹妈这么老的人要钱？亏你说得出口。陈福民说，你要上班了，晚饭谁做？瑶琴说，谁先回来谁做。

瑶琴说过这话后，陈福民回来得更晚了。瑶琴六点半到家，而陈福民每天都是七点半左右才回来。比他平常晚了一个小时。这一个小时瑶琴刚好可以把饭菜做完。陈福民回来就上餐桌。陈福民解释说，要给差生补功课，一个小时好几十块哩。陈福民嘴上说到了钱，却仍然没有拿出一分。瑶琴心里不自在，但也忍下了，心想这就是男人呀。

有一天，图书超市做活动加了班，瑶琴回家时八点都过了。开门后见陈福民脸色不悦地坐在沙发上看电视。见瑶琴也没有作声。瑶琴说，你吃过饭了吗？陈福民说，吃过了。瑶琴说，你回来做的？陈福民说，我回来都已经累得半死了，哪还有劲做饭？瑶琴说，那你吃的什么？陈福民说，我把冰箱里的一点剩饭剩菜混在一起炒了一碗油炒饭，刚好够我一个人吃。瑶琴说，那我呢？陈福民说，我能把我自己顾上就不错。谁让你下班这么晚？瑶琴心里好一阵不愉快。但她没说什么，自己泡了碗方便面，随便吃过了事。

这天晚上，瑶琴情绪蓦然间低落下来。陈福民倒是没事一样，缠着瑶琴亲热了一番，到十点半便赶回学校。

陈福民走时，瑶琴突然说，我现在也上班了，以后也很难顾得上你的晚餐。你要是来，就吃过饭再来，或者干脆星期五再过来。陈福民怔了，他站在门边，没有动。仿佛想了想，陈福民说，你不高兴了？瑶琴说，谈不上，我只不过觉得好累。陈福民说，你要是觉得累，就直说呀，以后晚饭我做就是了。不就是这点小事吗？

陈福民走后，瑶琴躺在床上，好久睡不着。瑶琴想，激情这东西是纸做的，烧起来火头很旺，灭下去来得也很容易。一日日琐碎的生活仿佛都带着水分，不必刻意在火头上浇水，那些水分悄然之间就浸湿了纸，灭掉了火。

第二天，瑶琴到家时，陈福民还没回来。瑶琴还是自己做饭。菜差不多炒好了，陈福民进了门。陈福民说，不是说好了我回来做的吗？瑶琴说，我回都回了，未必还坐在那里干等？陈福民说，这是你自己主动做的哟，到时候别又怪我。瑶琴说，我怪你和不怪你又有什么差别。

瑶琴说完，突然觉得自己半点胃口都没有了。她摆好桌子，进到卧室里。她心里好躁乱，她浑身火烧火燎的，血管淌着的仿佛不是血而是火。她想跺脚了，想骂人了，想揪自己的头发了，又有些想要砸东西了。她不知道自己为什么会这样。她不知道这份躁乱由何而起。她也不知道怎样才能让自己安定下来。瑶琴在屋里困兽一样转了几个小圈。她想起以前她一旦为什么事烦乱时，杨景国总是搂她在怀里，安慰她，劝导她。她不由地打开箱子，拿出杨景国的照片，贴在胸口，仿佛感受着杨景国的拥抱。瑶琴哀道，景国，帮帮我。你来帮帮我呀。

有一股凉意触到了瑶琴胸前的皮肤。慢慢地它向心里渗透。一点一点，进到了瑶琴的心中仿佛有一张小小的嘴，一口一口地吃着流窜在瑶琴周身的火头。瑶琴坐了下来，她开始平静。她看到了窗外的树。树叶在暗夜中看不清颜色。被月光照着的几片，泛着淡淡的白光。对面楼栋的窗口，透出明亮的灯光。窗框新抹过红漆，嵌在那灯火中。一个女人趴在窗口跟楼下人说话，就像是一幅风景。瑶琴想，其实什么事也没有呵。其实我是好好的呵。景国，我给你找麻烦了。

陈福民盛好了饭，走到门口。陈福民说，吃饭吧。怎么跑掉了呢？说话间，他看到了贴在瑶琴胸前的照片。他走了过去。从瑶琴胸前抽出照片，拿在手上看了看说，他就是杨景国？瑶琴说，是。陈福民又看了几眼，似乎在忍着什么。好一会儿，他将照片轻轻放在床上，走了。走到门外，回头说了一句，你不把他忘掉我们两个是没法过日子的。

吃饭时，陈福民一直没有说话。他的心像是很重，不时地吐着气。饭后，他没有看电视，也没有告辞，便走了。瑶琴听到门的"哐"声，她知道，她本已走向陈福民的心，又慢慢地回转了。她回转到杨景国那里。只有那里才让她有归宿之感。瑶琴想，真的，好久没有去看杨景国了。

第二天瑶琴跟老板请假，说是家里有点事情，需要提前走。老板也就是瑶琴妈的学生说，要去哪里？需不需要我开车送？瑶琴说，不用了，我去东郊。那地方得自己去。老板说，是去松山？看你的……？瑶琴点了点头。老板默然不语，好半天才说，你现在还去看他？都多少年了？瑶琴说，十年了。不去看心里就堵。老板说，每个月都去？瑶琴说，是的。老板说，以后每个月我都专门批你一天假，让你从容去，别这么赶忙。瑶琴心下好是感激，说谢谢老板了。老板说，你男朋友虽然死了，可他是个幸福的人。瑶琴苦笑笑说，我宁愿他少一点幸福，但是还活着。老板说，可是你知道吗？当你深爱的人背叛你时，你会觉得生不如死。瑶琴说，是吗？

瑶琴走到了车站。有人叫她，声音响亮而熟悉。瑶琴心里蹦出"张三勇"三个字，回头一看，果然是他。

张三勇说，我正想去找你，扭过头就刚好看到你了，你说巧不巧？你去哪？瑶琴说，去东郊。张三勇张大了嘴，说你还去看杨景国呀？瑶琴说，怎么能不去？张三勇伸手摸了一下瑶琴的额。瑶琴吓一跳，伸手打开他的手。张三勇说，我想看看你是不是个人。瑶琴说，真是屁话。张三勇说，你如果到别处去，我就陪你。你去那儿，我就不陪了。我最讨厌那个家伙。瑶琴说，我又没让你陪。不过，他不讨厌你。他说要不是你，他不会跟我在一起。张三勇叹道，唉，想起来都怪我。我那一拳头，害煞多少人。要不然，我早跟你结了婚，你也不会像今天一样，一个人守间空屋过日子。我也不会随便找个人，结了还是离掉，成一个孤家寡人。杨景国不跟你也不会睡在松山上。我的那个悔呀，看我脸色，发青吧，都是悔青的。如果……。瑶琴说，车来了，我走了。

瑶琴疾疾地跳上车，她不想再听张三勇说下去。因为这些话，于她没有任何意义。世界上的事没有什么"如果"好讲。难道跟你张三勇结了婚，这三个人的日子就会变得更好么？谁能保证你不会离婚？谁能保证她瑶琴不是独守空房？谁能保证杨景国在这个"如果"里活过了，却没有死于另一个"如果"里？人这一生，一讲如果，就虚得厉害了。世界这么大，这么乱，这么百变，一个人在这世上活，还不跟盲人摸象一样？碰上了什么，就是什么。

尚是早春。山上的树都没有绿。草也黄着面孔趴在地上。曾经下过雪。雪化时有人踩过。草皮上满是干透的泥泞。瑶琴蹲在杨景国的墓前。瑶琴觉得她完全看得见杨景国。杨景国正全神贯注地等着听她说话。听她倾诉她所有的心事。她的痛苦和欢乐，她的忧伤和愤怒。杨景国是一个最好的听众。他从来不打断她的话。他总能用耐心的眼光望着她。他深情的目光，可以化解她心中的一切。如果她痛苦，这痛苦就会像雪一样化掉，如果她快乐，这快乐就会放射出光芒来。除了杨景国，谁又可以做到这一切呢？

瑶琴说话了。她的声音在早春的黄昏中抖着。瑶琴说她是一个可恶的人。她险些想让别人来替代她的杨景国。她甚至想为了那个人去努力地忘掉杨景国。她要把杨景国埋在记忆深处，只在夜深人静里悄悄地想念他。但是现在，她明白了，杨景国是没有人可以替代的。而她的心里除了杨景国也不可能再容下别的人。瑶琴说，我今天就要在这里，把这些话明明白白地说出来。我要说给你听。你听到了吗？听到了就回答我一声。

四周很空旷。因为无风，没有树枝摇摆。瑶琴的声音就是风，穿行在扶疏的杂木中。仿佛把它们吹动了。仿佛让他们的枝条起舞了。仿佛从舞动中传出了声音。很天籁的声音。这当然就是杨景国的回答。

瑶琴到家时，比平常又晚了许久。这天陈福民做好了饭。陈福民盯着进门的瑶琴说，是去东郊了吗？瑶琴说，没有，今天加班。说完，瑶琴想，我为什么要说这个谎呢？

十一

瑶琴的妈终于又找瑶琴说结婚的事了。瑶琴的妈说，五中校长专门找过她。是陈福民让她去找的。陈福民想结婚，可又怕跟你说时会碰钉子，自讨个没趣。便有些胆怯。想请老人出面作主。瑶琴的妈说，你难道还要像小年轻那样谈恋爱？闹也闹过了，和也和好了。住也住在了一起，不结婚还想干什么？瑶琴说，不干什么。结了婚又能干什么？瑶琴的妈说，既然结不结婚都差不多，那就结吧。我和你爸真是看不下去了。人生不就这么回事？哪里需要人去想这想那？如果什么事都由得人想好了再去做，做出的什么事又都合自己的意，那人生又有什么趣味。就算选错了人，又有什么打紧，一辈子还不是要过？一百个女人结婚后会有九十九个半觉得自己选错了人。你不是选错了这个，就是选错了那个，总归都是个错。既然如此，不如就选眼前这个算了，免得浪费时间。决定一件事都像你这样白天想完夜晚想，猿猴到今天还没变成人哩。

瑶琴的妈大大唠叨了一通后走了。瑶琴回头细细想她说过的话。觉得她妈讲得还满有道理。既然结婚跟不结婚都差不多，既然选错了人一辈子也还是要过，既然两个人过仍觉寂寞，一个人过也是孤独，何不就这么算了？

晚上，陈福民来时，瑶琴就盯着他。陈福民说，你盯着我干什么？你让我心里发慌哩。瑶琴说，你托人找我妈了？陈福民说，你妈来过了？你怎么想？瑶琴便把她妈的话复述了一遍。

陈福民的目光散漫着，仿佛瑶琴说的是一件比洗碗更加随便的事情。瑶琴说，你是什么意思？是你要她来说的，你怎么又这样？陈福民说，我只想听你的意见，并不想听你妈说了什么。瑶琴噎住了。她是什么意见呢？瑶琴觉得自己还没有想好。可她转念又想，如果想好了她又会是什么样的结论呢？这结论就会是陈福民以及她妈她爸所满意的吗？

陈福民似乎看透了她。陈福民说，你还没想好对不对？或者说你还在想着那个死人对不对？瑶琴说，你怎么这么多废话。你要结就结好了。我没意见。陈福民说，你也别太低看了我。瑶琴说，什么意思？陈福民说，我需要婚姻，但我也要爱情。没有爱情的婚姻，我不想要。瑶琴说，是吗？陈福民说，可是我到现在还不知道你到底爱不爱我。我不确切你是不是心里需要杨景国，肉体需要我。我是一个贪心的男人。我两个都想要。要你的肉体更要你的心，如果你只给我一样，那还不如我去伺候一个不会说话不会思考的病人，然后去找发廊小姐发泄一下。瑶琴说，两个人在一起过日子，没有爱情，但有平静的生活，就不行吗？陈福民说，也许行吧。不过我还是要跟你说，我已经有过十年痛苦不堪的生活，现在我需要至少十年的幸福来弥补。是不是有点可笑？瑶琴说，是这样呵。陈福民说，结婚吧，爱我十年，行不行？十年后，你不想爱了，我就由你。瑶琴淡然一笑，说，十年吗？如果我们结婚，至少有三十年过头。我在后十年爱你，不也行吗？你要的只是十年。陈福民怔了怔，笑了，说，想不到你还有这一手。瑶琴说，本来我也是不太想结婚的。可是现在我觉得结婚和不结婚并没有什么大的区别，所以就觉得结了也行。陈福民说，是不是有点破罐子破摔？瑶琴想了想才说，可能有点，但也不全是这样。

陈福民于是沉默。说，既然你这么说，我倒愿意再等等，等到你死心塌地爱上我，离不开我，我再跟你结婚。瑶琴说，也行。说完，瑶琴想，死心塌地地爱你？离不开你？这可能吗？你当我才十几岁，什么事都没遇到过？

躺在床上的时候，陈福民附在瑶琴的耳边说，其实我心目中的所谓爱，也只是想要你忘掉杨景国。不要让我在抱你的时候，能闻到他身上的气息。瑶琴说，瞎说什么。陈福民说，你不信，你身上，我总能闻到一股湿湿的气味，像是刚从雾水里钻出来。那不是你的气味，是他的。我知道。

瑶琴心里"格登格登"的猛跳了许久。这天夜里，她果然又看到杨景国从雾气浓浓的河岸走了出来。

结婚的事暂时放下不说了，生活就变得有些闷闷的。

陈福民晚上有时来，有时没来。不来时，他会打电话，或说是给学生补课，或说是有朋友在他那里打麻将。每个周末陈福民倒是必到的。陈福民说周末如果不跟女人一起过，就觉得这世上只剩得自己一个人，清冷得受不住。一到星期五，瑶琴就会去买一些菜，等陈福民回来做。瑶琴有了工资，陈福民就更不提钱的事了。瑶琴也懒得提，想想无非就是一天一顿饭而已。

陈福民有时候很想浪漫一下，比方去舞厅跳跳舞，或者去看看电影。瑶琴都拒绝了。瑶琴说，当你才二十岁？陈福民说，四十岁就不是人了？瑶琴说，当然是人，但是是大人。大人不需要那些小儿科。陈福民说，未必大人的日子就是厨房和卧室？瑶琴说，当然不是。大人有大富人和大穷人之分。如果是大富人，就可以坐着飞机，天南海北地享受生活，今天在海岛，明天在雪山。如果是大穷人，对不起，能有厨房和卧室已经是不错的了。陈福民说，什么逻辑。富人有富人的玩法，穷人也有穷人的玩法呀。瑶琴说，好，穷人的玩法就是去跳舞，去看电影。舞厅门票三十块钱一张，两个人六十块，电影票二十五块一张，两个人五十块，是你掏钱还是我掏钱？陈福民顿时无话。瑶琴心里冷笑道，一毛不拔，还想浪漫？这种浪漫谁要呵。陈福民说，既然话说到这地步，那就呆在家里聊天吧。

聊天的内容多无主题。东一句西一句的，有些散漫又有些恍惚。陈福民喜欢说他学校的事，说得最多的是他的学生出洋相的故事。甚至有时还说至少有三个女生暗恋他。瑶琴则说又到了什么新书。哪一本书其实很臭，却卖得特别好，哪本书明明很好却卖不动。

墙上的钟便在他们零散的聊天中，滴滴嗒嗒地往前走。有时走得好快，有时又走得很慢。遇到好看的电视时，两个人都不讲话了，一起看电视。瑶琴蜷坐在沙发上，陈福民便坐在她的旁边。有时候，陈福民伸出手臂，搂着她一起看，像一对十分恩爱的情侣。瑶琴不太习惯，但也没有抗拒。

倚着陈福民时，瑶琴仿佛觉得自己心里一直在寻找着什么。她嘴上跟陈福民说着话，眼睛望着电视机，身体内却另有一种东西像海葵一样伸出许多的触角四处寻找着。尽管陈福民的鼻息就在耳边，可每一次的寻找又似乎都是一无所获。空空的归来让瑶琴的心里也是空空的，不像跟杨景国在一起的感觉。常常，瑶琴的空荡荡的目光会让陈福民觉察到。陈福民会带有一点醋意地说，怎么？又想起了杨景国？你能不能现实一点。

有一天陈福民打电话说，他晚上有事，不能回来。瑶琴就一个人做饭吃。刚吃完，就有人敲门。瑶琴觉得可能陈福民事情办完又回来了，上前开门时便说，不是说不回来吗？门打开后，发现站在那里的是张三勇。瑶琴呆了一下。

张三勇说，怎么，以为是别人？瑶琴说，是呀。怎么也不会想到是你呀。张三勇没有等瑶琴让进，就自动走了进来，自动地坐在沙发上，自动地在茶几下找出烟缸，然后自己点燃了烟。那神态就好像他仍然是瑶琴的男朋友一样。

瑶琴说，你找我有事？张三勇说，我要有事还找你？我就是没事才找你。因为我晓得你也是个没事的人。瑶琴说，你又自作聪明了。你什么都不晓得。张三勇说，前些时我见你去看杨景国，我就晓得你还是跟以前一样，什么都没有变。我想，上天给我机会了。上天晓得我们两个是有缘的。瑶琴说，我警告你张三勇，你不可胡说八道，我看你是老同事的面子，让你老老实实在这里坐一下，抽了这根烟，你就赶紧走人。张三勇说，瑶琴，何必这么生分，我们也恋爱过那么久，抱也抱过，亲也亲过，就差没上床了。你放松一点行不行？我又没打算今天来强奸你。瑶琴说，你要再说得邪门，就马上跟我走。张三勇说，好好好。我来看你，是关心你，怕你寂寞。瑶琴说，我一点也不寂寞。张三勇说，鸭子死了嘴巴硬。瑶琴说，我懒得跟你讲话，你抽完烟就走吧。瑶琴说着，自顾自地到厨房洗碗去了。外面下雨了，瑶琴从厨房的窗口看到树在晃，雨点也扑打了上来。瑶琴说，下雨了，你早点回吧。张三勇说，我回去了，你是一个人，我也是一个人。我不回去，两个人还可以说说话。我在屋里养了几条热带鱼，我一回家，就只看到它们是活的。

张三勇说话间，门又被敲响了。厨房里的瑶琴没有听见。但张三勇听见了。张三勇说着话，上前开门。进来的是陈福民。张三勇说，你找谁？陈福民说，你是什么人？张三勇说，我是这家的男主人。陈福民说，有这种事？

瑶琴闻声从厨房出来。陈福民说，这是怎么回事？瑶琴说，哦，他是我在机械厂的同事，今天来看我的。陈福民说，这么简单？张三勇说，也不是那么简单啦。在杨景国以前，我们两个死去活来恋爱过一场，差点就结婚了，结果，杨景国那个王八蛋把我们拆散了。亏得他死了，要不然我落这分上时，也饶不了他。瑶琴说，你瞎说什么呀。借你一把伞，赶紧回去吧。张三勇说，你还没告诉我，他是什么人。陈福民说，我才是这里的男主人，现在是我跟瑶琴死去活来地恋爱，没你什么事。张三勇当即就叫了起来，你又找了男人？那你三天两头去看杨景国干什么？瑶琴说，走走走，你赶紧走吧。

张三勇走后，陈福民坐在他曾经坐过的地方。茶几上还放着张三勇的烟。陈福民用着他拿出来的烟缸，也抽起了烟。抽得闷闷的，吐烟的时候像是在吐气。瑶琴说，不是看到烟就想呕吗？陈福民没说话。

抽完一支烟，陈福民说，一个杨景国就够我受的了，这又冒出一个来。比杨景国资格还老。而且还是活的。这叫我怎么吃得消？他叫什么？瑶琴说，张三勇。陈福民说，他真的就是来看你的？怎么拿这里当自己家一样？瑶琴说，他就那么个德行，我能怎么办？陈福民说，他来干什么？瑶琴说，他跟他老婆离了，也许想找我恢复以前的关系。不过这不可能。陈福民说，为什么不可能。你们以前也好过。轻车熟路，可能性太大了。瑶琴说，你希望这样？陈福民说，不关我的事。你要想跟他重归于好，我也是挡不住的。你一心想着杨景国，我挡住了吗？瑶琴说，张三勇跟杨景国是完全不同的。张三勇在我眼里只是一个混蛋而已。陈福民说，好女人最容易被混蛋勾走。瑶琴说，那你也算么？陈福民想了想，哈哈地笑了起来。笑完说，大概也算混蛋一个。说得瑶琴也笑了起来。

陈福民说，他说你三天两头到杨景国那里去？瑶琴说，哪里有三天两头。陈福民说，反正常去？瑶琴说，只是习惯了。有什么事就想去那里坐坐。陈福民说，去诉苦？去那里哭？去表达你的思念之情？瑶琴说，其实只不过到那里坐一会儿，心里就安了。陈福民说，不能不去？你不能总这样呀。瑶琴没有作声。陈福民说，你要到什么时候才能明白？他已经死了。而你还活着。你们俩是无法沟通的。你应该把感情放在活着的人身上。瑶琴说，你也可以到你前妻的墓前去哭呀。这样我们就扯平了。陈福民说，你这是什么话？再说我为什么要哭她？我对她早就没有眼泪了。我后来的眼泪都是为自己流的。

瑶琴努力让自己想起曾经躺倒在杨景国旁边的那个女人的样子，但她怎么都想不起来。她只记得她仰在那里，满面是血。只记得一个男人在嚎哭。其实瑶琴也知道，那时她自己全部的心思都扑在杨景国身上，她在听杨景国最后的声音，在看杨景国最后的微笑。她并没有太留意与他同时摔倒的女人。那女人在她的印象眼里只有一个轮廓。她被撞惨了。她即将成为植物人了。她开始折磨爱过她也被她爱过的人了。于是她就被那个哭她的男人恨之入骨。

陈福民说，不要怪我没有提醒你。以后你不要再去了，否则……。瑶琴说，否则又怎么样？陈福民说，我也不知道怎么样，我想我会……把他的墓给平了。瑶琴吓了一跳。瑶琴说，你病了。陈福民说，那你就别让我疯掉呀。你不去，我就不会去。

连着两个晚上，瑶琴都梦到杨景国。他站在一个陷下去的土坑里，耸着肩望着她，一副吊死鬼的样子。瑶琴惊道，你怎么啦你怎么啦？杨景国愁眉苦脸着，什么也不说。瑶琴每每在这时醒来。瑶琴想，难道杨景国的墓真被挖了。

第三天，瑶琴一大早便请了假。瑶琴紧紧张张赶到东郊的松山上。瑶琴想，如果陈福民真的平了杨景国的墓那该怎么办？陈福民真敢做这样的龌龊事么？他要真做了，我应该怎么办？我要杀了他么？瑶琴想时，就有一种悲愤的感觉。

山上一片安静，杂木上的露珠还没落尽。杨景国的墓跟以前一样，也是静静的。瑶琴绕着杨景国的墓走了一圈。然后呆站了片刻，她没有烧香，只是低声说了一句，以后你自己照顾好自己，我以后恐怕会很难来了。然后就下山了。她有些落寞，走时一步三回头，仿佛自己一去不返。

这天瑶琴主动告诉陈福民，说她去了杨景国的墓地。她去作了一个了断。她告诉杨景国，以后她不会去看他了，让他自己照顾自己。她说时，不知道什么缘故，眼泪一直往外涌。她努力克制着泪水，可是它们还是流了下来。陈福民有些不忍，搂她到胸口。瑶琴贴在陈福民的胸口上，感觉着他的温暖。这毕竟是与杨景国不同的温暖呵。她的哭声更猛了。陈福民长叹了一口气说，结婚吧，管你爱不爱我，我们结婚吧。

十二

事情就这样定下来了。

瑶琴想想，有时作一个决定也很简单。虽然它并不是你最想要的。可是一个人如果总是能得到他最想要的东西，那么这个人必须是一个怎样幸运的人呢？

新容听说瑶琴要结婚了，连忙跑过来。新容说，听到这个消息，张三勇气得半死，一口气喝了一斤酒。可我好高兴。你要不要我当你的伴娘？瑶琴说，你以为我会像年轻人那样大操办吗？新容说，为什么不可以？一个人一辈子就这么一回，而你又跟别人不一样。你的婚姻来得多不容易呵。厂里好多人都想送礼哩。瑶琴说，去告诉他们，免了吧。如果是跟杨景国结婚，我就照单全收，可惜不是。所以，我结这个婚也不是特别开心。我一样礼都不想要。新容说，你怎么能这样想呢？你心里只想着杨景国对不对？那你就只当是跟杨景国结婚呀。只当你的杨景国出门了十年，现在回来跟你结婚了。你这样想，你就会开开心心的呀。当然，这是放在你自己心里的事，你不必说出来就是了。

瑶琴被新容说得愣住了。瑶琴想，哦，我可以只当是跟杨景国结婚么？

瑶琴果然试想着自己将要同杨景国结婚。试想了几回，她便找到了一点点感觉。当初她和杨景国为了买新房的东西，提前跑过许多商场。早早就把要买的什么都看了一遍，只等拿到房钥匙，就开始采购。现在，她可以接着那个时候来做这一切了。

陈福民原想让他的住所成为新房。可是瑶琴想想他前妻以前在那里住了九年半，幻觉中就出现她卧在床上病气深重、瘦骨嶙峋的样子，便有不寒而栗感。瑶琴觉得自己连进那扇门的勇气都没有。瑶琴对陈福民建议还是以她这边为主。瑶琴说两人都不富裕。她这边的东西齐全一点，就可以少花许多钱。陈福民想想觉得她说得有理。再又想自己另有一处房子独归自己，真有什么事，还有一个退路，反而更好，便依了她。陈福民这样想过后，就觉得婚事对于他来说，简单多了。因为瑶琴的房间怎么布置，瑶琴是一定会按自己的主意的。他说了也不算数，索性不管，少一桩事，又何乐不为。

瑶琴每天下了班，都去商场打转。看到合适的东西，她就买回来。瑶琴的妈说瑶琴结婚不容易，给了瑶琴三万块钱，叫她把家里的旧东西都换新，并且买东西无论如何要按自己的心意去买，买好的。瑶琴把这话告诉陈福民时，陈福民说，还是实际一点吧。我们又不需要赶时髦。瑶琴说，那彩电和冰箱，就由你出钱买，好不好？陈福民说，喂，最贵的东西都让我来买呀。那我就把我家的搬过来好了。瑶琴说，歇着吧，我才不用你老婆用过的哩。我买就是了。陈福民说，你买就你买。你妈给的三万块钱，我看也足够我们买的了。瑶琴没作声。陈福民说，你没生气吧？你要是生气了，那就我来买。瑶琴说，我没生气。

瑶琴说完想，我生什么气。新容都跟我说了。我当是跟杨景国结婚哩。又不是跟你结婚，你买不买才不关我的事哩。

于是瑶琴再也懒得跟陈福民说谁买什么和不买什么了。她全部都一手包办下来。忙着忙着，瑶琴就忙得亢奋起来。十年来的抑郁都被这忙碌所驱除。瑶琴的脸上泛着红光。走进宿舍时，常有熟人笑道，瑶琴，看了你就晓得，人还是要结婚呀。你看这些日子你越来越漂亮。瑶琴便笑。熟人又说，真的好久没有看你这样笑过了。开心得就像你跟杨景国在一起时一模一样。

周末的时候，陈福民也过来帮忙。

瑶琴的屋子全部换了新的墙纸。墙纸泛着一点淡米色。瑶琴说，当初我和杨景国两个人去看墙纸时，一眼就看中了这种样式的。窗帘很厚重，是黄底印花的。瑶琴说，杨景国说这款窗帘配我们的墙纸特别谐调，我比了一下，果然是这样。顶上的吊灯也换了。古色古香的一款。瑶琴说，我先看中的是一款很洋气的，可是杨景国特别喜欢这样的。我左看右看，觉得还是他的眼光比我高。床罩是上海货。杨景国特别喜欢上海的东西。他什么东西都喜欢买上海的。他说上海人精细，做东西讲究，不像广东人，光讲时髦，不注重做工。

陈福民本来看到新房布置得很像一回事，也满高兴的。可是瑶琴左一口杨景国，右一口杨景国，说得那么如意自然，心里一下子就阴暗了下来。陈福民终于忍不住打断瑶琴的话。陈福民说，喂，你是不是以为你跟杨景国结婚？

瑶琴吓了一跳，她这才突然意识到，她已经把心里的内容在不经意间流露了出来。

这天，陈福民连晚饭都没有吃，就走了。一连几天，陈福民都没有露面，也没有打电话过来。瑶琴想，难道就这样了？

想过，瑶琴就给陈福民打了一个电话。瑶琴说，你要怎么样？陈福民说，没什么呀，我只是在想事。瑶琴说，想什么？结婚还是不结婚吗？陈福民说，怎么会？我当然要跟你结婚。我都说过了，不管你爱不爱我，我都要跟你结婚。瑶琴说，那你还想什么？陈福民说，为什么这么多年你都忘记不了杨景国，他是一个什么样的人呢？瑶琴说，那你就不要想了。陈福民说，我不想不行。因为他挡了我的幸福。瑶琴说，那我就告诉你，他是天底下最好的人。陈福民说，是吗？听你这么一说，我还真不服气哩。瑶琴说，服不服气也就这么回事。他都死了，你又何必在意？陈福民说，我不明白的就是，他都死十年了，还让我这么不舒服。张三勇还活着，可你看我有没有半点介意他？瑶琴说，你有毛病呀！瑶琴说完，挂掉了电话。

晚上，瑶琴一个人坐在屋子里呆想。世界上的事让人不明白的多着哩，你还能每一件都弄清？想着一个死去的人难道不比想着一个活着的人要好些么？

十三

结婚没有打算挑选吉日。结婚的日子是瑶琴和陈福民两人商定的。学校暑假开始那天，他们就举办婚礼，然后出门旅行去。这一次他们计划去云南。听人说，那边的风景特别好。可以看到草原和雪山。陈福民说，去把灵魂洗一洗，洗干净好过一种全新的日子。陈福民总能说出很漂亮的话，这是杨景国说不出来的。杨景国总能做出很漂亮的事，却没见陈福民做出什么。瑶琴心里永远这么着比较他们两人。

婚期不远了，陈福民却突然就忙了起来。有时一连几天都没空到瑶琴这边来。偶尔他会打个电话。电话里说些奇怪的事。有一回，陈福民打电话说他正在茶馆里，然后叫瑶琴猜他和谁在一起喝茶。瑶琴当然猜不出来。陈福民就说是和张三勇。瑶琴怎么也想不通，陈福民怎么会跟张三勇坐在一起喝茶。又一回，陈福民打来电话，告诉瑶琴他在与吴望远聊天。瑶琴只觉得吴望远这个名字很熟，却怎么也想不起来他是什么人。好多天后，才记起，杨景国有个大学同学就叫吴望远。还有一回，陈福民说他在乡下。乡下正刮着风。陈福民让瑶琴通过电话听那里的风声，然后说，你能闻出这风里的气息吗？

瑶琴闹不懂他在做什么。瑶琴想，管你做什么，不管我的事。

星期六的时候，陈福民来了。手上拎了只鸡，还拿了一根擀面棍。瑶琴说，太阳从西边升起了，怎么想起来买鸡呢？陈福民说，讨好老婆呀。瑶琴说，怎么这么粗一根擀面棍？陈福民说，是学校看门老头儿送给我的。说这木头沉实，擀饺子擀面条都特别衬手。那老头是东北人。瑶琴说，这擀面棍真打得死人哩。陈福民说，居家过日子，这东西特实在。

瑶琴和陈福民说好星期天一起去照婚纱照。瑶琴的妈要瑶琴无论如何都要去买一套婚纱。瑶琴觉得人一辈子就穿这么一回，照相时借一下就行。而婚礼穿件旗袍就好了。瑶琴的妈说，就因为人生只穿一回，难道你还要穿件无数人都穿过的脏兮兮的婚纱？瑶琴一想也是。没准陈福民老婆十年前也穿过的。想过，她就约着新容一起上了街。跑了好几家婚纱店，挑来挑去，总算挑了件满意的，新容说，酷毙了。还说现在年轻人都是这样用形容词。但陈福民却不是那么高兴。陈福民说，我真不晓得你只赚这么几个钱，却能拿钱不当钱。瑶琴说，我又没让你买，这是我妈给的钱呀。陈福民说，就算是你妈给的钱，也应该省着用。老话说，好钢用在刀刃上呀。瑶琴说，结婚不是刀刃，什么事是刀刃？陈福民说，比方哪天生病呀什么的，你又没有公费医疗。瑶琴说，你可真会说话。陈福民说，我的话都跟那擀面棍一样，实在得很。

照相的费用要一千块。价格贵得令瑶琴和陈福民都感到意外。瑶琴说，还照不照？陈福民说，看你的意思。瑶琴说，我没带够钱。陈福民说，我也没带够。瑶琴心想到现在为止，我几乎就没花过你的钱哩。想过心里就有些不悦。瑶琴说，那就算了吧。陈福民说，是你说算了的，到时候不要怪我。瑶琴说，我什么时候说要怪你的？

本来两个人准备照完相后，去看一场电影。瑶琴一下子没有了情绪。瑶琴揶揄道，看一场电影两个要花五十块钱，还是省了吧，以后可以用来看病。陈福民说，这个钱我来出好不好？免得你觉得我这个人小气。瑶琴说，我看还是算了吧。小气又不是什么大毛病。

于是两个人白出门一趟，什么事也没干就回了。星期天的气氛因为这趟白出门的经历一下子阴郁起来。瑶琴回来便往床上一躺。天花板上立即浮出杨景国的脸庞。杨景国忧郁地望着瑶琴。杨景国对瑶琴说，你什么都不用管，你只管当你的新娘子，所有的事都交给我。我的钱就是你的钱。我是你的奴隶也是你的管家。杨景国当年跟瑶琴说话的样子历历在目。

陈福民开始在厨房做饭。陈福民大声说，结婚时肯定会很累，婚前要好好补一补。今天我做辣子鸡和肉末蛋羹给你吃。这只鸡是真正的土鸡，比肉鸡贵多了。是我特意买给你的。

瑶琴没作声，她坐了起来。她新买的婚纱还放在包里。瑶琴想，婚纱照不拍也好。如果是杨景国，那就是再贵她也是要拍的。只是可惜了这套婚纱，如果结婚那天不穿的话，那就根本没机会穿它了。瑶琴在想，结婚那天到底穿婚纱还是穿旗袍呢？想了半天，她还是决定穿旗袍更好。因为她已经不再年轻。她的脸上有了皱纹。这婚纱就给自己作纪念好了。因为它的存在，自己会明白自己是一个已经结了婚的人。

这样想着，瑶琴便将婚纱从包里拿了出来。她打开箱子，想把婚纱放进去。打开箱盖，瑶琴一眼看到的就是杨景国的相片。包裹着照相框的羊毛衫不知道怎么松开了。杨景国的脸便露在了外面。他的目光依然忧郁，透过他黑框的眼镜和镜框的玻璃注视着瑶琴。瑶琴用手指在他的脸上抚了一下。瑶琴低语道，你没事吧？然后她把杨景国的相片放在了婚纱上。瑶琴想，对呀，我的婚纱就给你穿好了。一辈子穿在你的身上，你就会知道，你已经跟我结婚了。

瑶琴因了这个想法，心情变得愉快起来。但是在她的身后却响了一个声音，细细的，却也是严厉的：你在干什么？！这是陈福民。

瑶琴想关上箱子，但来不及了。陈福民有些气急败坏。陈福民说，为什么，你总让他出现在我们之间？为什么就不能让过去的事情永远过去呢？瑶琴说，我我我……。陈福民说，你不要说了。我今天就要好好地告诉你杨景国到底是个什么人。瑶琴有些讶异，说什么意思？陈福民说，别以为你了解杨景国，我现在比你更清楚知道这个人的底细。你把他当宝贝当偶像一样珍惜着崇拜着，心里把他想象得完美无缺。其实他这个人狗屁不是。瑶琴说，你瞎说什么呀。陈福民说，我一句也没有瞎说。我要救你。我要告诉你杨景国到底是什么样的人，所以我费了好多时间，找了许多认识他的人。我去过他的老家，我去过他的学校。我怕你不相信，每回都给你打过电话。现在就让我来告诉你，这个折磨了你十年的杨景国，这个让你十年来不得安宁的杨景国是个什么东西。

瑶琴有些紧张了。她并不想听这些。她只需要知道杨景国就是她心目中的那一个就够了。瑶琴说，我不要听，我不稀奇。

陈福民说，你怕了是不是？你怕我也要告诉你。杨景国的村里人说杨景国从小就阴得很。他曾经因为她五岁的妹妹吃了他的一口饭，而把她丢进水塘里想要淹死她。

瑶琴说，没有的事！

陈福民说，他在学校偷校长家的油被抓住后，留校察看了一年。

瑶琴声音大了一点，说，根本没有的事！

陈福民说，他后来跟他的弟弟同一个班，他的弟弟学习比他好得多，学校要培养他上北大。可是他家里只能在两兄弟中供一个人上大学。杨景国却不让他的弟弟，反而对他的父母说如果不让他上大学，他就跳河。他的弟弟只好放弃了高考，把机会让给了他。

瑶琴声音更大了，说，这是瞎编的。

陈福民说，他的心理阴暗，又自卑。想找女朋友，又怕。

所以经常去女生宿舍偷窥女生洗澡，有一次还偷了女生的内衣内裤。因为这件事使他在他们系里臭名昭著。他在大学里每一年都补考。他的成绩在他们系里倒数第一。他在学校为什么找不到女朋友？因为在大家眼里，他差不多就是个流氓。

瑶琴叫了起来，你胡说！你无耻！

陈福民说，无耻的是杨景国。他到你们厂后，一眼就盯上了你，故意找你问路，把自己装成情深似海的样子，来勾引你。他的运气在于他新一轮坏事还没干时就死了，要不，真跟你结了婚，还不知道要出什么事来丢尽你的脸。

瑶琴跳了起来，她伸手打了陈福民一个嘴巴。瑶琴叫道，他死都死了，你为什么还要这么污辱他。陈福民说，因为他在这个家还没有死。他原先折磨你，现在又折磨我。我要让你清醒，要你看到你天天思念的那个完美无缺的爱人只不过是一个地道的下三滥而已！

瑶琴哭了起来，瑶琴说，你以为我会相信吗？对于别人，他是流氓也好，是下三滥也好，是无耻之徒也好，那是别人的事。可是对于我来说，他就是一个完美的爱人。你再怎么污辱他，也不会动摇我对他的感情。陈福民气得拿瑶琴无奈。陈福民说，你怎么就这么糊涂呢？他不值得你这样。瑶琴依然哭着。瑶琴说，就算你是世界上最高尚的一个人，可是在我心里，他比你要值得多。

陈福民觉得自己都快气得背过气了。他没话可说。他觉得一个女人一旦愚钝了，就不可救药。陈福民说，我今天非要让你跟他彻底了断。我不要在这个家里见到这个人的任何东西。陈福民说着掀开箱子，抽出裹在婚纱里的杨景国照片，想都没想便朝地上猛然一砸。镜框立即碎了，陈福民抽出里面的相片，三两下就撕得粉碎。镜片的玻璃碴割破了他的手，血就滴在碎了的照片上。陈福民的动作太快了，瑶琴一时看得发呆。她觉得自己的心在那一瞬间也被砸得粉碎。而滴在碎照片上陈福民的血正是她自己的。

陈福民说，床罩是杨景国喜欢的是不是？明天换掉。窗帘是杨景国看中的是不是？明天也换。吊灯是杨景国选定的是不是，我现在就砸掉。还有墙纸，也要全部都换。凡是跟杨景国相关的任何东西，我都不要见到。我不要让这个人在我的家里有一丝气息。

瑶琴说，那我呢？我是杨景国的未婚妻。我跟他有过肌肤之亲。我还为他做过一次人工流产。你要怎么把我处置掉呢？陈福民也哭了起来。陈福民说，我爱你。我不想让这个人毁了我的幸福。我已经受不了了。瑶琴想，你以为我受得了么？

瑶琴想着，走出了卧室。她走进了厨房。鸡已经剁好了。肉末也绞了一碗。鸡蛋打了，两个蛋黄圆圆的。瑶琴把蛋打碎，然后把肉末放了进去。炉子上烧着水，水已经开了。瑶琴关了炉火。她拿起刀。刀上有剁鸡时沾上的肉渍，油腻腻的。瑶琴放了下来。她往门外走时，看到了那根擀面杖。瑶琴一伸手，就把那根擀面杖拿在了手上。

屋里好安静。发过火的陈福民显然也明白他的发火对瑶琴来说无济于事。陈福民叹着气，弯着腰清理着地上的碎片。

瑶琴站在门口。瑶琴想，我不替杨景国出这口恶气么？我只有替杨景国出了这口气我才能跟他了断呵。瑶琴想着就举起了擀面杖。那一刻，瑶琴全身的力气都凝聚在两只手臂上。她朝着陈福民的背挥了过去。

陈福民知道瑶琴在门口，他想站起来跟瑶琴说句话。他想说，你要是实在是忘不掉，那就不忘吧。让我慢慢来跟他斗。

在他站起来的那一瞬，瑶琴的擀面杖已经挥了下去，正好砸在了他的头顶。陈福民脑子里什么都没来得及想，就发出一声巨响倒在了地上。他的血再一次溶进了地板上的玻璃渣中。瑶琴呆掉了。

躺在地上的陈福民满面鲜血，和躺在石头边满面鲜血的杨景国一模一样。

十四

新容想尽办法，通过她的警察表哥，终于在看守所见到了瑶琴的一面。新容哭着说，瑶琴呀，你怎么这么傻呢？你为什么要这么做呢？瑶琴面容苍白。瑶琴说，他怎么样？新容说，他现在成植物人了。在医院里。你怎么办呢？瑶琴说，帮我找个好律师，把我放出去，我要去伺候他。新容说，你这是何必呢？你怎么这样毁自己呢？瑶琴说，我要出去。不管花多少钱，你要想办法把我弄出去。

新容替瑶琴找了一个好律师。律师在法庭上陈述了瑶琴和杨景国的爱情故事。陈述了瑶琴十年来对杨景国无休无止的思念与爱。律师在讲这些时，瑶琴失声痛哭。那些往事在她的脑子里演绎着，然后渐渐地远去。律师说，我讲述这个故事，就是要告诉大家像瑶琴这样一个弱女子怎么会突然出手伤人。那正是因为伤者陈福民砸了她最心爱的人的照片。想想她十年来靠这张照片度过的每一天每一夜，大家就能理解当时她的激愤。正是因为伤者的过激行为，使她激愤得失去理智。从这个角度，她情有可原。希望法官能从轻处理。

　　法庭里有许多的听众。人们点着头。同情的法码明显倾向着瑶琴。瑶琴的妈和瑶琴的爸都在哭。他们的身边的许多相识和不相识的人们也纷然掬一把眼泪。

　　判决终于下来了。瑶琴为过失伤人，判了三年，但也缓期三年。瑶琴出来后家都没回便赶去了医院。

　　病床上的陈福民头上包扎着白色的纱布。他两眼闭得紧紧，嘴角亦抿得紧紧。瑶琴说，我来了。我会伺候你的。如果你不醒，我要伺候你十年。如果你醒了，我就爱你十年。瑶琴说时，泪眼婆娑。她知道她的又一种人生来临了。

　　从那天开始，瑶琴的夜里不再梦见杨景国。从河对岸的水雾中会有人走出来，深情地凝望着她。瑶琴能很清晰地看到，这个人是陈福民。

　　东郊的松山上，杨景国的墓也没有人去清理了。杂木和野草都疯长着。

　　陈福民在一个很冷的日子里突然醒了过来。他醒来时看到瑶琴，仿佛想起了什么。陈福民说，了断。

　　瑶琴说，都了断了。

（原载《小说界》）

西 飏 ⑧⑧

上海遭遇

◎ 指北

一 见 面

马跳跳感觉到进门的是张文生和他的妻子揭白、女儿白笙，背部不由得僵直了。

今天下午她发短消息告诉张文生，晚上要到刘卫红家里吃饭时，心里其实就预感到要出现这种事情。只是她无法把握，张文生的意图到底是想要见到她，还是要向她说明什么，比如，他有一个幸福的家庭，或者正好相反。

她更不知道，张文生对她的态度。他好像爱她，又好像只是爱护她。但，他作为一个中年男人，在和她做爱时表现出来的无穷想象力又让她相信，他是爱她的，至少是爱她年轻的身体的，这一点，她很有把握。

还有一点她很明白，自己是很想嫁给张文生的。和公司里那些和她年龄相仿的小男孩子们完全不同，他是成熟的，有目标的，不会说一些无害也无用的八卦。这一点，就让她入迷。

还有两点，是很多女孩不好意思启齿、然而又很重要的——他生活的层次是她现在无法企及的，在大上海，有房子，有收入不错的位置，还是有吸引力的。另外，他在床上显得相当幼稚，显然是个好男人，估计除了老婆，没有过其他性经验。更重要的是，在性方面，他很有天分，稍加点拨，便青出于蓝，十分让她满意。

张文生只有一个缺点，老婆和孩子。

再过几天，她就满二十五岁了，已经是个老姑娘，还有过丰富的性经验，再不结婚，就很难办了。

仅仅凭一个突然硬起来的背影，揭白就明白马跳跳果然在场。

刚才，张文生突然停下脚步，好像想起什么，说："今晚刘卫红家里一定很多人。"

"为什么？"揭白感觉到他的意图，说："那我们上去看看吧！"

"算了吧！都是些小孩子。"张文生又犹豫了，他眼睛盯着揭白。

揭白故意拔腿就走。

张文生仿佛舒了一口气，又仿佛心有不甘。

"妈妈，我要到安琪家玩！"白笙忽然提出一个不算强烈的愿望。揭白偷眼观察自己的丈夫，张文生突然呵斥女儿："干嘛老到安琪家玩！安琪家今天来客了！"

揭白怒从心起，一把拉着女儿就上了电梯。张文生的态度告诉她，马跳跳一定在。

她清楚地记得，两年前张文生刚到上海，那是一个夏天，他们在华亭路上买帽子，她正试戴一顶《情人》里面杜拉斯戴的那种男式礼帽，张文生忽然露出笑容："那是马跳跳，长得还不错。"可能是人渐渐走近了，张文生看得更清楚了，"啊，这几天她们在做一个新产品，脸上长了不少东西，有点看不出了。"

当时揭白对她根本不感兴趣，只是礼节性地点了点头，只记住了一张下巴暴短的脸。

一个月后，当张文生在床上再次提到马跳跳时，揭白随口冒了一句："她哪儿漂亮！"

几乎在同时，她的脑子里出现了一句老百姓常说的话——情人眼里出西施。一个男人注意一个并非美女的女人是很能说明一点什么的。

而在一堆肩膀中，一个女人的肩膀因为他们进来硬了，这更非同小可。

揭白有点紧张，没有直接走近客厅，而是先拐进了厨房，扫了一眼底朝天的大叠盘子，立刻大惊小怪起来："啊，你们吃什么了？一点也没剩！"借着这点夸张，她的心平静下来，有了走到马跳跳面前的勇气。

"都被我们吃光了！"马跳跳自以为自己会很潇洒，没想到发出的声音居然这么夸张，后悔地咬了咬牙。

妻子和情人同时在场的场面让张文生萌生出一种奇怪的优越感，同时又感觉刺激。

揭白是那种特立独行、十分浪漫的女性，从来都处在男人的注视中。这一点让出生寒微的张文生大感骄傲，又心生疑问——在他的想象中，身体病弱的自己肯定不能满足丰富生动的妻子，两地分居的日子里，揭白究竟背叛过家庭几次呢？他越是害怕知道就越想知道。

他一生都对女人充满幻想，又为此深感自责。少年时的梦想是和一个万人迷的风骚女人结婚，念大学时发现自己和城里人的巨大差距，他屈辱地选择了一个几乎可以称为地主婆的女人，那时，他认为自己是清醒了。

谁知，命运竟将揭白这样的女人给了他！

揭白会毫不犹豫地叫他的父母爸爸、妈妈，很惬意地骑着自行车跟他走在乡间的土路上，而她的相貌、气质又是那样另类、无可模仿，那种招摇让他心里很爽。

问题出在揭白后来当了记者，而且是相当不错的记者，既干报纸，也搞电视。而他的工厂却破产了，他不得不到千里之外的上海打工。

马跳跳是他身体中的女人，正好合称。

她出生在一个江南小镇，父母是小市民，她脸上的那种乖巧、狡猾是他所熟悉的。在长期的底层生活中，这一切已不知不觉地深入了他的骨髓，马跳跳就是他骨子里的那个自己，他一见她就认出来了。

不像揭白，始终是模糊的，有些东西永远与他无关，他无法接近，更不能把握。

尤其令他欣喜的是，马跳跳愿意卖乖，愿意用身体奉承他，让他感觉很男人。只有一点，他始终耿耿于怀：马跳跳不但不是处女，而且，性经验老到，能放肆地享受快感。

她今后会不会拿他跟那些年轻的情人比较，令他无法招架呢？而且，作为一个骨子里的农民，张文生很在乎女人的第一次。

这一点，他对揭白很放心，因为床单上明白无误地沾满了鲜血。

他其实忽视了一点，揭白直到今天，还是没有任何性经验的，根本不知道怎样让男人快乐。

坐到了这群人的对面，揭白才发现，要从他们中找出哪个是马跳跳来，是很难的。

一样小女人的表情，一样的青春，一样的中国人长相，那个因紧张而硬起来的背影离开了视线，揭白认不出马跳跳了。

为什么一个见过多次，而且，早已引起她注意的女人，她竟然认不出来呢？

揭白决定闭上眼睛，她知道，自己闭上眼睛时，心最清楚。果然，一双总在窥视她的眼睛跳了出来。这是马跳跳。

窥视的结果使马跳跳颇感失望。显然，揭白没有发现她。与以前揭白的马马虎虎相比，到上海的揭白女性化一些，也瘦了一点，看起来很有希望的样子。这种成熟女人的自信给了她一种很难模仿的美。

印象中她可不是这样。马跳跳记得，揭白是邋遢的，看上去像是失去了希望，一副无所谓的样子。她的希望是从哪儿来的呢？

白笙和安琪在人群中玩得很开心，因为被人注意，她们办家家的过程显得格外卖力。

刘卫红大声和揭白交换着育儿经验，她的好处是心地善良而且好客。

张文生相信自己表现出色，没有露出一点破绽，临走时盛情邀请众人："到我家去玩玩吧，先认个门，下次我请客！"

揭白也笑了："真是，张文生老在我面前说你们，我也算是很熟悉你们了，却老对不上号，是应该走动走动了！"说着，她朝他们中的一个点点头："白笙老拿你的卡租碟片，花了你很多钱吧，真不好意思！"

她很准确地找对了马跳跳。

张文生露出一副猝不及防的表情。

马跳跳则得体地微笑着。

她们落在人群后面，低声地谈着什么。张文生不喜欢这样，感觉到一切正在失去控制。他快步走进楼梯间，第一个走进了家门，摊开手："我的家门永远对你们开放！"

和揭白一同走到门前的马跳跳先脱下靴子，揭白低下头拔自己的鞋时，注意到她的靴子式样是时髦而得体的，随时都可以应付商业洽谈的样子。这一点和张文生一样。

二 情 挑

从马跳跳的靴子，揭白看到了自己和张文生的分歧。

张文生一直是爱面子的。这表现在他即使是在最落魄的时候，也不忘为自己的旧皮鞋擦油。而揭白，就算有钱有闲，也更愿意打扮得随时都可以坐在大街上，而不用担心弄脏了衣服，也就是说，她的衣服好像天生就是为了弄乱、弄脏的，可以在任何一个地方停留的。

他现在老是抱怨她丢他的脸。完全不顾她的记者身份是多么的荣耀。

甚至是她的漠不关心，也在时时刺痛他的神经。

他和马跳跳一样，衣服在鲜明地呐喊：我是上流社会的，你不应该忽视我。他们最大的痛是相同的。这一点，揭白要在伤痛之后才会看清楚。

张文生也注意到了马跳跳的靴子。不过，他的眼睛集中在她因为脱靴子而高高翘起的臀部上。

那是一个年轻的、扁扁的臀部，两瓣屁股瘪瘪地分向两边，和他因为营养不良而过分消瘦的姐妹们一样。

他第一次摸到她的乳房时，曾经十分震惊而且失望。马跳跳是平胸，与揭白波涛汹涌的上半身相比，马跳跳真是太平淡了。然而，接下来的事情却令他心花怒放。

马跳跳的下面直接刺激着他，令他兴奋不已。

不管碰到哪里，她都会兴奋不已，内部剧烈抖动，喉咙里发出抽搐一般的声音，她的求饶声更让他激动不已。

他怀念她在做爱时说："这样你会好一些。""这样我会好一些。"她教他做爱，没有一点羞耻，仿佛就该如此，本该如此。这使他发现自己还像一个处女，还有那么多的地方没有开掘。

在他年轻的时候，性还是羞耻的，他从来没有发现性是如此的享受。他有点遗憾，如果马跳跳的无耻和经验能和揭白的天生性感合在一起，那是多大的福分呀！

为什么看起来特别前卫的揭白反而什么也不懂呢？他有点厌烦地想起十年来揭白在床上一味的娇羞和毫无建树，虽然那种绝对的无知曾让他感觉很男人，现在，却使他再次感到浪费。就像一根上好的红木，始终放在茅厕里。

他想，一定要与马跳跳睡一次觉，就在明天晚上。

马跳跳站在他们的卧室门口，怎么也不敢迈步。

走到了这里，就必须承认，张文生是有过去的，而且，还有现在。

他们的床就在她的眼前。被子的花纹是抽象的，仿佛一种哭泣，她是决不会认可的。她知道，这一定是揭白的主意。

果然，她的情人不带一点虚假的声音告诉她："这是揭白挑的，我们家都是揭白设计的，她要房子没有线条、没有门套，全部的白墙，乱挂的画。"听起来好像是批评，背地里却是没有保留的赞赏，骨子里的骄傲。

那与她无关的床，使她几乎可以看见自己的情人在那上面与他的妻子做爱。她被动地躺着，等着他给她爱，一点也不打算讨好他。

她怎能这样不把他放在眼里呢？当着他的情人，打扮得就像一个家庭主妇。说着："我今天买的猪肉真便宜，刘卫红，你也去买点吧！"

然而，马跳跳知道，这恰恰是她需要的，梦寐以求的。一个男人的妻子。今年她二十五周岁了，男朋友正在和别人网恋，她知道，他们是不会有结果的。她急需抢夺一点什么，好给自己和他一个说法，一个台阶。

然而，她怎么能从一个她根本无法进入的女人那里夺得幸福呢？

揭白关上门，听着马跳跳和张文生的一问一答，忽然感觉很虚弱。

她没有看镜子，就可以用心看到，自己缺乏光泽的脸和马跳跳青春光洁的脸残酷地放在一起。

如果婚姻都必须走到这里，结婚有什么用呢？"我竟然眼睁睁地看着自己的丈夫上了别人的床而没有一点办法。我能潇洒地扔掉这段婚姻吗？"揭白知道，不能。能容忍马跳跳吗？揭白知道，也不能。

她感到，没有办法。于是，她让自己闭上眼睛，等待张文生把秘密说出来。那时，"我会有办法的。"

现在，他们坐在客厅里，都像是客人。

很多人耳朵里都是对房子的溢美之词，揭白都要大笑了：她回忆起刚嫁给张文生的日子。

那时候，张文生不过是一个国营企业里的技术员，拿着三百元的月薪，她则没有固定工作，他们的梦想是把她活动进厂里，也每月拿三百来元。

多少次啊！他们带着讨好的表情，向恶俗之物发出溢美之词，以致她现在每当看到大便，都有吃下去的冲动。呕吐。

最没有希望的时候，她也想过用自己的身体去交换，不过，不是以爱情的名义。

与她那个年代相比，马跳跳们多了一件爱情的外衣，可以以爱情的名义讨伐家庭，不恶心自己，也给男人们一个堂皇的借口——进，可以换老婆；退，可以心安地享受男人所有的快乐，而不负任何责任，灵魂也很安宁。

她想到，我也期待爱情。然而，我已经错过追求爱情的机会了。

我所有的是婚姻。她再次肯定地告诉自己，即使这里面爱情从来都很稀薄，至少，我信任他，信任我们关系的纯真。

她迷惑的是，他们的性还是他们需要的吗？多少年了，他在黑暗中，轻轻探索她微凉的肌肤，感觉到她的纯真，那时，她以为这就是他的需要。她是如此干净，什么都要他教，要他帮助。

他们都看不见自己。

有过一次邪恶的情挑。

那是在他的一次同学聚会上，她戴着他的帽子，喝得醉了，有个叫文正的，爱上了她。

他给她写信，她也回信，说一些哲学家之间的话。

张文生假装什么也不知道。然而，他是男人，他知道男人在恋爱中要什么，就像他请马跳跳跟他一起出差时计划好的一样。

三　计　划

揭白在翌日下班前接到张文生的一个电话，说今晚公司有事，回家会晚一点。

他的声音听起来有点飘。

揭白故意不让自己去注意这一点，照常回了家。晚饭后，白笙提出来要到安琪家去，她呵斥了她两句，到底拗不过，九点时，还是又走到了刘卫红的门前。

两个小女孩在她们的世界里快活，两个妈妈则不咸不淡地聊着天。刘卫红咬牙切齿地说："我家老鲁越来越不像话！根本就不把这个家放在眼里！今天是我们结婚纪念，一大早就说好了，回家吃顿好的，他五点还打电话说会回来早点，害我们辛辛苦苦等到现在，结果！"揭白只好参与她对男人的声讨，这时，她才发现，这一个月来，张文生从没在晚上十一点前回过家，也没在家过过周末。

据说，他是在公司里加班的，可听刘卫红说，老鲁最近从未加过班，而张文生的工作离不开老鲁，那，他又是在加什么班呢？

一点阴阴的痛跳上来，揭白预感到，那个结果就到了。

九点半，老鲁落花流水地开门进来——西装下套一条运动裤，脚穿一双球鞋。

"我跟你家张文生说了，下班后我先打会儿球，他走时到球场接我。谁知，六点左右，我亲眼看见他坐的车子从球场经过，根本就把我忘了。我赶紧打他的手机，他说他只是去办点小事，马上回来接我。

这么，我就回来办公室，谁知他把门锁了，我没有衣服换，也没电话打，钱也在西服裤里。没办法只好在办公室里等了。我一直以为他很快就会回来，所以就没有给你电话，结果，他竟然根本就没有回来过！要不是公司又去了趟班车，我今天非饿死不可！"

刘卫红生气地大声奚落他："人家根本就没打算来接你！只有你这个傻瓜，还会去相信，人家根本就是把你当猴耍！"

"不是！我想，他开始还是想来接我的，只是后来又有了更加重要的约会……"

"算了吧！除了你，还有谁会去上这样的当！"

揭白发现他们的吵架正在升级，干脆打了个电话给张文生，问他在干什么，为什么不去接老鲁。那边，张文生声音十分正常，他笑着说，自己在和文正喝咖啡，是文正临时有事找他，很快就回来。至于老鲁，是跟他开个玩笑，谁叫他当真！

听完揭白的电话，老鲁忽然冷笑："你家老张重要的约会多了，我们这种哪儿在他眼里。"

好像是忽然想起，这句话刚说完，他就拨通了马跳跳的手机：

"马跳跳吗？你的奖金我帮你领出来了，要不要现在送给你？"

"谢谢，我现在在街上，明天我自己来拿好了。"

挂了电话，老鲁特别别过脸对自己的妻子说："安琪要有马跳跳的一半聪明就好了！"

刘卫红挂着一张脸："她呀！当面一套背面一套的，不要太狡猾，你被她玩了还不会知道！"

刘卫红的嘴角还在动，而揭白已经什么也听不到了，她下意识地想给文正打个电话，可是终于没有打。

接到揭白和老鲁的电话时，张文生正背靠在外滩墙上，马跳跳的平胸紧贴着他，他的手放在她的内裤里，触手都是撩人的潮湿。

他有点难为情。她鼓励他："你如道很多老上海人都是一家三代挤在一间房里的吗？可是他们照生孩子，这得感谢外滩！外滩本就是个开放的洞房！"随着她的指点，他相信了很多男女正在他看不见的周围干着比他更激烈的勾当。

就在马跳跳第二次在手下狂扭的当口，揭白打来了电话，他一边编着瞎话，一边感到说不出的刺激，手法便加了意想不到的变化，马跳跳几乎要喊出来了。

接下来老鲁的电话却让他厌恶，为了马跳跳的沉着感到真正的厌恶，她究竟有几次对他说谎？

而马跳跳却对他的谎言感到由衷的刺激，仿佛他对妻子的欺骗是对她的一个承诺，她的天平上又增加了一个砝码。

揭白不想回家，怕回家看到张文生还没有回来，他留下的空巢让她心酸。

她缓缓地在心里一个字一个字地说：张文生，你好，你好！我搞不过你。

奇怪的是，她始终流不出原以为会很滂沱的泪水，眼前出现的过往反而很亮，很令人神往。

那是一个恋爱的季节。她有好几个男友，张文生并没有打动她，只是女孩自私而多情、骄傲的一个证据。那时候的爱情还十分古典，她可以放心地答应男友共度良宵的请求，而尽可以不用顾虑自己的贞操。

她现在才清楚地知道，张文生并不是个多么出色的人，他的胜利更多的是得益于他工于计划。就像当年他请她到他的陋室里跳舞，然后出其不意地占有了她。

他的成功之处是让她自己决定做还是不做，第一次她毫不考虑就拒绝了。同时，她却发现，他是如此尊重她，尽管那拒绝严重地伤害了他。

张文生有一个最大的法宝——善于表现情感，善于发嗲——也就是说，他不怕在女人面前示弱，并由此激发了女人的母性，主动满足他的欲求。

年轻的揭白以为不用担心和张文生过夜，因为他是个君子，做不做的权力全在她手里，她尽可玩玩这撩人的游戏。于是，她再三答应他跳舞的请求。

大概在揭白第六次与张文生过夜的晚上，她在他的身下流出了处女之血。

而且还是在她自己的帮助下。

她痛切地意识到，自己嫁给了一个太工于心计的人，他居然在这些年里始终坚持他没有主动，是她自己献身于己的。

他总是这样老谋深算，绝对自私，总是计划好所有细节，保证不负任何责任，全身而退。

揭白想，张文生太利害了，她根本不是他的对手。对付他，自己只有完全地坦诚，完全地不设防。那样，他的计谋就无可施展，也伤害不到她了。

就在揭白牵着女儿走向寂寞的家时候，张文生决定要把事情明朗化。

在此之前，他与马跳跳的事还都打着工作的幌子，每次他都是以出差的名义彻夜不归的。就在马跳跳的欲望无可遏制的关键时刻，他推开了她，把自己的裤链拉好了。

马跳跳满眼都是委屈。

他眼里流露出爱怜，心里却充满邪恶——让她难受一晚上吧！

他想，我这次要明确地告诉揭白我要去睡马跳跳，只有这样，我才能知道我到底想要哪一个。

四 约 会

白笙被奶奶抱上了床，揭白悄悄推开门，站在院子里的一棵老银杏树下，树叶在风中瑟瑟作响，她的眼前掠过春日绿盈盈的景象。

她全身沐浴着阳光。

而她的心里，却有一种撕撕拉拉的感觉，就像非常想流泪，却又流不出。

也像期待爱情，手边有的却味同嚼蜡。

是五月里，心里长草，无着无落的感觉。

她低下头，恍然回到了大学校园，周遭都是嫩绿的长春藤，她从山坡上下来，裙裾大幅度飘起。

那时，她还天真，把这种感觉归结为想妈妈了，而不知道自己正在怀春。

今夜，当同样的感觉袭来，她却再次将它归结为怀念母亲。

母亲是一个认真的人，一生认真，她徒劳地试图把她放在不存在的象牙塔里，告诉她现实是不存在的。

她曾经严格地听从她，以为自然科学会是惟一的世外桃源。

她正如她母亲希望的那样优秀，确实是一块搞科研的料。然而，她不快乐。

于是，在母亲已经确信女儿已经安全的时候，她从她的身边逃跑了。

母亲真的原谅了她吗？这种伤害难道不是致命的吗？

揭白的心里一阵难以遏制的收缩，她蹲下身，看见张文生正向家门走去。

揭白低下头毫不设防的样子再次触动了张文生。

他有些怜惜地想到，我对不起你，阿白，你真的没有过一天好日子。

她第一次到他家，正是春季蚕子上山的时刻。她装出的爽朗更加深了她的羞涩，只有在背起采桑工具的时候，她才是自然的，醇美的，像窖底最干净的醇酒。

她正是那种古典的爱情，忠贞不渝，从一而终。哪怕内心有另外声音，也决不听从。

我怎么能对她做这样的事情呢？张文生这时的愧疚是真实的。他带着热情走到揭白的身后，张开双臂环抱住她，她的乳房充盈满手，一点柔软从指缝里流逸而出。他忍不住叹惜道："你这里真大呀！"

揭白原本软下来的身体突然挺直了，她的心里冷冷地飘过一个念头——十年夫妻了，他何曾知道她身体的秘密与别人有什么不同？他是与别人有过亲密接触了。

她粗暴地推开他："院子里的人在看呢！"

"那又怎么了？你是我老婆，我们又没干什么见不得人的事！"

他的心里涌出一股烦恶，觉得受了伤害。

"揭白，你不要自以为是，做记者了不起了！告诉你，我只要旗帜一树，保证投怀送抱的排成队！"

揭白厌恶地把脸别向一边："没想到上海让你变得如此无耻！你树你的旗帜吧！只是别把病带回家！"

"这是你说的！我做什么你可别后悔！"

揭白忽然回过脸，妩媚一笑："放心！不管你跟谁，我都有办法把你搞回来！你离不开我！"

"好！明天晚上我不回家，也不工作，我准备神秘一下，你也不许问我在哪里，干什么……"

揭白忽然把头伸到离他的脸仅一厘米的距离里，邪恶地笑着："我告诉你，马跳跳昨天根本就不敢看我的眼睛，她爱上你了。你去找她吧！她巴不得要跟你上床呢！"

张文生的心几乎要跳出来了，惊叹女人的直觉真可怕。

半夜里揭白被一种轻柔的触摸唤醒，她闭着眼睛，发现张文生正爱抚着他过去从来没有爱抚过的地方，正是她的渴望。

她恐惧地证实：自己是一个不折不扣的流氓。

一切是那么恶心，邪恶。

她痛恨它，包括爱抚的地点，方式和由此带来的感觉。

那种销魂的收缩，抽搐。

这是深藏在她生命最底处的阴暗，她始终害怕被发现。她想象当这一切暴露时，自己会不耻于人类。

那个道德的楷模原来是个流氓。

甚至第一次献身都与此相关。

她一直担心自己幼年的行为已使自己失去了贞操，当张文生证明她是纯洁的时，她多么狂喜啊！

这促使她更多地表现得像一个卫道士，因为，不这样，似乎就会暴露出她的底细。

甚至，在与张文生做爱时，她都会控制这种抽搐，惟恐让他知道自己其实是一个烂女人，是一堆不耻于人类的臭狗屎。

她开始明白,世界上大多数道义的行为也许是为了掩饰某种难言的错误。

而此时，张文生终于发现了它，并以此勾起了她压抑了多年的欲望。

她在他的手下不由自主地颤抖，发直。然而，她的心却在更大声地哭泣：文生，你终于背叛了我，你找到了那个烂女人。

五　前　戏

第二天是星期六，正好是揭白值班。

一大早，夫妻俩默默地对看一眼，什么也没说就各自出门了。

乍暖还寒，揭白感到彻骨的寒冷。她打着哆嗦推开办公室的门，听着自己的脚步在整个报社发出静悄悄的回声，忽然滚倒在地，摊开四肢，无泪地哭泣起来。

就在这时，她的电话犹犹豫豫地响了起来。她心里仿佛一个闪电，立刻知道是谁。

一定是何键。

多久没有他的消息了？可能有半年？一个月？一天？

反正，他肯定会找她的，哪怕是他们的骨头都成了灰。

这不是一个轰轰烈烈的故事，只能算是另一个小心翼翼的古典式爱情。

他和她共事多年，平时交流的目光都是坦荡荡的，只是他们都是很认真的人，对工作、家庭、爱人，随时准备牺牲。

他们都有一个梦——当英雄的梦。如果机缘巧合，他们就是刘胡兰、黄继光。

然而，她没有勇气接他的电话。

几乎是同时，张文生也拨通了马跳跳的手机。

马跳跳的手机传来一声好听的滴滴声，立刻，话筒里传来马跳跳非常少女的声音："喂——"张文生仿佛可以看见马跳跳正焦急地等着他的电话，他忽然恶作剧地挂上了听筒。

为什么人的声音会和人的面孔一样不可信呢？揭白其实是一个少有的单纯的人，她的声音却是果断有经历的；马跳跳的声音和她平时的小动作一样，显得纯净而美好，他曾经奢望她是一个处女，结果她不是。

他曾经计划好，要先试探她肯不肯跟他单独出远门，并跟他住隔壁；然后再挑逗她，激起她的情欲，到她欲罢不能时再由她选择——下面的就看情况定，反正搞一个处女的危险是她会缠着你要你娶她，好处是可以享受征服的快感。

情况却处处出乎他的意料，几乎是以加速度在向前发展。

首先，他刚提出请马跳跳出游的请求，她马上就迫不及待了；至于挑逗，他原本是准备在约会三次左右、为自己树立起一个痛苦的丈夫形象后再无奈地开始，结果，她在他进房间的同时就脱光了自己。然后，他的手碰到哪儿，她的哪儿就欢娱、绷紧，使他在毫无准备的时刻就被扒光了。就在他赤条条地趴在她身上，犹豫着下一步该怎么办时，她毫不犹豫地就把他放进了她的身体，一点没有阻碍。

当时的他几乎是狂喜了，为如此的顺利，当他发着抖不顾一切地一泻而尽时，残存的戒心忽然露了头："会不会怀孕？"

不会，她半休克着说，我在吃避孕药。

几乎是本能，一股怒气冲向他，好像是自己钻进了别人的圈套。

她感觉到了，半抬起身子，把他的脸压进自己胸膛里："你想我和我男朋友生小孩呀？"

后来，她才断断续续告诉他，她的小男孩早就和别人网恋了，他们已经一个多月不见面，看来，分手是不可避免了。

电话铃急促地爆响起来。

张文生知道肯定是马跳跳。

一个女人怎么能同时让两个男人操呢？在张文生眼里，仅仅因为这一点，马跳跳就活该。他不应该为她负任何责任。

同时，他又生出了另一种想法——有一个做爱水平超级，且不用负责的性伴侣是多么难得呀！如果揭白默认，他这个男人有福了。

值得为此去冒险。

听着电话里马跳跳意料之中的肯定的回答，张文生的心竟然悸动起来——如果他成功地说服了揭白，今晚就是一个美好的开始；反之，他从此将结束与马跳跳的关系，今晚就是最后的疯狂。

他的心里掠过一道光，是马跳跳无所顾忌的声音激发的。他立刻就知道这是他内心里的声音：我不能离开阿白，她是我生命的支柱。

这一点是在两年前那次与死亡擦肩而过时明了的。

他的红斑狼疮其实在他少年时就开始对他虎视眈眈了，只是乡下医生水平太低，一直当关节炎治。所以，当他被确诊为红斑狼疮时，他的生命已经很脆弱了。

找女朋友时，他从不忌讳把自己的暗疾告诉女孩。因此，他不断与两种女孩遭遇——目的性强的，掉头就走；生性浪漫的，反而会为此对他关注——他要的正是后者。

生存的本能早就告诉他：只有真正的浪漫，那种甘愿陪着爱人变老的浪漫，才能经得起疾病的考验。

找到揭白，他认为是自己策划成功。

他从未意识到，揭白的单纯，揭白坚守的贞操竟然成为他今后活下去的动力和信心。

马跳跳的床头有一只电冰箱。

公司集体宿舍里惟一的一只电冰箱。

里面从未断过酸奶、牛肉干，这是她喜欢的食物，她喜欢任何时候都能方便地食用它们，所以，她买了这只电冰箱。

男孩子都很新奇，她果断地告诉他们，我喜欢享受。

在向张文生解释为什么不是处女时，她也是这样说，那时她的口气是冷静的。

这种奇特的冷静也感动了张文生——几乎就是在那一刻，他肯定了自己，决定还要跟她再来一次。

她在为赴张文生的约而梳洗打扮。对着镜子中的自己，她开始不自信——揭白并不丑，而且是个记者，比她的职业有魅力一些。她是个理智的人，她知道自己的优势在床上，所以尽量多地与张文生上床。她想，与揭白相比，我的身体可有味多了。

然而，聪明如她，早已明白，自己的劣势也在这里。张文生是个怎样的人，她已经有点数了，他很有可能只跟她上床却不跟她结婚。

那，就见他的鬼吧！我反正已经享受过了。

马跳跳认为，性是女人的权利，是做女人的乐趣，找到一个合意的伴侣并不比找到一个真正的爱人容易。

因为，男人达到性高潮都是相似的，而女人各有不同，麻烦的是，女人需要什么，男人不知道；女人在找到能使她达到高潮的男人之前，自己也不知道。马跳跳已有四年的性经验，几乎试遍了碟片里、书上所有的做爱方式，做爱对象也不止一个，然而，真正让她快乐的还是张文生。

在出门前的最后一分钟，她决定换回原来的衣服，因为，张文生肯定不愿意太招摇。

她就像一个高尚的白领一样出门了。

六　激　动

两个月后，揭白曾给马跳跳打过一个电话，问她："你还爱他吗？"

她立刻反问："你什么意思？"

"我只是想知道。"

马跳跳踌躇了一下后说："我觉得现在回答这个问题没什么意义。"

揭白沉默了很久。然后问："那你从中学到了什么？"

马跳跳神经质地笑了："学到什么呀？……"

然后挂机。

而揭白是由此完全脱胎换骨了。

那一天，她还是接听了何键打来的电话。

他的声音一如往常一般平稳，客观地告诉她单位里这个这个怎么了，那个那个怎么了；她也礼貌地回应几声"哦？"。要挂机了，他突然像是想起了什么："我昨天经过你家，看见窗帘换了，很多的男人在喝酒。我记得你从不喜欢男人进你家的，那次连个烟灰缸都找不到。"

她的心忽然抽痛起来，几乎哽咽不能语。

他似乎知道。停下来良久才轻轻挂了。

电话里传来咯答一声。

揭白的眼前仿佛出现了一条路——她脚不点地地走着，风溜溜地吹过，她感觉好年轻——路的那头，出现了她原来的那个家：家里纤尘不染，家具很少，看不出有人在住。

窗帘是朴素的。风吹过来时，发出响亮的撕裂声。

揭白曾经抱怨，窗帘的声音太响，害她彻夜难眠。那时候张文生一个月也难回家一次，白笙太小，放在乡下，揭白一个人独居陌生的城市。

她经常和认识、不认识的人喝酒，豪爽而干练，很放得开。但是，她有个规矩，不请人到家里。特别是男人。

何键是惟一被接纳过的男人。

也是从一个她没有勇气接的电话开始。但是她最后还是接了。

"想到你家看看。"

她装着不知道，故意问："有什么好看的？"

他有点口吃："看看你家的装修。"

他光脚著一双足球鞋，宽阔的身体像是要把门堵住。

他们脸都红了。揭白赶紧坐下来，急急地说，你太高了，站在那，我有压力。何键也满口袋找烟，好不容易找到了，又找不到火，找到了火，才抽了两口，发现揭白家没烟灰缸。

你家不能抽烟的吧？

是。不。不是。揭白结巴起来，你抽吧，我去厨房拿个碗……

何键站起来："规矩还是不要破的好。我还是到外面去抽吧！"说完，起身告辞。

揭白脑子里一片空白，本能地站起来送客。

走到门口，他忽然机械地转身，她没有即时反应过来，两个人的身体几乎贴到了一起。

她闻到了他身体的味道，有淡淡的烟味和浓重的汗味。她感觉自己完全被他包围了。

有必要告诉你，他附耳低语："我听见你哭了。"

我从来不知道一个女人可以那样伤心，那样压抑，你把人的心哭碎了。

如同雷击。

张文生的病已经到了快死的阶段。可是，他们不能告诉他的父母，因为他们最爱他，他是他们最出色的儿子，他们怎么能承受这个呢？他只能依靠她，而她，必须独立承担。

她紧张得连哭都不敢。有一天，报社里没有一个人，她突然崩溃了，放声痛哭，嚎啕之声连绵到午休结束。整整三个小时。

我现在已经哭过了，我什么都不怕了。她对自己说，你现在必须做你该干的事情了。

之后，她一五一十地交待完自己手头的报道，编好了一套自圆其说的谎言，把他的父母安顿好，然后，带着丈夫走上了求医的路。

我一定要救他。她想好了。

她第一次下定了决心——至少半年不过夫妻生活，除非他恢复健康。

她都做到了，他也健康了，可是她连哭的机会都没有了。

我那时正好在报社，正要回家吃饭。我想，你不会愿意有人知道，就躲在办公室里，一直到你走。

你是我所见的最坚强的女人。

七 亢 奋

晚上，张文生真的没有回家。

揭白把手机关了，心里有种硬生生的感觉。

她不想听到他的声音。

第二天一大早，刘卫红带着安琪来约她一起去看她新做的床罩，她欣然应允。两个女人单车后面驮着两个孩子，迎着朝阳出发了。

上海虹口区的老居民区里的房子透着股暮气，东倒西歪的小房间里黑忽忽的，老人都很笃定，坐在临街的门口，一副看透红尘的样子。

他们总是善于经营生活，即使生活环境如此不堪，他们的门前还是有花，在混凝土的牢笼里，这些绿色被小心地呵护着。

最令揭白感动的一次是，她在一个破败的屋檐下避雨，听见薄薄的板门后面传来一对老夫妻的对答——男的说："雨格大，那几盆小花就勿用搬了。"女的说："勿来噻！月季就要开了，放在雨里要生病的。"

说着，吱的一声，一个瘦的老女人开门出来，脸色是长年不见阳光的青白。

发现自家屋檐下有人，她客气地笑了一下。

人的生活是多么局限呀！幸不幸福全看你自己怎么想。

刘卫红没钱，想的是用最经济的方式拥有最现代的起居条件，她不得不变得很能干；揭白天生是精神上的贵族，现实生活经常会莫名其妙地从她眼里消失，所以总像是恋爱中的女人——优柔寡断又糊里糊涂。

两个母亲在和裁缝谈价钱，白笙和安琪则快乐地看着金鱼，周围都是盛开的花朵，多么明朗而祥和的春天啊！

揭白快乐地订了一整套的床单、被套、床套，她和裁缝说好，做得满意了，下次还来做全套的窗帘。

要厚的、重的，没有响声的。

昨晚，她的新窗帘又吵了她一夜。

张文生回来的时候已经是中午一点多，揭白面朝里躺在沙发上，一副木然的样子。他从锅里装了一碗冷饭，他母亲听见儿子回家，急忙中断正在进行的午睡，张罗着给他热饭热菜。他故意大声说："早上老板临时有事情，只好又去了趟公司。老鲁他们现在还在公司呢！"

揭白冷笑。因为刘卫红刚才还在为老鲁不肯陪她上街而生气呢！

可是，她不想揭穿他，大家留着点脸。

张文生端着碗坐在她身边看电视，忍不住不断打着哈欠。揭白嫌恶地闪开身子，继续睡觉。

张文生枯坐了一会儿，一个人进房睡了。

这一觉睡到了吃晚饭的时间。揭白吃饭，给白笙洗澡，给白笙讲故事，然后睡觉。

张文生拉开她的衣服，她没有拒绝，两个人做爱完毕，睡觉。

第二天，张文生破天荒地比她回家还早，九点就催着要睡觉，揭白抬起眼皮凝视着他，他嘿嘿地笑了起来。

"你真的不想知道我昨天都在哪里、干什么？"

"你昨天一回来就大睡，说明你一晚没睡，还能干什么？"

"你就把我想得那么不堪吗？"

"我怎么想你了？"

"反正我没有找妓女。"

"我知道你要有感情，这样才有味道。"

"对呀！我找马跳跳了。"

揭白的心还是痛了。她没想到自己还是不够坚强。

"这都怪你，如果不是你告诉我马跳跳能睡，我哪知她肯来呀！"他留意地观察她的反应，"你怎么了，听见了吗？"

"怎么样？"

"没意思！还不就那样，真让人失望。"

揭白恶意地回答："我等下告诉马跳跳，说你说的，跟她做爱让人失望。还不如家里的老婆有意思。"

"我有说吗？其实我跟她做得更久，更激动。"看揭白没什么反应，他又加上一句："她真的爱我呢！"

"她稍微动动就气喘吁吁了，然后，她里面不断地一抖一抖，我舒服极了。

"她还用嘴跟我做，亲得叭唧叭唧响，我感觉好柔软，好像她嘴里没牙齿。"

奇怪的是，张文生讲他与马跳跳做爱的反应时揭白一点也不生气，只觉得兴奋，仿佛是自己占了马跳跳的便宜。她不由自主地回应着他的抚摸，两个人从未如此投入。接着，张文生惊讶地发现，揭白的里面也有节律地收缩起来，一波紧似一波——

"这就是阴蒂型快感，是女人手淫时最容易出现的。你要我给你表演吗？"她直勾勾地盯牢他，仿佛在做一个科学实验。

"不要把我的事庸俗化，你想让我感觉像小丑！"他愤怒地想推开她，可又不由自主地被她吸引——她身体里的女人原来藏在这里！

揭白冷笑。又给了他一次快感。

张文生出冷汗了。"你竟然根本不在乎？"

她点头。继续认真做爱。

"一点也不生气？"

"我们搞开放式婚姻怎么样？"

"什么？"

"就是都在外面有情人，可是仍然是夫妻。"

"那可不行，我受不了你在外头有情人！"张文生气呼呼地说，她固执地坚持——你已经这样做了，就意味着我对你解除了所有的权利和义务，你以为我还会像以前一样吗？

张文生的脸抽搐了一下，考虑良久，说，你可以在外头有人，但千万不要让我知道。

一夜甜睡。

揭白在晨光中睁开眼，发现张文生正一眨不眨地盯视着自己。

"干吗？"她露齿地温柔一笑。

"你是不是早就盼着这一天了？"

"哪一天？"

"有情人的那一天。"

"当然。你也不想想，我其实是个内心狂野的人，你那身体能满足我吗？不过，我家的人都很保守，我得感谢你把我给解放了。"

"一点也不爱我了？"

"不爱。"

"从什么时候开始的？"

"从头，我太爱自己的贞操了，更爱自己做英雄。我是你家的救星吧？！"

"你真残忍！"

张文生狂怒着上班去了。

揭白冷冷地看着门被他用力甩上。

张文生出门就打通了马跳跳的电话。

"你想跟我结婚吗？"

"太想了。"

"你肯定没骗我吗？"

"骗你有什么好处吗？"

"那，你爱我吗？"

马跳跳笑了："我比你小九岁，不是大九岁，机会有的是，干吗要拿自己开玩笑？我承认，开始时我只是想拿你填填空，后来却发现我真的爱上了。我们结婚吧。我可以向你求婚。"

怎么就这么容易？容易得叫人没劲！张文生很丧气，对她说，我不知道自己爱不爱你。

"没关系，我爱你就够了。"

八、九　高　潮

揭白决定找马跳跳谈一次。

这个想法是在淮海路上坚定起来的。

张文生走后，揭白也懒懒地起了床，第一次不觉得上班多么重要，她伸个懒腰，站在路边打车。

来上海后，张文生一再批评她太抠门，不懂得享受，为了省十块钱情愿挤公交车。她不在意地说，我愿意。你要打车打好了，我又不怪你。

可是，这样我难受。只好跟你们过穷日子。

揭白想，享受谁不会呀！我本来就是个花钱的，因为你没钱，我才学会省的；就像你做不了，我才拒绝做一样。她不明白，他怎么连这么简单的道理都不懂，本末倒置，无理取闹。

现在，我拼命为你省你的——钱和精子。好，看看咱们谁会花。

揭白在沙宣洗了个三百七十元的头，又花二千八百元给自己买了个包。口袋里还有一百二十多块，便到丽婴房给白笙买了那条她早看好的裙子。

连卡佛华丽的橱窗映照出她凹凸有致的身影，她对自己感觉满意，想看看马跳跳的平胸。

喂，马跳跳吗？

嗯，你好！

我是揭白，张文生的妻子。张文生说你的乳房跟他一样。

——

你的毛向上翘起来，是吗？

——

我奇怪你居然还不挂电话。你真厉害。

我厉害吗？厉害就不会爱上张文生了。

我们见个面怎么样？

今天行吗？

就今天吧。

张文生今天在公司开会，电话一直关着。会议结束，刚把电话打开，马跳跳就打了进来。

"你老婆刚才恶毒地侮辱了我。她骂我胸很小。"其他马跳跳就说不下去了，她发现揭白虽然说的是大实话，用的是科学性描述语言，可比脏话还难以出口。这时，她才知道，揭白激怒她的不是她说了什么，而是她说话的态度，那种把她当妇女的态度。

她想，我还是个没嫁人的大姑娘呢！怎么能这样一览无余地描述呢？

"你是不是把我们的事都告诉她了？"

是。

"连我们怎么做爱？"

是。

"无聊！"

是。

"你怎么这样？"

这样才能伤她的心，才能让她绝望呀！你不想快点嫁我了？

讨厌！

你那里又湿了吧？我想你！

那我们还去小天鹅宾馆吧。

我，我没带钱。

我带了。现在就去。

文正怎么也没想到揭白会主动约自己。

那时候揭白还在他出生的小城，喜欢穿一身花衣服考验乡下人的承受力，她在大街上欢欢喜喜走动的背影是那个夏季最难忘的印象。

在冬天，她是不穿内衣的。她还很年轻。步态跳跃，从人行道上跑过，人们看见的都是她动感的身体。而她笑声爽朗，从不给人机会。她站在路口，专心致志地咬一串油炸萝卜饼。

他爱她了。

他从做生意路过的任何一个地方给她写信，有时候在火车上，当他急忙在一个小站下车、投信时，感觉就像回到了校园，而不是不得不去骗别人被别人骗。

她太认真，每一封信都回，这样，每当他出差回家，总是发现信箱里有一大堆短得不能再短的信——"收到！""嗯，嗯。""猪！"……

他明确地告诉她，希望在张文生不知道的情况下向前进一步；她不置可否，装着什么也没发生，逼急了，她没心没肺地冒一句："动物！"然后就此断绝了两人的关系。

他一直无法判断自己在她眼里的形象，抑或是她的形象。

亦正亦邪，若即若离，在给你希望的同时又无可辩白地加以拒绝，他想，她是不美的。

有一次，他在迪厅里碰到她，她跳得性感超群，热情洋溢，几乎使他再次想起给她写信的日子；然而，当他走到她眼前时，她根本没有认出他，她汗涔涔地坐在最黑暗的角落，把头夹在大腿里。

没有人。

她一个人跳舞。

经常。

马跳跳后来专门去了揭白生长的城市。那是一个乱哄哄的地方，所有的人习惯大声叫骂，使用那种方言无法优雅。街上充斥着一些天赋美丽，却操着一口粗话的女子。

马跳跳在那里感觉优越。充分相信自己就是那个刚出发的女子，干净清洁，对男人一无所知。

现在，她才知道这是多么的奢侈。

揭白问文正，这些天你老约我们张文生喝茶干嘛？

文正尖利地看了她一眼：不，春节后，我还没见过他。

他可是天天和你在一起。

揭白笑了，笑得很好看。美。

淮海路上的真锅咖啡是文正最近最喜欢的地方，日式的拥挤正合他现在的心，和揭白这样小心翼翼的人聊天最合适不过。果然，揭白坐得不能再舒适了。

我说过你不要苦着自己，何苦呢？大家都紧巴巴的，得放自己，放别人一条生路。

你什么都知道了？

我知道什么了？

你什么都不知道。

蹦迪的时候你认出我了吗？

认出了。可我不想说话。

张文生从来也不能阻止我，你认不出我才会阻止我。你知道对吗？

揭白点头。

你其实也需要对吗？

揭白的眼里有一丝哀怨。当时的心思清晰地再现出来——哪怕是魔鬼我也干了。

可是，没有人叫她，她的态度拒绝了世界，也拒绝了自己，使她成了一个孤零零的。

我需要。我没有。

她看见自己始终忍受着，牙齿咬出了血，吞到肚子里去。

你虐待自己，也虐待别人。我们是你的牺牲品。

张文生也是。看起来好像是你为他牺牲，其实是他成就了你，你靠虚荣活着，觉得别人欠你的，可以为所欲为。

揭白无力地抬起头，像个孩子："我错了，我错了，可是，怎么办呢？"

文正扑哧一笑："这样吧，你就先陪我睡一觉，然后再考虑别人吧！"

"神经病！"揭白笑得发抖，拖着他的手，走上了淮海路。

他们站在路口，一辆辆拦车又找出各种理由让车走，司机们怒气冲冲的脸让他们快乐极了。

"完了，我们把全上海的司机得罪了。"揭白痛苦地呻吟着，文正一本正经，说，不对，别拉上我，没我什么事。

他们像一对亲密战友，沿着午夜的淮海路磕磕绊绊地走着。夜已经静了，而灯火通明，灯火阑珊处才是人心缜密的地方。

她看见开放的身体。她们站起来，像淑女，矜持。从灯光下高傲地晃过，男人赢得世界，她们打理男人。

"文正，你给张文生打个电话。"

干嘛？告诉他我终于搞到你了？

揭白横起眼睛："搞到了吗？你？"文正告饶，问，这么晚，还打？

"打！"

他电话不关机？

"厂里最近有事，他老板不准他关机。就那么点工资关机？他敢！"

他骂我怎么办？

"你就说，打错了！"

文正斜睨着，说，揭白，你变聪明了。

电话通了。很久，没人接。再拨，很久，电话里传来威严的声音："怎么了？"

他妈的狗东西！是我！

电话那头犹豫了很久，文正不得不自报家门：文正。

张文生疲惫地松了口气："好久没联系了，怎么，半夜鸡叫？你小子偷鸡了还是摸狗了？"

算了吧！干什么也没有你来真的呀！在哪儿？

在家。

没吵着揭白吧？

她在我身边睡着呢。嗳，有屁就快放，真吵醒了她，我可让你兜着走！

好！好！无他，想听你的声音了！

犯贱！

文正一路笑一路学张文生的话给揭白听。揭白笑得喘不过气来，过重庆路时，她不好好走人行天桥，偏要爬隔离带，文正托她过去。他们站在隔离带两边，一里一外。

揭白脸板起来，说："张文生这有意思吗？每一句话都小心翼翼，因为说谎是最容易忘的。连你，这最老的朋友。他本来就没几个朋友。他是个封闭的人，没人知道他在想什么，他自卑。"

这生活有什么意义呢？到处说谎，没有人信了，没人。

文正也认真起来："这就是男人，男人希望和尽可能多的女人做爱，同时又希望他所有的女人只和他一个人做。所以，他天生是个撒谎的动物。"

揭白一字一句地说："他疯了。他分裂了。他现在活像个骗子。她也没意思，她身体的每一个隐秘都被她的情人告诉了自己的妻子，在他妻子的眼里，她的脸就跟屁股一样。我看见她的脸上，长满了很多又密又硬的阴毛。"

我永远也不做情人。

文正怪怪地看着她："别说得太满，你还什么都不知道。"

揭白固执地逼视着他。

你真的什么也不知道，你还是个处女，女人神秘的快乐你还不知道，你知道了，你就忍不住了，你就会巴不得有情人了。

我都有白笙了。

可你还是个处女。你心里的火还没有释放出来，你热情似火，天生就是个欲望强烈的人。

你把我说得太可怕了。

不是我可怕，而是你可怕。你激起了男人的欲望，自己却一无所知，总有一天，这一切都要清算。

还是让我来告诉你吧！文正想翻过来。

揭白急忙上了一辆百无聊赖的出租车，扬扬手走了。

十　稍　息

文正电话打过来时，张文生正带领马跳跳越过第一次高潮。

再一次说谎，张文生感觉很不舒服。他仰躺在床上，半晌没说话。

马跳跳看出他的心思，幽幽地说："你又要回家？"

张文生没吭声，慢慢地穿衣服。马跳跳忽然用被子蒙住脸，小声小气地哭了。

张文生大骇，这么久了，他还是第一次看见马跳跳哭。他的手在钮扣上迟疑了一下："你真的不愿意我走吗？"

"当然。但是，你是她的丈夫，你还是走吧！"马跳跳的眼泪在午夜的灯光下是绝对真实的。"谁叫我爱上的是别人的丈夫呢？"

张文生有点内疚。他伸出手，轻轻捏着马跳跳瘦骨嶙峋的手，柔声问道："我是不是很像一个骗子？"

马跳跳含着眼泪，点点头，又摇摇头。

张文生不觉莞尔，他喜欢马跳跳的正是她这种偶尔流露的女孩子气。这是和她平时刻意表现的女人味不同的，这很真实。张文生有些遗憾地想，揭白就从不这样，她好像从来就不会卖乖，一针见血的样子，不留一点余地，他最恨她那种得理不让人的样子。

她的样子让他心疼。他再次敞开怀抱，和她肌肤相亲，她引导着他，两个人轻轻搂抱着，等待血液平息。

马跳跳脸色晕红，梦呓一般地说：文生，我们结婚吧。

这是他们第一次论及婚嫁，第一次考虑前途，张文生不由一凛。

揭白怎么办？还有白笙——他不能掠夺她的幸福，她是完全无辜的。

马跳跳绝不会接受白笙。就算接受，白笙也不会接受马跳跳。他的眼前出现白笙那倔倔的，坏坏的眼神，白笙是绝对站在揭白一边的，这一点他想都不用想就知道。

揭白什么都可以放弃，但，白笙，她是宁肯受最大的委屈也要保护的。揭白是一个母性十足的女人。

白笙天生敏感，早看穿了这一点。所以无论揭白多忙，多么怠慢她，她还是毫不犹豫地站在她的一边。

还有，除了马跳跳这回事，他基本上是个正人君子，一下子要他抛妻弃子，真的很难。

尤其是他的父母，一对老实巴交的老农民，叫他们的老脸往哪儿搁呢？

他仿佛看见自己，本只想玩玩，却越陷越深，就像一条被人痛打的狗，没有回头的余地。

我怎么就变成了一个坏人了呢？

他忽然开始痛恨马跳跳了。这给他狂欢的肉，这堕落的心。她是没有一点廉耻的。

于是，在他得到极致之后，他反而毫不留恋地离开了她。

他回到了家。

他们的卧室柔和地透出灯光，他有几分迟疑，闭上眼睛站在门口。他听见屋里传来啪啪的声音，知道是揭白在打蚊子，她像一只大鸟，静悄悄地飞着，专心致志地保护着自己的小鸟。

他不由得想起，他们贫困时，她也是这样，一夜一夜地守着他，不让蚊子咬他，而他，则心安理得地呼呼大睡。因为，他有病，他应该得到照顾。

这时候，他心里忽然有种冲动，想要叫她一声妈妈。

揭白苍白着一张脸出来，默默看他一眼，侧过身，进卫生间洗掉手上的蚊子血。

他问："今晚几只？"

她说："26只。"

"还有吗？"

"你先睡吧，不要命了？"揭白责备他。

他乖乖地躺在床上，很快就打起了呼噜。

他在睡梦中感觉到脸上有轻微的喘气，睁开眼一看，赫然是揭白瞪大了一双凹陷的大眼，直视着前方。

他打了个寒战，一骨碌爬起来，抓住妻子的肩膀，流下了眼泪。

揭白平静地说："干什么呀？我不过是在看那咬你的蚊子。"说着，伸出手，两手用力一合，手心里便多了一摊蚊子血。

你呀！我们夫妻十年，何曾见你流过泪呢？

连你最喜欢的爷爷去世，你都没哭过；连你病得要死，我们仿佛生离死别，你也没哭过。现在，你却为了一个烂女人，在自己妻子面前哭了。

你的委屈是自找的。

揭白一边想对他狠心，一边却感到心灵深沉的疼痛。

天亮了。

十一　再　起

张文生坐在餐桌前吃早点的时候，意外地发现揭白的手机遗忘在桌边。

她的手机是笨重的淘汰型，大，不时尚，优点是信号好，电池待机时间长。十足的只是为了打电话，没有一点想要以此表达身份的意思。

与马跳跳手机的小，刻意地强调白领阶层，不同。

这手机让他对马跳跳心生怜悯：揭白出生世家，天然地具备卓尔不群的气质，从不需要证明自己。所以选择的东西随意、疲塌，仿佛信息时代必备的东西对她是个笑话，是值得讽刺的东西，她的漫不经心恰好表露了她于他、她的刻骨的优越。

马跳跳太可怜了。除了克隆媒体里看得见的时尚，她其实根本不知道什么是上海。包括她对他的性技巧和善解人意——那不过是从《让爱做主》、《牵手》等等肥皂剧里克隆出来的，他几乎可以肯定，只要他说一声结束，她就会像剧中的第三者们一样黯然离去——否则，就太不漂亮，太不可爱了。

她还年轻，除了贪图享受的本能，其实还只会表演，并且在表演中自恋，发现一个根本不是自己的自己。

他看见他的妻子和情人，一个三十多岁，斜背着一个华亭路上买来的帆布挎包，活力四射地骑着自行车横穿整个大上海，她的生活是自足的；一个二十多岁，矜持地挎着个形迹可疑的名牌羊皮包，自己掏钱请情人到她父母一辈子也舍不得住的大酒店里操她，她的目光是游移的，急于捞一把的，她用时尚的方式结果了自己。其实，她的行为决定她永远不可能到达她的梦想，她永远也不会进入贵族世界。

他理解她，但也不至于冒险娶她。

那意味着他的生活至少要下降两个以上的档次。

虽然经济上他们基本不会有所损失。

揭白带给他的正是他渴望的，尽管他时刻想要掩饰这一点。而他与马跳跳的事，正是他的担心——他可以感觉到揭白正在他所不熟知的领域越行越远，她潜在的激情也许会使她失去控制，而她是多么不善于控制啊！——他想好好刺激她一下，把她从生活的麻木中叫回来，他需要她对婚姻的真正激情。

家里没有其他人。

他的父母送白笙上幼儿园了，揭白上班了，少了白笙永远不停的为什么，家里说不出的安静。

他好奇地打开揭白的手机。

发现昨晚他回家的前二十分钟内，揭白接了一个长途，又打出了一个市话。

长途是来自她过去工作的城市的，市话则是打给马跳跳的。

是谁会在半夜里打长途给揭白？揭白为什么要半夜里给马跳跳打电话？

他渴望知道。

其实，长途是何键打的。

揭白告别文正后，意识到这是自己第一次这么晚回到与张文生共有的家。

她有些无力，又有些恍惚，漫应了一声婆婆的问候后，就开着灯面对白笙熟睡的脸。

我该怎么办呢？难道真的去找一个情人，放纵一次？

我首先要知道的是什么是性。我以前肯定是错了。

但，我不能从张文生那儿了解了，因为，我们中间已经有了一个马跳跳，我和他做爱时不可能逾越她。我会觉得恶心。

那让她感觉羞辱。

竟然要丈夫的情人来告诉她怎么做爱。

要和一个爱人做爱，她也有权利爆发一次。

可是，又怎能无视白笙呢？做过了之后，她还能坦然地做白笙的母亲吗？

张文生又怎么办？她母亲从小教育她要尊重家庭伦理关系，要有公共道德，这一点已经深入骨髓，无法改变。而且，她仍然对他充满温情，不忍心抛下白笙有病没钱的爸爸。

能够同时和两个男人吗？不能。单纯直接是她的生活方式，她无法生活在谎言里。

为此，她也许背弃了她一生有可能遇到的潜在的激情，甘心生活在无趣的婚姻里。只是，她没想到，张文生先她一步，残酷地揭开了内幕。

他们都意识到了生命的谎言，只是她还想维持表面的优雅，而他来得直接一些。他并没有错。

意识到自己的不真诚，揭白感到无力。

她睡不着，便专心打白笙招来的蚊子。

当手机显示是何键的电话时，她又犹豫了——我是否应该把正在发生的事告诉他呢？这样，肯定会带来他们关系质的变化。

电话铃固执地响了又响，可是，她还是没有想清楚。她想，我不想了，该怎样就怎样吧！

何键在电话里告诉她，听说她原来的家进了小偷，不过没偷到什么东西。他听见这事时心里害怕极了：如果她今年没去上海，遭殃的可能就是她了！为此，他今晚特意到她家的窗下看了一下，没发现什么异常。

他的声音朴素而平易，如果不是半夜，几乎很难感受到他的关心。揭白忽然忍不住，泪水哽住了喉咙，原想咬牙把泪咽回去，没想到却引来了更加汹涌的泪水，就这么无可奈何地对着话筒哭了。

他在那头好像感觉到了什么，也沉默了下来。

电话里仿佛可以听见电流声。

她先是哽咽，后是嚎啕，终于痛哭了。

十五分钟后，也收泪，挂机。

他始终什么也没问。

哭过之后，揭白的心忽然空了，亮了。再也不糊涂了。

我哭过了，我已经无所畏惧了。什么也不能伤害我了。

她决定一步步按步就班，先找马跳跳谈，后找张文生谈。

只要活着，就没有过不去的坎。她想，我能对付。

十二　汹　涌

揭白和张文生的家是杨浦区有名的高级住宅区，从她家的窗口望出去，是一大片起伏的草坪。

张文生吃完早点，把剩下的牛奶放进冰箱，然后拿起水壶到阳台上给花浇水。

花是一大盆米兰，茂盛的枝叶间点缀着淡黄的碎花。他记得当时他和揭白从花市上拖回这盆花时，白笙特别高兴，还编了个谜语给他们猜：为什么猫要长四条腿？揭白说，如果猫长两条腿，它就是人了；如果猫不长腿，那不就成蛇了？白笙得意地说：猫就是猫，长多少腿都是猫，你的回答不对。我知道，猫为什么要长四条腿！因为，猫如果少了两条腿，走路时脸不要蹭到地了吗？

白笙出奇的想象力让他对她充满希望，他爱她，努力做她最好的爸爸。

他发现，米兰上已有点点水珠，一定是白笙浇的，因为地上漏了很多水，一塌糊涂的。他的脸上不由得浮起了笑意，走到阳台的另一边去找拖把。

拖把在向阳的一面，正对着草坪。

他看见草坪上坐着他的妻子和情人。她们席地而坐，样子闲适而温馨，像是一对姐妹。

揭白没想到马跳跳会这么淡定。

她穿着普通，脸上没化妆，看上去很疲倦。

揭白知道自己也显得疲倦。

发现这点，揭白倒笑了："看，一个臭男人把两个女人搞成黄脸婆了。"

马跳跳朴实地报以一笑。

"你放心，只要张文生愿意，我明天就可以跟他离婚。因为，我为他付出太多了，我累了，谢谢你把他接过去，我不要了，你喜欢拿去好了。"揭白没想到自己会说出这样的话，其实，她还并没有想过要离开白笙的父亲。

为什么见到马跳跳那副无所谓的样子居然会说出这种话呢？

"我想嫁给他。不过，这样是不是对你伤害太大了？"马跳跳直视着揭白的眼睛。

揭白平和地回看她："我没有那么脆弱。他病得要死我都不怕，我还怕他活着离开吗？"她又嘲笑地看着她："马跳跳，如果你真决定要嫁他，现在就得去学打针。你可能不知道，他经常要打针的。以前都是我打，今后是你的事了。"

马跳跳仿佛没听见，眼睛看着自己的脚尖。

揭白审视着她，没有在她平静的眼睛里找到一点内疚和羞惭，不由得感叹道："时代真的是变了！我在你这个年龄的时候，别说是做一个老婆孩子的男人情妇了，就是想一想也觉得羞耻。张文生说，你做爱水平一级棒，你是从哪儿学的？"

马跳跳笑笑，很随便地做答："我和我男朋友都谈四年了，两个人没事玩玩这个不很正常吗？"

"你们都这样了还分手吗？"

"那又怎么样？难道非得等孩子都生下来了，再分开吗？那样，对得起孩子吗？"

揭白嘴巴歪了歪，心里想，那我的白笙就不是孩子了？你凭什么伤害她？

马跳跳饶有兴趣地问揭白："你现在还爱他吗？"

"为了他，我学会了打针，做家务，他家有什么事都找我，我的钱全部交给婆婆，你说我爱他吗？"揭白张口就吐出了这么一串话，说完了连她自己都吃惊——张文生对我真的很重要！

马跳跳尖利地挖了她一眼。

"真是这样，我们就算在一起也没什么意思。"马跳跳奇怪地笑了笑，离开的时候脚步比来时添了几分沉重。

看见马跳跳走了，张文生立刻追上了揭白。

"你找她干嘛？"

我告诉她我要跟你离婚。

"不行！你还没问过我呢？凭什么跟我离婚？"

我要离就离了。

"别说伤心话！别到后来后悔！我们是有感情基础的，我认为我们没必要离婚！"

你想就行了？！

"阿白，好阿白！我错了，你原谅我吧！我求你还不行吗？我们离婚，我肯定活不过两年，我会因为后悔、心情郁闷、病情加重死的！"

你死好了！

"就这么绝情？一点也不爱我了？"

还爱！揭白咬着牙说，正因为爱，我要给自己一个说法！

"就不考虑白笙，还有我的爸爸、妈妈，你的爸爸、妈妈了？"

揭白哇的一声哭了："我现在不想！不能想！你害我还没害够啊？为了你，我连正常的性生活都没有，而你，倒要去搞别的女人！我现在对男人整个失去信心，你放心，我再也不会结婚了。白笙交给我不会错！！"

张文生说着说着也哭了起来："白笙是你一个人的吗？我不允许你这样对她！她多喜欢我呀！你想让她也哭吗？"

"哭总是要哭的。人一辈子流的眼泪不知道有多少呢！她现在哭够了，心硬了，长大了就能少哭了！不要像我，都三十多了，才发现自己一生都是浪费，都错了！"

"你没有错！是我错了！原谅我吧！"

夫妻俩都哭得上气不接下气，保安好奇地盯着他们。

张文生红着眼睛，把哭得看不见也听不见的揭白抱了回家。

十三　收　煞

白笙没有失去她的父亲、母亲，她仍然快乐地生活在他们的那所大房子里，上着她的贵族学校。

马跳跳还在公司里上班，不过，张文生电告她选择了家庭时，她在电话里哭了。第二天她就踏上了去揭白家乡的路途，在揭白的家门口，她又给了张文生一个短消息："I CAN'T STOP LOVE YOU AND MISS YOU NOW."

张文生收到这条消息时正是全家准备就寝的时刻，他主动把它出示给正听白笙讲故事的揭白看，揭白连眼皮也不肯抬：我再也不会像以前那样信任你了。

张文生很有信心："我会让你重新信任我的。"

揭白伤心地摇摇头——爱是不能考验的，婚姻更不能。

（原载《上海文学》）